High Top

2권

지구과학 I

이 책의 구성과 특징

지금껏 선생님들과 학생들로부터 고등 과학의 바이블로 명성을 이어온 하이탑의 자랑거리는 바로,

- 기초부터 심화까지 이어지는 튼실한 내용 체계
- 백과사전처럼 자세하고 빈틈없는 개념 설명
- 내용의 이해를 돕기 위한 풍부한 자료
- 과학적 사고를 훈련시키는 논리정연한 문장

이었습니다. 이러한 전통과 장점을 이 책에 이어 담았습니다.

1 개념과 원리를 익히는 단계

●개념 정리
여러 출판사의 교과서에서 다루는 개념들을 체계적으로 다시 정리하여 구성하였습니다.

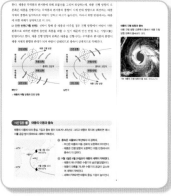

●시선 집중
중요한 자료를 더 자세히 분석하거나 개념을 더 잘 이해할 수 있도록 추가로 설명하였습니다.

●시야 확장
심도 깊은 내용을 이해하기 쉽도록 원리나 개념을 자세히 설명하였습니다.

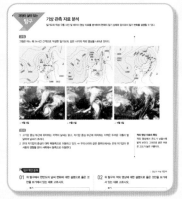

●탐구
교과서에서 다루는 탐구 활동 중에서 가장 중요한 주제를 선별하여 수록하고, 과정과 결과를 철저히 분석하였습니다.

●집중 분석
출제 빈도가 높은 주요 주제를 집중적으로 분석하고, 유제를 통해 실제 시험에 대비할 수 있도록 하였습니다.

●심화
깊이 있게 이해할 필요가 있는 개념은 따로 발췌하여 심화 학습할 수 있도록 자세히 설명하고 분석하였습니다.

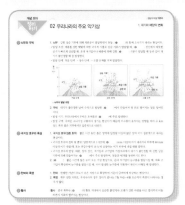

●개념 모아 정리하기

각 단원에서 배운 핵심 내용을 빈칸에 채워 나가면서 스스로 정리하는 코너입니다.

●개념 기본 문제

각 단원의 기본적이고 핵심적인 내용의 이해 여부를 평가하기 위한 코너입니다.

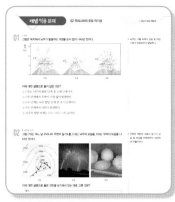

●개념 적용 문제

기출 문제 유형의 문제들로 구성된 코너입니다. '고난도 문제'도 수록하였습니다.

●통합 실전 문제

중단원별로 통합된 개념의 이해 여부를 확인함으로써 실전을 대비할 수 있도록 구성하였습니다.

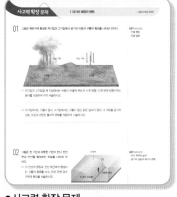

●사고력 확장 문제

창의력, 문제 해결력 등 한층 높은 수준의 사고력을 요하는 서술형 문제들로 구성하였습니다.

●논구술 대비 문제

논구술 시험에 출제되었거나, 출제 가능성이 높은 예상 문제로서, 답변 요령 및 예시 답안과 함께 제시하였습니다.

●정답과 해설

정답과 오답의 이유를 쉽게 이해할 수 있도록 자세하고 친절한 해설을 담았습니다.

> ❝
> 하이탑은
> 과학에 대한 열정을 지닌 독자님의
> 실력이 더욱 향상되길 기원합니다.
> ❞

1권

고체 지구의 변화

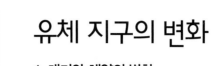

유체 지구의 변화

우주의 신비

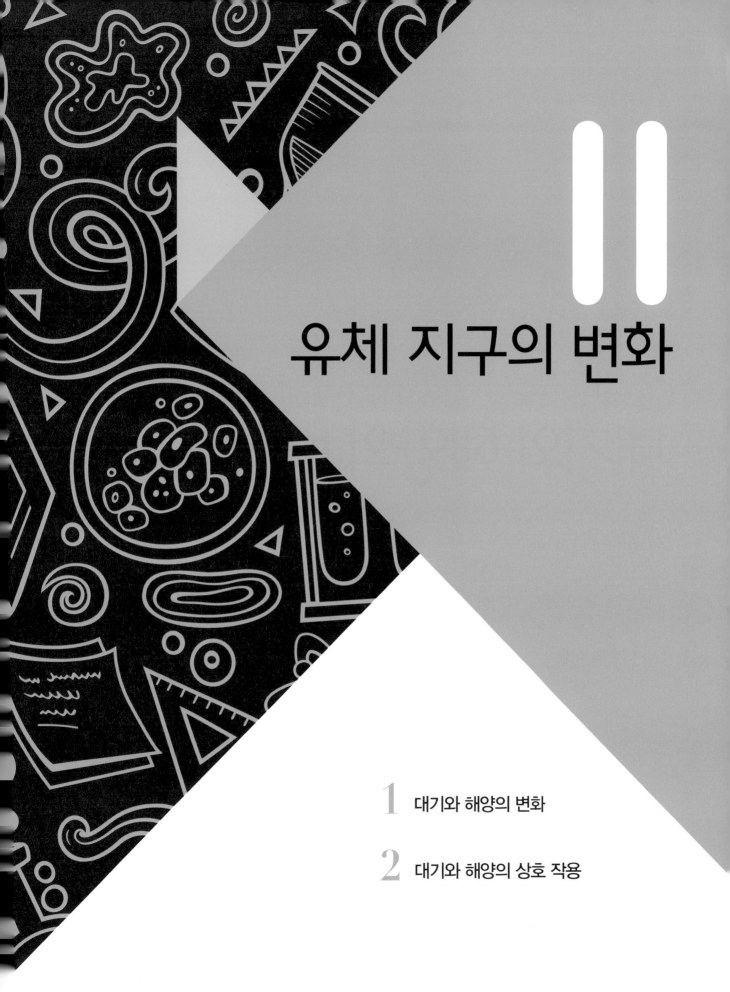

II

유체 지구의 변화

1
대기와 해양의 변화

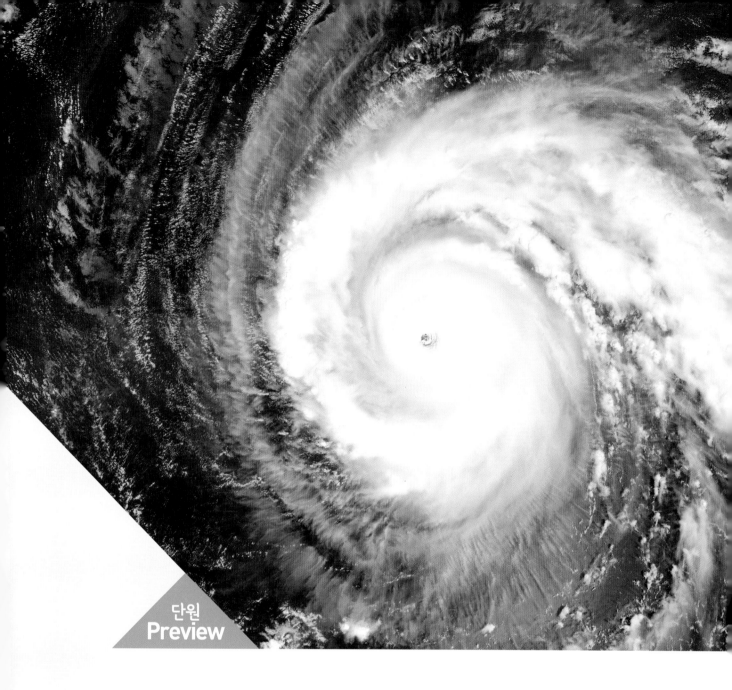

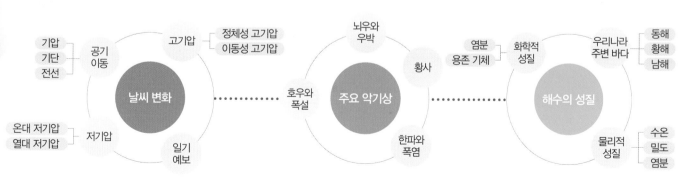

기압과 날씨 변화   우리나라의 주요 악기상   해수의 성질

01 기압과 날씨 변화

학습 Point 공기의 이동과 날씨 〉 고기압과 날씨 변화 〉 온대 저기압과 날씨 변화 〉 일기 예보 〉 열대 저기압과 태풍

① 공기의 이동과 날씨

공기는 위치에 따라 온도와 습도 등이 달라지는 특성을 띠며, 이러한 공기의 이동과 함께 물의 상태 변화가 일어나면서 다양한 날씨의 변화가 생기게 된다.

1. 고기압과 저기압

(1) **고기압:** 주위보다 기압이 높은 곳으로, 중심부에서 하강 기류가 생겨 북반구의 지상에서는 바람이 시계 방향으로 불어 나간다. 중심부에서 하강 기류가 발달하기 때문에 단열 압축에 의해 날씨가 대체로 맑다.

(2) **저기압:** 주위보다 기압이 낮은 곳으로, 중심부에서 상승 기류가 생겨 북반구의 지상에서는 바람이 시계 반대 방향으로 불어 들어간다. 중심부에 상승 기류가 발달하기 때문에 단열 팽창에 의해 구름이 만들어지므로 날씨가 흐리거나 비(또는 눈)가 내린다.

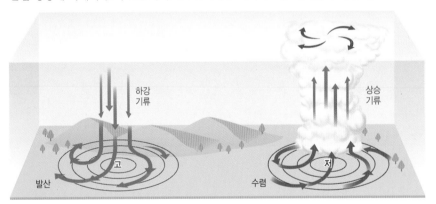

▲ 고기압과 저기압(북반구)

2. 기단

지표면의 성질이 거의 일정한 대륙이나 대양과 같은 곳에 공기가 오랫동안 머물러 있으면 공기의 온도와 습도는 지표면의 성질과 비슷해진다. 이렇게 넓은 지역에 걸쳐 수평 방향으로 기온과 습도가 비슷하게 형성된 큰 공기 덩어리를 기단이라고 한다.

(1) **기단의 종류와 성질:** 기단은 만들어진 장소의 온도에 따라 한대 기단, 열대 기단, 적도 기단 등으로 나눌 수 있고, 습도에 따라 해양성 기단과 대륙성 기단으로 나눌 수 있다. 저위도에서 형성된 기단은 온도가 높고, 고위도에서 형성된 기단은 온도가 낮으며, 수증기량이 많은 바다에서 형성된 기단은 습하고, 수증기량이 적은 대륙에서 형성된 기단은 건조하다.

단열 압축과 단열 팽창

외부와의 열 교환을 차단시킨 상태에서 공기의 부피를 변화시키면 공기 내부 온도가 변하는 단열 변화가 일어난다. 이때 공기가 하강하면 단열 압축되어 내부 온도가 올라가고, 공기가 상승하면 단열 팽창되어 내부 온도가 내려간다. 공기의 내부 온도가 올라가면 포화 수증기압이 높아져서 습도가 낮아지고, 공기의 내부 온도가 내려가면 반대로 습도가 높아진다.

기단의 형성 조건

공기 덩어리가 오랫동안 정체하면서 일정한 성질을 지니기 위해서는 바람이 약해야 한다. 그리고 큰 공기 덩어리가 지표면과 성질이 비슷해지기 위해서는 적어도 일주일 정도는 머물러야 한다.

(2) **우리나라에 영향을 주는 기단:** 우리나라는 북반구의 중위도에 위치하고 대륙과 해양의 경계에 놓여 있어 각 계절마다 특징이 다른 기단의 영향을 받는다. 그러므로 우리나라는 계절에 따라 날씨 변화가 뚜렷하고, 각 계절별로 특징적인 일기도가 나타난다. 우리나라는 여름에 해양성 기단의 영향을 많이 받고, 겨울에 대륙성 기단의 영향을 많이 받는다.

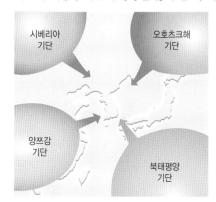

기단의 종류	계절	성질 및 특징
시베리아 기단	겨울	한랭 건조, 적은 강수량, 한파, 폭설
오호츠크해 기단	초여름, 가을	한랭 다습, 흐리고 장맛비, 높새바람
북태평양 기단	여름	고온 다습, 많은 강수량, 폭염, 열대야
양쯔강 기단	봄, 가을	온난 건조, 잦은 날씨 변화, 안개, 황사

시야 확장 ⊕ 기단의 변질과 날씨

기단이 발생한 지역을 떠나 다른 지역으로 이동하면 지표면과 열이나 수증기를 교환하여 성질이 달라진다. 이를 기단의 변질이라고 한다. 예를 들어, 한랭한 기단이 따뜻한 수면 또는 지표면 위로 이동하면 하층이 가열되어 기층이 불안정해지므로 적운이나 적란운이 발생하여 소나기나 폭설이 내리기도 한다. 그리고 온난한 기단이 찬 수면 또는 지표면 위로 이동하면 기단의 하층부터 서서히 냉각되어 안정해지므로 층운이나 안개가 잘 생긴다.

▲ 한랭한 기단의 변질   ▲ 온난한 기단의 변질

3. 전선

성질이 서로 다른 두 기단이 만나서 이루는 경계면을 전선면이라고 하고, 전선면이 지표면과 만나는 선을 전선이라고 한다.

(1) **전선의 종류:** 전선의 종류에는 한랭 전선, 온난 전선, 폐색 전선, 정체 전선이 있다.

① **한랭 전선:** 찬 공기가 따뜻한 공기를 밀어 올릴 때 생긴다. 일반적으로 전선면의 기울기가 급하고 이동 속도가 빠르다.

② **온난 전선:** 따뜻한 공기가 찬 공기 위로 상승할 때 생긴다. 전선면의 기울기는 대체로 완만하고 이동 속도는 한랭 전선보다 느리다.

▲ 한랭 전선

▲ 온난 전선

전선과 전선면
전선은 두 기단이 만나서 형성되는 불연속적인 곳을 의미한다.

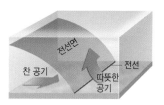

한랭 전선과 온난 전선에서의 강수 구역
한랭 전선의 뒤쪽에서는 좁은 지역에 걸쳐 소나기성 비가 내리고, 온난 전선의 앞쪽에서는 넓은 지역에 걸쳐 약한 비가 내린다.

③ 폐색 전선: 한랭 전선의 이동 속도가 온난 전선보다 빨라서 두 전선이 겹쳐져 형성되는 전선으로, 넓은 지역에 걸쳐 구름이 형성되어 비가 내린다.

④ 정체 전선: 전선을 경계로 대치하는 두 기단의 세력이 비슷하면 전선의 이동이 거의 없이 한곳에 오랫동안 머무르게 되는 정체 전선이 형성된다. 정체 전선은 일정 지역의 상공에서 동서 방향으로 길게 구름 띠를 형성하여 많은 비를 내린다. 우리나라 주변에서는 초여름에 한랭 다습한 오호츠크해 기단과 고온 다습한 북태평양 기단이 만나 정체 전선인 장마 전선을 형성하며 두 기단의 확대, 축소에 따라 남북으로 오르내리면서 많은 양의 비를 내린다.

장마 전선과 강수 구역
한랭 전선에서는 전선면의 후면에, 온난 전선에서는 전선면의 전면에 강수대가 형성되므로, 정체 전선에서는 강수대가 찬 공기 쪽에 형성된다. 따라서 우리나라에 오호츠크해 기단과 북태평양 기단이 만나 장마 전선이 형성되면 전선의 북쪽으로 큰 강수대가 형성된다.

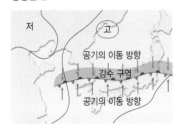

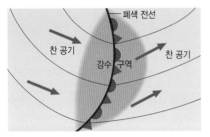

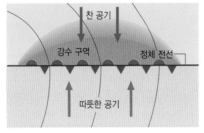

▲ **폐색 전선** 한랭 전선과 온난 전선이 겹쳐져서 폐색 전선이 형성되며, 얼마 후 두 기단의 온도 차가 사라지면 전선이 소멸한다.

▲ **정체 전선** 찬 공기가 따뜻한 공기를 파고들기 때문에 찬 공기가 있는 쪽에는 구름이 많이 발생하여 강수량이 많다.

시야 확장 ➕ 온난형 폐색 전선과 한랭형 폐색 전선

폐색 전선이 형성된 지표에서는 온난 전선이나 한랭 전선 중 한 가지 특성만 나타나는데, 온난 전선의 특성만 나타나는 경우를 온난형 폐색 전선이라고 하고, 한랭 전선의 특성만 나타나는 경우를 한랭형 폐색 전선이라고 한다. 폐색 전선이 형성되면 전선을 중심으로 양쪽 공기의 성질이 비슷해지기 때문에 얼마 지나지 않아 전선은 소멸하게 된다.

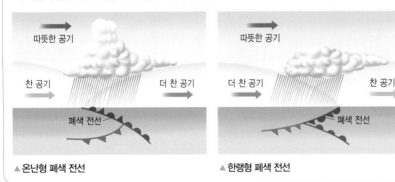

▲ 온난형 폐색 전선 　　　　　▲ 한랭형 폐색 전선

(2) **전선과 날씨**: 전선은 성질이 다른 두 기단의 경계에 생기므로 전선의 앞쪽 지역과 뒤쪽 지역의 기온, 기압, 구름의 양, 강수량, 풍향과 풍속 등은 큰 차이가 있다.

① 한랭 전선과 날씨: 한랭 전선에서는 따뜻한 공기를 파고드는 찬 공기에 의해 강한 상승 기류가 발생하여 적운이나 적란운 등의 적운형 구름이 생기고, 좁은 지역에 소나기성 비가 내린다. 천둥이나 번개 등을 동반하는 경우도 있다.

② 온난 전선과 날씨: 전선면의 경사가 완만한 온난 전선 부근에서는 전선면을 따라 넓게 분포하는 난층운, 권층운 등의 층운형 구름이 생기고, 넓은 지역에 걸쳐 약하지만 지속적인 비가 내린다.

고기압과 날씨 변화

고기압은 주변보다 기압이 높은 곳으로, 하강 기류에 의해 대체로 맑은 날씨가 나타난다. 규모가 작은 고기압이 빠르게 이동하는 경우에는 바람이 많은 날씨가 나타나기도 한다.

1. 고기압의 종류

고기압은 이동 상태에 따라 정체성 고기압과 이동성 고기압으로 구분한다.

(1) **정체성 고기압**: 중심이 대륙이나 해양의 특정 지역에 오랫동안 머물며 수축하거나 확장하면서 주위 지역에 영향을 미치는 고기압을 정체성 고기압이라고 한다. 정체성 고기압이 발생하는 지역에서는 바람이 약하여 큰 규모의 기단이 발달한다. 우리나라 주변의 정체성 고기압에는 시베리아 고기압과 북태평양 고기압이 있으며, 이들이 발달하는 지역에서는 각각 시베리아 기단과 북태평양 기단이 발생하여 계절에 따라 우리나라에 영향을 준다.

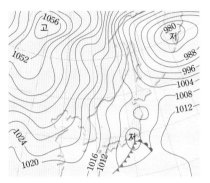

▲ 시베리아 고기압이 발달한 경우의 일기도(겨울철)

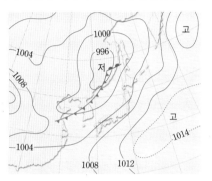

▲ 북태평양 고기압이 발달한 경우의 일기도(여름철)

정체성 고기압
정체성 고기압은 규모가 비교적 크며, 세력이 확장되거나 쇠약해지면서 영향을 미친다. 정체성 고기압도 그 중심은 이동하고 있지만 대부분 동일 지역 내에서 불규칙하게 이동하거나, 일정 방향으로 이동하는 경우에도 이동성 고기압에 비해 그 속도가 매우 느리다. 온난 고기압과 한랭 고기압은 한곳에 오랫동안 머물며 형성되는 정체성 고기압의 한 종류이다.

시야확장 ➕ 정체성 고기압의 높이

❶ 시베리아 고기압: 시베리아 고기압은 겨울철에 대륙의 찬 지표면에 의해 복사 냉각된 공기가 쌓여 형성된 한랭 고기압이다. 하강 기류에 의해 공기가 지표면 부근에 쌓이면 상공에는 저기압이 형성되므로, 높이가 높지 않다. 따라서 한랭 고기압을 작은 고기압이라고도 한다.

❷ 북태평양 고기압: 북태평양 고기압은 대기 대순환에 의해 아열대 상공에서 수렴된 공기가 하강하면서 단열 압축되어 형성된 온난 고기압이다. 상층에서부터 공기가 계속 유입되어 상층도 고기압을 유지할 수 있으므로 키 큰 고기압이라고도 한다. 온난 고기압은 공기가 하강하면서 단열 압축되므로 내부 공기의 온도가 주위 공기의 온도보다 높고, 상층으로 갈수록 고기압의 성질이 강해진다.

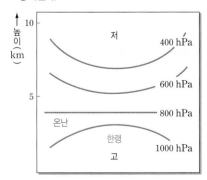

▲ 시베리아 고기압(한랭 고기압)의 높이

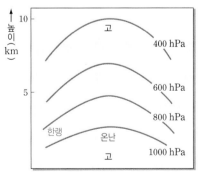

▲ 북태평양 고기압(온난 고기압)의 높이

(2) **이동성 고기압**: 중심이 일정한 위치에 있지 않고 이동하는 고기압으로, 상공의 편서풍 파동의 영향으로 서쪽에서 동쪽으로 이동한다. 주로 정체성 기단에서 분리되어 만들어지거나 온대 저기압의 전면 또는 후면에서 발달한다.

① **이동성 고기압의 발달 시기**: 이동성 고기압은 비교적 규모가 작으며 봄과 가을에 주로 나타나는데, 봄에는 주로 대륙성 고기압의 쇠퇴에 따라 발생하고, 가을에는 해양성 고기압의 쇠퇴에 따라 발생한다.

② **이동성 고기압과 날씨**: 이동성 고기압의 중심 부근에서는 대체로 날씨가 맑지만 그 중심이 통과한 후에는 기압골의 영향으로 서쪽부터 날씨가 흐려진다. 봄·가을의 일기도에서는 규모가 작은 고기압이 연이어 통과하고, 고기압이 동서 방향으로 길게 나타나기도 한다.

③ **이동성 고기압과 우리나라의 날씨**: 대표적인 이동성 고기압인 양쯔강 고기압은 대륙에서 발달한 시베리아 기단의 일부가 양쯔강 부근으로 남하한 뒤 가열되어 변질되면서 발생한 것으로, 편서풍을 타고 동쪽으로 이동해 주기적으로 우리나라를 통과하면서 봄·가을의 날씨 변화에 영향을 준다. 이때 우리나라는 양쯔강 고기압의 영향으로 3일~4일 동안 날씨가 맑다가, 뒤따라오는 저기압에 의해 흐리거나 강수가 나타난다.

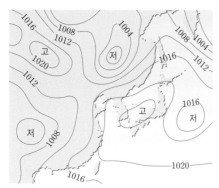
▲ 이동성 고기압이 발달한 경우의 일기도

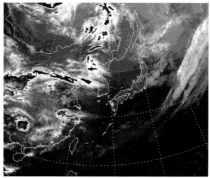
▲ 이동성 고기압이 발달한 날의 위성 사진

2. 고기압과 우리나라의 날씨

우리나라는 계절에 따라 고기압의 종류 및 이동이 달라지므로 계절에 따라 날씨의 변화가 다르게 나타난다.

(1) **봄철**: 봄철에는 양쯔강 고기압의 영향으로 온난 건조한 날씨가 나타난다. 이동성 고기압과 저기압의 영향을 받아 날씨가 자주 변하고, 강한 편서풍을 타고 중국으로부터 황사가 날아온다. 날씨가 건조하여 산불이 자주 발생하기도 한다.

(2) **여름철**: 초여름에는 북태평양 고기압이 북쪽의 찬 공기와 만나 장마 전선을 형성하기도 한다. 여름철에는 북태평양 고기압의 세력이 더욱 확장하여 무덥고 습한 날씨가 지속된다. 이때 해양에는 고기압이 나타나고, 대륙에는 저기압이 나타나므로 남동 계절풍이 불게 된다.

(3) **가을철**: 가을철에는 건조한 기단의 영향으로 날씨는 맑지만 봄철과 마찬가지로 이동성 고기압인 양쯔강 고기압의 영향을 받아 날씨가 자주 변한다.

(4) **겨울철**: 겨울철에는 시베리아 고기압의 영향으로 춥고 건조한 날씨가 나타난다. 이때 대륙에는 고기압이 나타나고, 해양에는 저기압이 나타나므로 북서 계절풍이 강하게 분다.

편서풍 파동
북반구 중위도의 상층에서는 편서풍이 남북 방향으로 파동을 이루면서 서쪽에서 동쪽으로 진행하는데, 이를 편서풍 파동이라고 한다. 편서풍 파동을 경계로 고위도 쪽으로 찬 공기가 분포하고, 저위도 쪽으로는 따뜻한 공기가 분포한다.

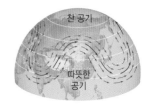

이동성 고기압의 전면·후면과 날씨
이동성 고기압 중심으로부터 동쪽을 전면으로, 서쪽을 후면으로 구분한다. 이동성 고기압의 전면과 중심 부근은 하강 기류 때문에 날씨가 비교적 맑다. 그러나 이동성 고기압의 후면은 뒤따라오는 저기압 또는 기압골의 영향으로 구름이 끼거나 비가 내릴 수 있다.

기압골
편서풍 파동이나 편동풍 파동은 남북으로 굽이치면서 파동을 이루며 이동하는데, 이러한 파동에 의해 기압골이 형성된다. 기압골은 대기 중의 같은 고도면에서 기압이 주위보다 상대적으로 낮은 곳으로, 일기도의 등압선에서 저기압 중심을 향하여 V자형이나 U자형으로 길게 뻗은 부분이다. 기압골의 전면에는 지상에 저기압이 형성되므로 흐리거나 비가 내리는 경우가 많고, 기압골의 후면에는 지상에 고기압이 위치하므로 날씨가 맑아진다.

계절별 기압 배치의 특징
· 여름철: 주로 남고 북저형 기압 배치가 나타난다. 즉, 우리나라를 중심으로 남쪽에 북태평양 고기압이 발달하고, 북쪽으로는 저기압이 발달하여 남동풍이 분다.

· 겨울철: 주로 서고 동저형 기압 배치가 나타난다. 즉, 우리나라 서쪽으로 시베리아 고기압이 발달하고, 동쪽으로 해양에 저기압이 발달하여 북서풍이 분다. 이러한 기압 배치는 보통 3일 정도 강하게 나타났다가 다시 4일 정도는 약해진다. 이 때문에 삼한사온(三寒四溫) 현상이 나타나는데, 최근에는 기후 변화의 영향으로 그 주기가 다양해졌다.

③ 온대 저기압과 날씨 변화

저기압은 주변보다 기압이 낮은 곳으로서 상승 기류에 의해 구름이 많은 흐린 날씨가 나타난다. 특히 온대 저기압은 전선을 동반하며 전선의 종류에 따라 다른 일기 현상이 나타난다.

1. 온대 저기압의 형성과 소멸

북반구의 중위도 지역에서는 북쪽의 찬 기단과 남쪽의 따뜻한 기단이 만나 전선을 형성하며 중심부에 저기압이 나타나는데, 이를 온대 저기압이라고 한다. 온대 저기압은 발생에서 소멸까지 5일~7일의 기간이 걸린다.

❶ **정체 전선 형성** _ 중위도에서 북쪽의 찬 기단과 남쪽의 따뜻한 기단이 만나 정체 전선이 형성되면서 기온 차이에 따라 파동이 발생한다.

❷ **파동 발생** _ 파동의 발생으로 한랭 전선과 온난 전선으로 분리된다. 북쪽의 찬 공기가 내려온 곳에는 한랭 전선이, 남쪽의 따뜻한 공기가 북상하는 곳에는 온난 전선이 나타난다.

❸ **온대 저기압 발달** _ 파동의 마루 부분에 온대 저기압의 중심이 만들어지면서 남서쪽에 한랭 전선을, 남동쪽에 온난 전선을 동반한 전형적인 온대 저기압이 발달한다.

❹ **폐색 시작** _ 한랭 전선은 온난 전선보다 이동 속도가 빠르므로, 시간이 지나면서 두 전선이 겹쳐지게 되어 폐색 전선이 형성되기 시작한다.

❺ **폐색 전선 발달** _ 한랭 전선과 온난 전선이 겹쳐지는 폐색 전선이 충분히 발달하면서 온대 저기압이 약해진다.

❻ **온대 저기압 소멸** _ 저기압 내의 따뜻한 공기는 모두 상승하고, 찬 공기는 아래에 남아 안정해지면서 온대 저기압이 소멸한다.

▲ **온대 저기압의 일생** 한랭 전선의 이동 속도가 온난 전선보다 빠르므로 시간이 지나면 두 전선이 겹쳐져 폐색 전선이 되며, 폐색 전선이 형성된 후 소멸한다.

2. 온대 저기압과 날씨

온대 저기압은 중심의 남서쪽으로 한랭 전선을 동반하고, 남동쪽으로 온난 전선을 동반하며, 편서풍의 영향을 받아 서쪽에서 동쪽으로 이동하면서 지상의 날씨에 영향을 준다.

⑴ **온난 전선의 앞쪽:** 층운형 구름이 발달하므로 넓은 지역에 걸쳐 흐리거나 지속적으로 약한 비가 내리며, 기온이 낮고 남동풍이 분다.

⑵ **온난 전선과 한랭 전선 사이:** 온난 전선이 통과한 후 바람이 남서풍으로 바뀌고, 구름이 걷히면서 맑은 날씨가 되며, 기온이 높아지고 기압은 낮아진다.

⑶ **한랭 전선의 뒤쪽:** 적란운이 발달하므로 좁은 지역에 걸쳐 소나기성 강우가 내리며 우박이나 천둥·번개를 동반하기도 한다. 한랭 전선이 통과하고 나면 기온이 낮아지고 기압이 높아지며, 풍향은 북서풍으로 바뀐다.

온대 저기압의 이동

중위도에서 발달한 온대 저기압은 편서풍의 영향으로 북동진(北東進)한다. 저기압이 이동하면서 전선이 발달, 약화, 소멸하는 과정을 거치므로 저기압의 이동 속도와 발달 정도를 관측하면 앞으로의 일기 변화를 예상할 수 있다.

온대 저기압의 에너지원

온대 저기압의 주된 에너지원은 찬 공기와 따뜻한 공기가 섞이는 과정에서 발생하는 위치 에너지이다. 온대 저기압은 전선을 동반하는데, 특히 찬 공기가 따뜻한 공기 밑으로 파고들면 전체 공기의 무게 중심이 아래쪽으로 이동하여 위치 에너지가 감소한다. 감소한 위치 에너지는 운동 에너지로 바뀌며, 이것이 온대 저기압의 에너지로 사용된다.

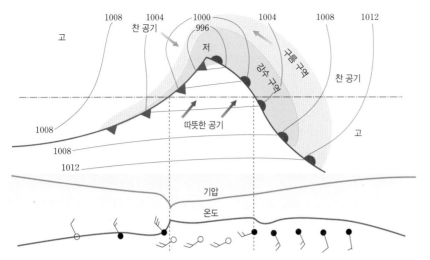

▲**온대 저기압 주변의 날씨** 온대 저기압이 동반하는 전선 주위에서는 기압, 풍향, 기온 등이 크게 달라지고 구름이 만들어지거나 강수 현상이 나타난다.

구분		한랭 전선	온난 전선
단면의 모양		적운형 구름 찬 기단 / 따뜻한 기단	층운형 구름 따뜻한 기단 / 찬 기단
전선면의 기울기 · 이동 속도		기울기 급하다 · 이동 속도 빠르다	기울기 완만하다 · 이동 속도 느리다
구름 형태		적운형	층운형
강수 형태		소나기	지속적인 비
강수 구역		전선의 뒤쪽 좁은 구역	전선의 앞쪽 넓은 구역
통과 후의 변화	기온	하강	상승
	기압	상승	하강
	풍향	남서풍 → 북서풍	남동풍 → 남서풍

▲**온대 저기압이 동반하는 전선의 통과와 날씨 변화** 온대 저기압이 동반하는 전선의 통과 전후에는 기온과 기압이 변화하고 풍향도 달라진다.

④ 일기 예보

현대 사회에서 일기 예보는 재산 및 인명을 보호하는 역할뿐만 아니라 삶의 질을 높이는 데 매우 중요한 역할을 한다. 따라서 많은 자료 수집과 해석을 통한 정확한 예보가 필수적이다.

1. 일기 예보의 과정

(1) **기상 실황 파악:** 지상 기상 관측, 항공 · 고층 · 해양 기상 관측, 기상 위성 관측, 기상 레이더 관측, 낙뢰 관측 등을 통해 기상 실황을 파악한다.

(2) **자료 수집 및 분석:** 관측된 국내 기상 자료와 외국에서 송신되는 각종 기상 자료는 전용 통신망을 이용하여 수집 · 분석 · 가공하여 분석용 컴퓨터로 보낸다. 국내 · 외에서 수집한 관측 자료로부터 수치 예보 모델을 산출하고, 이를 이용하여 예상 일기도를 생산한다.

온대 저기압이 통과할 때 기온의 변화
온난 전선의 앞쪽에는 찬 공기가 위치하고 뒤쪽에는 따뜻한 공기가 위치하므로 온난 전선이 통과하면 기온이 상승하며, 한랭 전선의 앞쪽에는 따뜻한 공기가 위치하고 뒤쪽에는 찬 공기가 위치하므로 한랭 전선이 통과하면 기온이 하강한다.

온대 저기압이 통과할 때 풍향의 변화
온대 저기압의 오른쪽에 위치하여 온난 전선과 한랭 전선이 차례로 통과하는 지역의 풍향은 남동풍 → 남서풍 → 북서풍의 순서로 변해 간다. 따라서 그 지역의 관측자는 바람 부는 방향이 시간에 따라 시계 방향으로 바뀜을 알 수 있다.

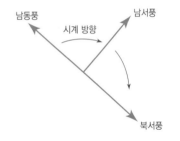

수치 예보
수치 예보란 대기를 유체의 흐름이라고 생각했을 때 유체의 운동을 지배하는 각종 방정식을 컴퓨터 프로그래밍하여 각종 기상 현상을 분석하고 예측하는 과정이다. 수치 예보 모델로 예측된 각 기상 요소들은 예보관의 지식과 경험을 통해 일기 현상으로 해석되어 예보로 발표되며, 자체 가공을 거쳐 최고 기온과 최저 기온, 강수 확률 등 각종 기상 정보를 생산하게 된다. 수치 예보 모델의 운용을 위해 슈퍼컴퓨터가 사용된다.

(3) **예보 협의:** 예보관들은 예상 일기도를 분석하고 위성, 레이더 등 원격 관측 자료와 슈퍼 컴퓨터에서 생산한 분석 자료 및 예보 자료를 바탕으로 토의하여 일기 예보 내용을 결정한다.

(4) **기상 정보 제공:** 전국을 세분화하여 기상 예보를 발표한다. 이러한 예보는 기상 변화의 예상 시간에 따라 단기 예보(1일~2일), 주간 예보(일주일), 장기 예보(1개월 이상)로 구분할 수 있다. 호우, 한파, 태풍, 황사 등에 따른 기상 재해가 예상될 때는 기상 특보(주의보, 경보)를 발령한다. 기상청에서 발표하는 각종 기상 정보는 언론 기관과 중앙재해대책본부 등 방재관련기관에 제공된다.

2. 일기도와 위성 영상

탐구 024쪽

(1) **일기도:** 어떤 지역의 일정한 시각이나 시간대의 일기 상태를 나타낸 그림으로, 기온과 기압, 풍향, 풍속 등을 측정하여 등압선, 등온선 등으로 표시한다. 일기도 분석을 통해 크고 작은 규모의 기상 현상이 발생하고 발달하는 과정을 추적할 수 있다.

① **일기도 작성:** 다양한 관측 장비를 통해 일정한 시각에 기온, 기압, 바람, 구름과 같은 기상 요소를 측정하고, 측정한 자료는 일기 기호를 이용하여 일기도에 나타낸다.

② **일기도 분석:** 등압선으로부터 저기압과 고기압의 배치를 파악하여 바람의 방향을 분석하고, 등압선의 간격으로부터 풍속을 분석한다. 전선 부근에서는 풍향, 풍속, 기온, 기압 등의 일기 요소가 급변하고, 저기압이나 전선 부근에서는 날씨가 흐리며, 고기압에서는 날씨가 맑다는 사실 등을 이용하여 일기를 분석한다. 일반적으로 지상 일기도를 분석할 때는 상층 일기도와 위성 영상 등을 함께 비교한다.

③ **예상 일기도 작성:** 일정한 시간 간격으로 작성된 일기도를 비교 분석하여 일기 변화의 경향과 규칙성을 찾아내고, 이를 토대로 예상 일기도를 작성한다.

시야확장 ➕ 일기 기호

구름, 비, 눈, 안개 등의 기상 현상을 단순화하여 일기도를 작성할 때 사용하는 기호로, 일기 기호를 통해 어느 지점에서의 날씨 상태를 쉽고 빠르게 알 수 있다.

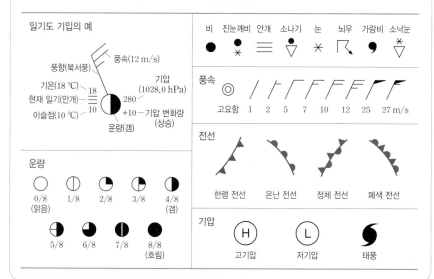

일기도의 종류

• 지상 일기도: 지상에서의 기상 요소를 나타낸 일기도로서 각 관측 지점의 기온, 습도, 풍향, 풍속, 강수량 등이 기록되어 있다.

• 상층 일기도: 상공으로 올라갈수록 기압이 낮아지는데, 각 관측소에서 500 hPa이 나타나는 높이를 등고선도로 나타낸 일기도이다. 이러한 상층 일기도는 지상의 기압 배치에 직접적으로 영향을 미치기 때문에 일기 예보를 위해 반드시 작성해야 한다. 라디오존데나 기상 위성으로부터 자료를 얻는다.

일기 기호에서 기압 표시 방법

맨앞의 숫자가 0~5이면 앞에 10을 붙이고 6~9이면 앞에 9를 붙인 후 마지막 숫자를 소수점 처리한다. 예를 들어, 기압이 082로 되어 있다면 1008.2 hPa이고, 899이면 989.9 hPa임을 의미한다.

(2) **위성 영상:** 일기도와 함께 기상 위성이 제공하는 위성 영상을 활용하면 기상 변화를 더욱 정확하게 예측할 수 있다. 특히 해양과 같이 관측이 어려운 지역에서 기상 분석에 필요한 정보를 얻을 수 있다.

① **가시 영상:** 가시 영상은 구름과 지표면에서 반사된 햇빛의 강약을 나타내며, 반사되는 빛이 강할수록 영상에서 밝게 보인다. 일반적으로 바다는 어둡게 보이고, 육지는 바다보다 약간 밝게 보이며, 구름은 매우 밝게 보인다. 구름의 경우에는 두께의 영향도 있는데, 두께가 두꺼운 구름일수록 밝게 보이고 얇은 구름일수록 어둡게 보인다. 밤에는 지구가 햇빛을 받지 못하므로 가시 영상을 이용할 수 없다. 가시 영상을 이용하여 적설, 해빙(海氷), 산불과 연기 등 다양한 현상을 관측할 수 있다.

② **적외 영상:** 적외 영상은 물체가 방출하는 적외선 에너지양의 많고 적음을 나타낸다. 물체가 방출하는 적외선 에너지양은 물체의 온도에 따라 결정되며, 온도가 높을수록 에너지양이 많다. 적외 영상은 물체가 방출하는 적외선 에너지양에 의해 영상을 표출하므로 밤낮에 관계없이 24시간 관측이 가능하다. 따라서 연속적으로 기상 감시를 할 수 있다. 특히 집중 호우 및 태풍 등의 악기상(惡氣象) 감시에 유용하다.

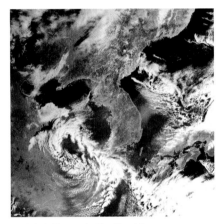

▲ 가시 영상(2018년 2월 8일 09시)
얇은 구름에서는 햇빛의 일부가 구름을 투과하고 일부만 반사된다. 두꺼운 구름에서는 햇빛의 대부분이 반사되기 때문에, 두꺼운 구름일수록 밝게 보인다.

▲ 적외 영상(2018년 2월 8일 09시)
온도가 높은 구름은 어둡게 보이고, 온도가 낮은 구름은 밝게 보인다. 그러므로 고도가 낮은 구름은 대체로 어둡게 보이고, 고도가 높은 구름은 밝게 보인다.

(3) **레이더 영상:** 레이더 영상은 전파를 보내 구름 속에 있는 빗방울이나 눈송이에 부딪혀 돌아오는 반사파를 분석하여 영상으로 나타낸 것이다. 레이더 영상을 통해 구름 속에 강수 입자가 얼마나 있는지 알 수 있다. 그러므로 레이더 영상을 분석하여 비나 눈이 내리는 강수의 위치와 이동 경향을 알 수 있다.

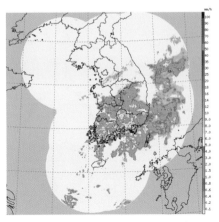

▲ 레이더 영상(2018년 3월 5일 오전 10시 30분)

기상 위성의 종류

• **정지 궤도 기상 위성:** 적도 상공 36000 km에서 지구의 자전 속도와 같은 속도로 지구 주위를 공전하기 때문에 지구에서 볼 때 항상 정지한 상태로 보이는 위성이다. 따라서 정지 위성은 항상 지구상의 같은 장소를 관측할 수 있으므로 구름의 이동, 기상 상태 등을 연속적으로 관측하여 기상의 변화를 감시하고 예측하는 데 이용할 수 있다.

• **극궤도 기상 위성:** 남극과 북극을 오가며 지구 주위를 공전하는 위성으로, 정지 궤도 위성보다 궤도 높이가 훨씬 낮기 때문에 보다 자세하게 관측할 수 있다. 따라서 고도에 따른 기온 분포나 신호가 아주 약한 전파 복사 등도 측정할 수 있으며, 지구의 자전에 따라 지구 전체를 관측할 수 있다. 그러나 지구를 1회 공전하는 데 대략 100분이 소요되어 같은 장소를 하루에 두 번밖에 관측할 수 없으므로, 변화가 심한 기상 현상의 추적은 불가능하다.

천리안 위성
지구 적도 상공 약 36000 km 고도, 128.2°E에 위치하여 기상 관측, 해양 관측, 통신 서비스 임무를 수행하는 우리나라 최초의 정지 궤도 복합 위성이다. 천리안 위성을 통해 한반도 부근에서 태풍, 집중 호우, 황사 등의 위험 기상을 조기 탐지하고 집중 감시할 수 있게 되었다.

적외 영상의 밝기
적외 영상은 적외선 에너지의 양으로 표시하는데, 온도가 높을수록 적외선 에너지의 양이 많다. 그러므로 적외선의 양으로 표시하면 상대적으로 온도가 높은 해수 또는 대륙이 밝고, 지면과 가까운 구름일수록 밝게 표시되어 온도가 낮은 상층의 구름 등은 표시할 수가 없다. 이에 따라 해석의 용이함을 위해 적외선량이 적을수록(온도가 낮을수록) 밝게, 적외선량이 많을수록(온도가 높을수록) 어둡게 표시하는 것이다.

가시 영상

적외 영상

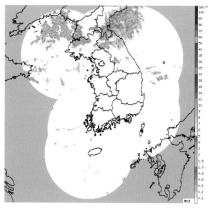

레이더 영상

▲ 위성 영상과 레이더 영상 비교(2018년 6월 14일 오후 2시)

⑤ 열대 저기압과 태풍

태풍은 수권과 기권의 상호 작용으로 발생하는 기상 현상으로, 열대 저기압의 일종이다. 태풍이 지나가면 지상에서는 많은 피해가 발생하기도 하지만, 저위도의 에너지를 고위도로 운반하여 지구의 에너지 평형에 기여하고, 표층 해수를 순환시켜 해양 생태계를 유지시키는 긍정적인 역할도 하고 있다.

1. 열대 저기압과 태풍

(1) **열대 저기압:** 저기압은 발생 지역에 따라 온대 저기압과 열대 저기압으로 구분할 수 있다. 이 중에서 열대 저기압은 수온이 높은 열대 해상에서 발생하는 저기압이다.

(2) **태풍:** 열대 저기압 중에서 중심 부근의 최대 풍속이 17 m/s 이상으로 성장한 것을 태풍이라고 한다. 태풍은 북태평양 열대 해상의 서쪽에서 발생한다. 온대 저기압과는 달리 전선을 동반하지 않으며, 일기도에서는 발달한 태풍의 등압선이 조밀한 동심원으로 표현된다.

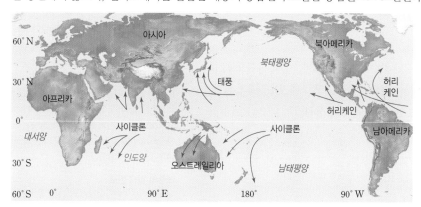

▲ **태풍의 발생 위치와 명칭** 열대 저기압은 발생 지역에 따라 다른 이름으로 불리는데, 이 중 태풍은 북태평양 서쪽 열대 해상에서 발생하는 열대 저기압으로, 중심부의 최대 풍속이 17 m/s 이상이다. 중심 부근의 최대 풍속이 17 m/s 미만으로 세력이 약해지면 열대 저압부라고 부른다.

2. 태풍의 에너지원과 발생 과정

(1) 태풍의 에너지원: 열대 저기압은 해수면에서 증발한 수증기를 많이 포함한 공기가 상승 및 응결하면서 숨은열을 방출하여 공기를 계속 가열하므로 대류권 계면 부근까지 상승하게 된다. 즉, 수증기의 응결열에 의해 태풍이 발달하게 되며, 태풍이 육지에 상륙하게 되면 수증기의 공급(에너지원)이 중단되므로 세력이 급격히 약해진다.

(2) 태풍의 발생 과정: 태풍은 위도 5°~25°의 수온이 27 ℃ 이상인 열대 해상에서 주로 발생한다. 표층 해수의 온도가 높아지면 대기가 불안정해져 해수면 부근의 공기 덩어리가 빠르게 상승한다. 그 결과 두꺼운 구름인 적란운이 형성되고, 공기 덩어리가 지구의 자전으로 생기는 전향력의 영향을 받아 회전하기 시작하면서 바람이 생긴다. 적란운 내에서는 수증기가 응결하면서 많은 양의 응결열(숨은열)이 방출되는데, 이는 태풍의 회전력을 증가시켜 강풍을 유발하는 에너지원이 된다. 태풍의 강한 바람은 표층 해수를 혼합시키고 수온이 낮은 해수를 해수면으로 솟아오르게 하여 표층 해수를 냉각시킨다. 그 결과 더 이상의 에너지가 공급되지 못하여 태풍의 성장이 멈춘다. 선행 태풍의 통과 후에도 표층 해수는 한동안 냉각 상태를 유지하므로 뒤따라오는 태풍의 발달을 저해하기도 한다.

바람이 약하고 수온이 높은 위도 5°~25°의 열대 해상에서 온난한 표층 해수에 의해 대기가 불안정해지면 해수면 부근에서 수증기를 포함한 공기 덩어리가 상승하기 시작한다.

수증기의 응결 과정에서 방출되는 막대한 양의 숨은열은 공기를 강하게 상승시키고 해수면 부근에 저기압을 형성한다. 해수면 부근의 공기는 저기압 중심으로 회전하며 들어간다.

저기압 중심으로 공기가 더욱 빠르게 수렴하고 상승하여 적란운을 발달시키며 숨은열을 더 많이 방출한다. 풍속도 더욱 빨라진다. 이러한 과정은 연쇄 반응을 통해 태풍을 형성한다.

▲ 태풍의 발생 과정

3. 태풍의 이동과 소멸

태풍은 발생 초기에 편동풍을 타고 북서쪽으로 이동하다가 북위 25°~30°에 이르면 편서풍의 영향으로 방향을 바꾸어 북동쪽으로 이동한다.

(1) 태풍의 이동

① **태풍의 이동 경로:** 북태평양 고기압의 세력이 강한 8월 중순~9월 초에는 중국 내륙으로, 북태평양 고기압의 세력이 약화되는 9월 초 이후부터는 일본 동쪽 해상으로 빠지는 경우가 많다.

② **태풍의 이동 속도:** 태풍이 서쪽으로 이동하는 편동풍대에 있는 동안에는 약 20 km/h의 평균 속도로 이동한다. 태풍이 북동쪽으로 전향할 때는 이동 속도가 느려지다가, 전향하여 편서풍대에 이르면 태풍의 진행 방향과 편서풍의 방향이 같아 이동 속도가 급격히 증가하므로 평균 속도가 약 40 km/h에 이르고, 간혹 80 km/h 이상으로도 된다.

(2) 태풍의 소멸: 태풍이 육지에 상륙하거나 해수면의 온도가 낮은 해상을 지나면 고온 다습한 공기의 공급이 어려울 뿐만 아니라 지표와의 마찰로 풍속이 급격히 감소하고 중심 기압이 급격히 상승하기 때문에 세력이 약해지면서 온대 저기압으로 변화하여 소멸하게 된다.

숨은열
고체가 액체로 변하고 액체가 기체로 변할 때, 온도 상승의 효과를 나타내지 않고 단순히 물질의 상태를 바꾸는 데 쓰는 열, 즉 액화열과 기화열을 가리킨다.

전향력
지구 자전의 영향으로 운동하는 물체에 작용하는 겉보기 힘으로, 고위도로 갈수록 크게 작용하며, 적도에서는 작용하지 않는다.

중심 기압이 가장 낮았던 태풍
태풍의 중심 기압은 보통 970 hPa~930 hPa이다. 중심 기압이 930 hPa보다 낮으면 매우 강한 태풍으로, 이때 지상 최대 풍속은 50 m/s 이상에 달한다. 관측 역사상 중심 기압이 가장 낮았던 태풍은 1979년 10월 12일에 중심 기압이 870 hPa에 이르렀던 태풍 팁(Tip)이다. 팁의 지름은 약 2200 km나 되었고, 최성기에 10분간 최대 풍속은 시속 260 km에 이르렀으며, 태풍의 눈의 지름은 15 km에 달했다.

태풍의 발생 빈도
세계적으로 연간 발생하는 열대 저기압은 평균 80개 정도이며, 태풍은 26개 정도 발생한다. 그 중 우리나라에는 한 해에 약 3개의 태풍이 찾아온다.

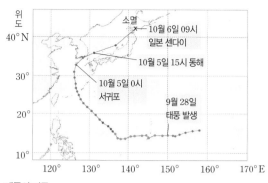

태풍의 이동

태풍의 위성 사진

▲ **태풍의 이동과 소멸(2016년 태풍 차바)** 9월 26일 오후 3시경 15.8°N, 158.1°E 부근에서 열대 저압부가 발생하여 9월 28일 괌 동쪽 약 590 km 부근 해상에서 태풍 차바(Chaba)로 발달하였다. 이후 서~북서진하여 오키나와 남쪽 해상까지 진출하고, 이후에는 북북서~북진하며 우리나라로 방향을 바꾸었다. 5일 0시에 서귀포 해상에서 전향하여 오후에 성산 부근에 상륙하였다. 이후 상층 강풍대의 영향으로 전향하였고, 5일 오전에는 부산에 상륙한 후 동해상으로 빠져나가면서 10월 6일 09시에 일본 센다이 북쪽에서 소멸하였다.

4. 태풍의 구조와 날씨

(1) 태풍의 규모와 구조

① 태풍의 규모: 태풍의 규모는 반지름이 약 200 km~약 1500 km로 다양하고, 평균 높이는 대류권의 상부까지 포함하여 약 15 km에 이른다. 중심 기압이 낮기 때문에 전체적으로 상승 기류가 발달하여 중심부로 갈수록 두꺼운 적운형 구름이 나타난다.

② 태풍의 구조: 태풍 중심으로부터 반지름이 약 50 km에 이르는 지역에서는 하강 기류가 나타나 대체로 날씨가 맑고 바람이 약하게 부는데, 이곳을 태풍의 눈이라고 한다. 태풍의 눈 주변에서는 나선 모양의 구름 띠가 감겨서 안으로 들어가는 모양을 하고 있다. 태풍의 중심에 가까울수록 높은 구름들이 나타나 구름 벽을 이루며, 그 높이는 약 12 km~약 20 km에 이른다.

태풍의 이름
태풍은 일주일 이상 지속되기도 하므로 동시에 같은 지역에 하나 이상의 태풍이 존재할 수 있다. 따라서 이때 발표되는 태풍 예보를 혼동하지 않게 하기 위하여 이름을 붙이게 되었다. 태풍 이름은 1999년까지 미국 태풍합동경보센터에서 정한 것을 사용했으나 2000년부터는 아시아-태평양 지역의 고유한 이름으로 변경하여 사용하고 있다. 우리나라에서는 '개미', '나리', '장미', '미리내', '노루', '제비', '너구리', '고니', '메기', '독수리' 등의 태풍 이름을 제출했고, 북한에서도 '기러기' 등 10개의 이름을 제출하여 우리말 이름의 태풍이 많아졌다.

태풍의 눈
태풍의 중심에는 바람이 약하고 구름이 적은 구역이 있는데, 이것을 태풍의 눈이라고 한다. 지름은 보통 약 20 km~약 50 km에 이르며, 큰 것은 지름이 약 100 km에 이르는 것도 있다.

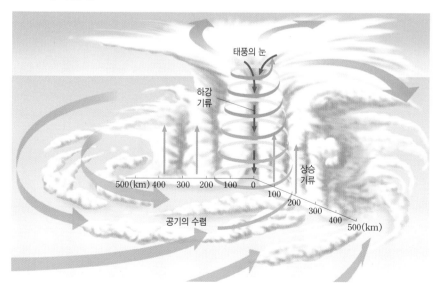

▲ **태풍의 구조** 태풍은 중심으로 갈수록 기압이 낮아지므로 중심부일수록 상승 기류가 강해서 두꺼운 구름이 발달한다.

(2) **태풍과 날씨:** 태풍의 눈 주변에는 상승 기류가 강하므로 적란운이 나선 모양으로 감겨서 띠처럼 둘러싸고 있는데, 태풍의 중심에 가까울수록 키가 큰 구름이 나타난다. 태풍이 가까이 다가올 때 이 나선형 구름 띠가 차례대로 지나가면서 1시간~2시간 간격으로 강한 소나기와 약한 강수가 반복된다.

① **태풍의 풍속 분포:** 바람은 태풍의 하층에서 중심을 향하여 시계 반대 방향으로 불어 들어가 상승한 후, 태풍의 꼭대기 부근에서 시계 방향으로 빠져나간다. 태풍의 풍속은 중심부로 갈수록 증가하나 중심인 태풍의 눈 안에 들어서면 오히려 풍속이 급감하여 고요하고 평온한 상태에 이른다. 바람이 가장 강하게 부는 곳은 태풍의 중심으로부터 약 40 km~약 100 km 부근이다. 바람이 가장 강하게 부는 곳 바깥에서는 풍속이 다시 약화된다. 태풍마다 중심 기압이나 크기, 발달 단계 등의 상태가 다르므로, 태풍 중심으로부터의 거리에 따른 풍속 분포도 태풍에 따라 다르다.

② **태풍의 기압 분포:** 태풍이 가까이 다가올수록 기압이 낮아지기 시작하여 태풍의 중심이 통과하는 약 3시간 전부터 기압이 더욱 급격하게 낮아진다. 태풍이 통과한 후에는 기압이 낮아질 때와 마찬가지의 비율로 급상승하게 되므로 기압 곡선이 깔때기 모양으로 나타난다.

태풍의 중심부로 갈수록 풍속이 증가하는 까닭
태풍의 중심인 태풍의 눈에 가까워질수록 풍속이 증가하는데, 이는 중심으로 불어 들어가는 공기 덩어리의 회전 반지름이 작아져 각운동량이 보존되기 때문이다.

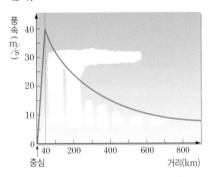

▲ **태풍의 풍속 분포** 태풍의 바깥쪽에서부터 안쪽으로 불어 들어가던 바람은 중심에 가까울수록 풍속이 강해진다.

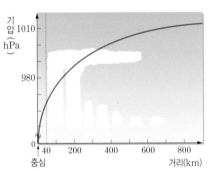

▲ **태풍의 기압 분포** 태풍의 눈에서 기압이 가장 낮으며, 가장자리로 갈수록 기압이 높아진다. 태풍의 가장자리와 중심 부근의 기압 차이는 약 60 hPa에 이른다.

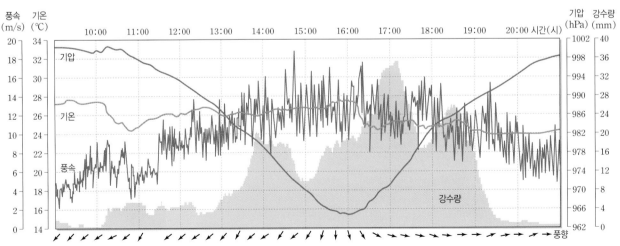

▲ **태풍 통과 시 풍속과 기압 분포 (2003년 9월 12일 태풍 매미)** 태풍의 중심으로 갈수록 기압이 낮아지고, 최대 강풍대 바깥에서는 풍속이 다시 감소한다. 태풍이 통과한 후에는 기압이 낮아질 때와 거의 같은 비율로 급상승하므로 기압 곡선이 깔때기 모양을 나타내는 것이 보통이다.

5. 태풍의 진로와 풍속

태풍은 포물선 궤도를 그리며 진행하기 때문에 이동 궤도에 따라 태풍의 풍속이 다르게 나타난다.

(1) **위험 반원:** 태풍 진행 방향의 오른쪽은 바람이 강하고 위험하기 때문에 위험 반원이라고 한다. 태풍은 무역풍과 편서풍에 의해 포물선을 그리며 북상하는데, 태풍 진행 방향의 오른쪽은 태풍을 진행시키는 무역풍과 편서풍의 풍향이 시계 반대 방향으로 회전하는 태풍 자체의 풍향과 일치하므로 바람이 강하고 파고가 높아진다. 따라서 위험 반원에서는 태풍에 의한 피해가 상대적으로 더 크다.

(2) **안전 반원(가항 반원):** 선박이 항해 중 태풍과 마주칠 경우 진행 방향에서 바람이 약한 왼쪽으로 피하면 태풍에 동반된 가장 강한 폭풍을 피할 수 있기 때문에 안전 반원 또는 가항 반원이라고 한다. 태풍 진행 방향의 왼쪽은 태풍을 진행시키는 무역풍과 편서풍의 풍향이 태풍 자체의 풍향과 반대가 되어 바람이 상쇄되므로 풍속이 상대적으로 약해진다.

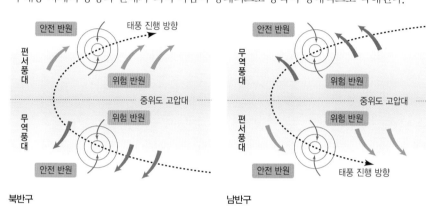

북반구 　　　　남반구

▲ **태풍의 위험 반원과 안전 반원**

태풍의 진행 방향과 풍속
태풍 진행 방향 오른쪽의 풍속이 태풍 진행 방향 왼쪽의 풍속보다 크다.

→ 태풍의 진행 방향(이동 속도 : 30 km/h)

시선 집중 ★ 　**태풍의 이동과 풍속**

태풍의 이동에 따라 중심 기압과 풍속 등이 다르게 나타난다. 그리고 태풍이 육지에 상륙하면 에너지를 공급 받지 못하므로 세력이 약화된다.

❶ **풍속은 서울보다 부산에서 더 강하다.**
→ 부산은 태풍의 이동 경로의 오른쪽에 위치한다.
→ 태풍은 진행 방향의 오른쪽인 위험 반원에서의 풍속이 더 강하다.

❷ **9월 1일은 8월 29일보다 태풍의 세력이 약해졌다.**
→ 태풍의 에너지원은 수증기의 숨은열(잠열)이다.
→ 태풍이 대륙을 지나면 수증기의 공급이 감소하여 세력이 약해진다.
→ 세력이 약해지면 태풍의 중심 기압이 높아진다.

기상 관측 자료 분석

일기도와 위성 구름 사진 및 레이더 영상 자료를 분석하여 현재의 일기 상태와 앞으로의 일기 변화를 설명할 수 있다.

과정

그림은 어느 해 24시간 간격으로 작성한 일기도와, 같은 시각의 적외 영상을 나타낸 것이다.

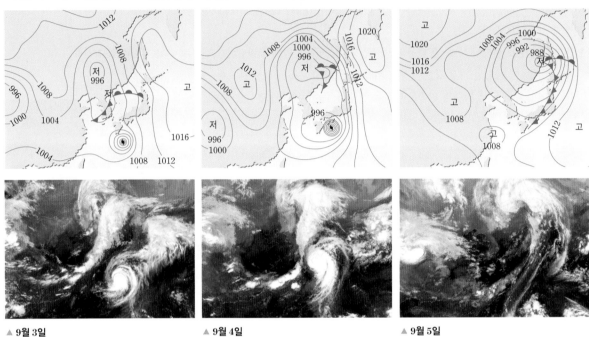

▲ 9월 3일   ▲ 9월 4일   ▲ 9월 5일

결과

1 고기압 중심 부근에 위치하는 지역의 날씨는 맑고, 저기압 중심 부근에 위치하는 지역은 두꺼운 구름이 발달하여 날씨가 흐리다.
2 온대 저기압의 중심이 대략 북동쪽으로 이동하고 있다. ➡ 우리나라와 같은 중위도에서는 온대 저기압이 편서풍의 영향을 받아 서쪽에서 동쪽으로 이동한다.

적외 영상 자료의 특징
적외 영상에서 온도가 낮을수록 밝게 보인다. 그러므로 밝은 부분은 고도가 높은 구름이다.

탐구 확인 문제

> 정답과 해설 152쪽

01 위 탐구에서 한반도의 날씨 변화에 대한 설명으로 옳은 것만을 보기에서 있는 대로 고르시오.

> 보기
> ㄱ. 9월 3일에 한반도 북부 지역에는 비가 내렸다.
> ㄴ. 9월 4일에 한반도 서쪽 지역은 날씨가 맑았다.
> ㄷ. 9월 5일 이후 한반도는 태풍의 직접적인 영향을 받는다.

02 위 탐구의 적외 영상에 대한 설명으로 옳은 것만을 보기에서 있는 대로 고르시오.

> 보기
> ㄱ. 눈에 보이는 구름의 분포를 나타낸다.
> ㄴ. 야간에는 구름을 관측할 수 없다.
> ㄷ. 고도가 높은 구름은 밝게 보인다.
> ㄹ. 실제 강수 지역과 강수량을 가장 정확하게 예측한다.

차이를 만드는
심화

태풍의 위력과 피해

원자탄보다 10000배나 더 큰 에너지를 가지고 있는 태풍은 강한 바람과 큰 비를 동반하여 우리나라에 피해를 가장 많이 일으키는 자연재해로 알려져 있다.

❶ 우리나라에 영향을 주는 시기

한 해에 3개 정도의 태풍이 우리나라에 영향을 미치며, 대부분 7월~9월에 찾아오는데, 7월과 8월 두 달 동안에 찾아오는 태풍 수는 전체의 약 66 %에 이르며, 드물게는 5월, 6월 및 10월에 찾아오는 경우도 있다.

월	1	2	3	4	5	6	7	8	9	10	11	12	합계	연평균
태풍 수	−	−	−	−	3	31	115	126	68	6	−	−	349	3.1

▲ 우리나라에 영향을 준 태풍 수(1904년~2017년)

❷ 우리나라에 피해를 준 태풍

태풍에 의한 강수로 산사태가 발생하거나 하천이 범람하기도 한다. 태풍은 강풍에 의한 파손 및 강수에 의한 침수 등의 직접적인 피해와 파도와 해일에 의한 피해, 홍수, 산사태와 같은 간접적인 피해를 일으키므로, 태풍의 접근 소식은 사람들에게 두려움을 가지게 한다. 현재까지 발생한 태풍 가운데 가장 큰 피해를 일으켰던 태풍은 지난 2002년에 발생하였던 태풍 루사이다. 강한 폭풍과 호우를 동반한 루사는 8월 30일부터 9월 1일까지 단 3일 동안 막대한 강수를 기록하여 이재민 8만 8000여 명, 사망·실종 246명, 재산 피해 약 5조 1419억 원 등 막대한 피해를 입혔다.

태풍 루사는 과거 우리나라에 상륙한 다른 태풍들과는 달리 매우 강력한 태풍의 세력을 유지하였고 태풍의 눈이 뚜렷하였으며 매우 느린 속도로 북상하여 35 °N를 지나서 전향하였다. 특히, 루사가 강력한 세력을 유지하여 우리나라에 상륙하게 된 원인으로 남해상의 해수면 온도가 26 °C로 평년보다 2 °C~3 °C 정도 높아 태풍의 발달을 돕는 에너지원이 충분히 공급되었기 때문이다. 또 우리나라 대기 상층에 북태평양 고기압 세력이 유지되어 태풍의 북상을 저지하였고 태풍의 진행과 전향에 필요한 상층 기압골의 이동 속도가 매우 느렸기 때문이다.

순위	이름	지명	일 최대 순간 풍속 (m/s)	발생 시기
1위	매미(MAEMI)	제주	60	2003년 9월
2위	쁘라삐룬(PRAPIROON)	흑산도	58.3	2000년 8월
3위	루사(RUSA)	고산	56.7	2002년 8월
4위	차바(CHABA)	고산	56.5	2016년 10월
5위	나리(NARI)	고산	52	2007년 9월

▲ 태풍 통과 시 일 최대 순간 풍속 순위(1937년~2017년)

순위	이름	지명	일 최다 강수량 (mm)	발생 시기
1위	루사(RUSA)	강릉	870.5	2002년 8월
2위	아그네스(AGNES)	장흥	547.4	1981년 9월
3위	예니(YANNI)	포항	516.4	1998년 9월
4위	글래디스(GLADYS)	부산	439	1991년 8월
5위	나리(NARI)	제주	420	2007년 9월

▲ 태풍 통과 시 일 강수량 순위(1904년~2017년)

❸ 태풍의 긍정적 면

태풍이 동반하는 강한 바람과 비는 큰 피해를 일으킬 수 있다. 그러나 태풍은 긍정적인 역할도 하는데, 그중 가장 큰 역할은 저위도에 축적된 에너지를 고위도로 수송하여 지구의 열적 균형을 유지시켜 주는 것이다. 또, 태풍은 풍속이 강하여 해수를 뒤섞어 순환시키므로 바다 생태계를 활성화시키고 정화시켜 준다. 우리나라의 경우 북태평양 고기압의 영향으로 여름철에 무더운 날씨가 지속되고 가뭄이 발생할 때 태풍은 물 부족을 해소하고 무더위도 잠시 식혀 주는 역할을 한다.

01 기압과 날씨 변화

① 공기의 이동과 날씨

1. **고기압과 저기압** 고기압은 주위보다 기압이 높은 곳으로, 중심에는 (❶   ) 기류가 생긴다. 저기압은 주위보다 기압이 낮은 곳으로, 중심에는 (❷   ) 기류가 생긴다.
2. **기단** 비슷한 온도와 습도를 나타내는 공기 덩어리이다.
3. **전선** 성질이 다른 두 기단이 만나 생기는 불연속면을 전선면이라고 하며, 전선면이 지표면과 이루는 경계를 (❸   )이라고 한다.

② 고기압과 날씨 변화

1. **고기압의 종류** 이동 상태에 따라 구분한다.
 • 정체성 고기압: 시베리아 고기압과 북태평양 고기압이 있다.
 • 이동성 고기압: 양쯔강 고기압이 있다.
2. **고기압과 우리나라의 날씨** 우리나라의 봄·가을에는 양쯔강 고기압이 영향을 주고, 겨울에는 (❹   ) 고기압이, 여름에는 (❺   ) 고기압이 영향을 준다.

③ 온대 저기압과 날씨 변화

1. **온대 저기압의 형성과 소멸** 중위도에서 북쪽의 찬 기단과 남쪽의 따뜻한 기단이 만나 형성되는 (❻   ) 전선상의 파동으로부터 발생하며, 한랭 전선과 온난 전선을 동반하여 이동하다가 두 전선이 만나 (❼   ) 전선이 되면서 소멸한다.
2. **온대 저기압과 날씨** (❽   )의 영향을 받아 서쪽에서 동쪽으로 이동하며, 온대 저기압이 동반하는 전선 주위에서 날씨 변화가 나타난다.

④ 일기 예보

1. **일기 예보의 과정** 기상 실황 파악 → 자료 수집 및 분석 → 예보 협의 → 기상 정보 제공
2. **일기도와 위성 영상**
 • 일기도: 일기 기호를 이용하여 어떤 지역의 일정한 시각이나 시간대의 일기 상태를 나타낸 그림이다.
 • 가시 영상: 구름과 지표면에서 반사된 태양빛의 강약을 나타내며 구름이 두꺼울수록 반사되는 빛이 강하므로 밝게 보인다.
 • (❾   ) 영상: 물체가 방출하는 적외선 에너지양에 의해 표출된 영상으로, 온도가 낮을수록 밝게 보이며 밤낮에 관계없이 24시간 관측이 가능하다.
 • (❿   ) 영상: 전파를 보내 구름 속의 빗방울이나 눈송이에 부딪쳐 돌아오는 반사파를 분석하여 영상으로 나타낸 것이다.

⑤ 열대 저기압과 태풍

1. **태풍의 발생과 소멸**
 • 태풍의 발생: 위도 5°~25°의 수온 27 °C 이상인 열대 해상에서 발생하고 (⓫   )을 동반하지 않는다.
 • 태풍의 소멸: 태풍의 에너지원은 해양에서 증발한 수증기의 (⓬   )이기 때문에 육지를 지나면 세력이 약화되어 소멸한다.
2. **태풍의 구조** 중심 부분에는 약한 하강 기류가 나타나 구름이 없고 바람이 약한 태풍의 (⓭   )이 존재한다.
3. **태풍과 날씨** 풍속은 태풍의 중심으로부터 약 40 km~약 100 km 부근에서 가장 강하고, 기압은 태풍의 중심으로 갈수록 낮아진다.
4. **태풍의 위험 반원과 안전 반원(북반구)**
 • 위험 반원: 태풍 진행 방향의 (⓮   )쪽으로, 태풍의 진행 방향과 대기의 순환 방향이 일치하여 풍속이 강해진다.
 • 안전 반원: 태풍 진행 방향의 (⓯   )쪽으로, 태풍의 진행 방향과 대기의 순환 방향이 일치하지 않는다.

01 그림은 우리나라에 영향을 주는 기단을 나타낸 것이다.

(1) 표의 ㉠~㉣에 들어갈 알맞은 말을 쓰시오.

기단의 종류	계절	성질
㉠	겨울	한랭 건조
㉡	초여름, 가을	한랭 다습
북태평양 기단	㉢	고온 다습
㉣	봄, 가을	온난 건조

(2) 우리나라의 장마철에 정체 전선을 형성하여 많은 비를 내리는 두 기단을 쓰시오.

02 그림 (가)와 (나)는 성질이 서로 다른 두 전선의 단면을 나타낸 것이다.

 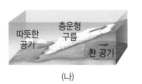

이에 대한 설명으로 옳은 것만을 보기에서 있는 대로 고르시오.

보기
ㄱ. (가)는 한랭 전선의 단면이고, (나)는 온난 전선의 단면이다.
ㄴ. (가)는 (나)보다 이동 속도가 빠르다.
ㄷ. (가)는 (나)보다 비가 오는 면적이 넓다.
ㄹ. (가)의 앞쪽에서는 지속적인 비가 내리고, (나)의 뒤쪽에서는 소나기가 내린다.

03 다음에서 설명하는 고기압의 종류를 보기에서 있는 대로 고르시오.

고기압의 중심이 대륙이나 해양의 특정 지역에 오랫동안 머물면서 수축하거나 확장하면서 주위 지역에 영향을 미친다.

보기
ㄱ. 시베리아 고기압　　ㄴ. 양쯔강 고기압
ㄷ. 북태평양 고기압　　ㄹ. 이동성 고기압

04 다음은 고기압과 우리나라의 날씨에 대한 설명이다.

• 봄철에는 이동성 고기압인 (㉠　　) 고기압의 영향을 받아 온난 건조한 날씨가 나타난다.
• 여름철에는 정체성 고기압인 (㉡　　) 고기압의 영향을 받아 덥고 습한 날씨가 나타난다.

㉠, ㉡에 들어갈 말을 쓰시오.

05 그림 (가)~(라)는 온대 저기압이 발달하는 과정을 순서 없이 나열한 것이다.

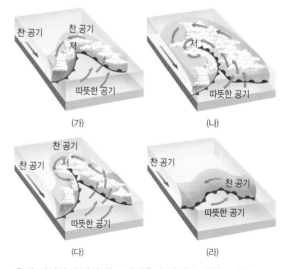

온대 저기압이 발달하는 과정을 순서대로 나열하시오.

06 그림은 온대 저기압이 발달한 우리나라 부근의 일기도를 나타낸 것이다. 이에 대한 설명으로 옳은 것만을 보기에서 있는 대로 고르시오.

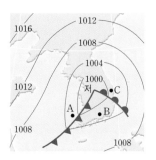

보기
ㄱ. A 지점은 B 지점보다 기온이 낮다.
ㄴ. C 지점에는 북동풍이 분다.
ㄷ. A 부근에는 지속적인 비가 내리고, C 부근에는 소나기성 비가 내린다.

07 그림은 일기도에 표시하는 일기 기호를 나타낸 것이다.
A~C에 해당하는 일기 요소는 무엇인지 각각 쓰시오.

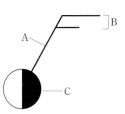

08 그림 (가)와 (나)는 우리나라 부근의 가시 영상과 적외 영상을 나타낸 것이다.

(가) 가시 영상   (나) 적외 영상

이에 대한 설명으로 옳은 것만을 보기에서 있는 대로 고르시오.

보기
ㄱ. (가)에서 두꺼운 구름일수록 밝게 나타난다.
ㄴ. (가)는 강수 입자에 부딪쳐 되돌아오는 전파를 분석하여 나타낸다.
ㄷ. (나)는 적외선 영역의 에너지를 관측하여 나타낸다.
ㄹ. (가), (나) 모두 야간에도 구름을 관측할 수 있다.

09 태풍의 특성에 대한 설명으로 옳은 것만을 보기에서 있는 대로 고르시오.

보기
ㄱ. 열대 저기압의 일종이다.
ㄴ. 적도를 포함한 저위도 해역에서 발생한다.
ㄷ. 중심 부근 최대 풍속이 17 m/s 이상이다.
ㄹ. 온난 전선과 한랭 전선을 동반한다.
ㅁ. 주된 에너지원은 수증기의 숨은열이다.

10 그림은 태풍 중심으로부터의 거리에 따른 풍속과 기압의 분포를 나타낸 것이다.

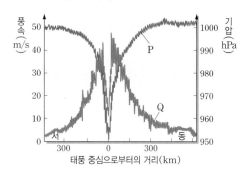

P와 Q는 각각 어떤 요소를 나타내는지 쓰시오.

11 그림은 어느 해 우리나라를 통과한 태풍의 이동 경로를 나타낸 것이다.
이에 대한 설명으로 옳은 것만을 보기에서 있는 대로 고르시오.

보기
ㄱ. 부산은 태풍의 위험 반원에 속해 있다.
ㄴ. 서울은 부산보다 풍속이 약하다.
ㄷ. 태풍이 지나는 동안 부산의 풍향은 시계 반대 방향으로 바뀌었다.

01 ❯ 고기압과 저기압
그림은 고기압과 저기압에서의 등압선과 공기의 이동을 나타낸 것이다.

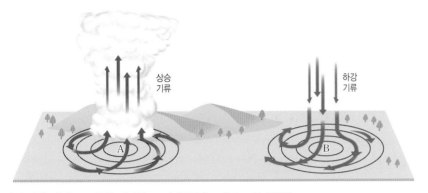

이에 대한 설명으로 옳은 것만을 보기에서 있는 대로 고른 것은?

보기
ㄱ. A의 기압은 1기압보다 낮고, B의 기압은 1기압보다 높다.
ㄴ. A에서는 공기의 상승에 의한 단열 팽창으로 구름이 생성된다.
ㄷ. 지상에서는 B에서 A 방향으로 바람이 분다.

① ㄱ   ② ㄴ   ③ ㄱ, ㄷ   ④ ㄴ, ㄷ   ⑤ ㄱ, ㄴ, ㄷ

• 고기압은 중심부의 기압이 주변보다 높은 곳이고, 저기압은 중심부의 기압이 주변보다 낮은 곳이다.

02 ❯ 한랭 전선과 온난 전선
그림 (가)와 (나)는 성질이 다른 두 전선의 형성 과정을 나타낸 것이다.

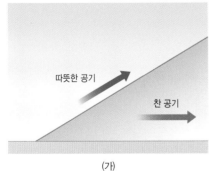
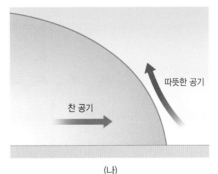

(가)   (나)

이에 대한 설명으로 옳은 것만을 보기에서 있는 대로 고른 것은?

보기
ㄱ. (가)는 한랭 전선이 형성되는 과정이고, (나)는 온난 전선이 형성되는 과정이다.
ㄴ. (가)보다 (나)의 이동 속도가 더 빠르다.
ㄷ. 공기의 연직 운동은 (가)보다 (나)에서 더 활발하다.

① ㄱ   ② ㄴ   ③ ㄱ, ㄴ   ④ ㄴ, ㄷ   ⑤ ㄱ, ㄴ, ㄷ

• 찬 공기는 따뜻한 공기에 비해 밀도가 크므로 공기의 이동 방향에 따라 전선의 기울기가 달라진다.

03 ▶ 전선 주변의 날씨

그림은 북반구 중위도 어느 곳의 일기도 일부를 나타낸 것이다.

이에 대한 설명으로 옳은 것만을 보기에서 있는 대로 고른 것은?

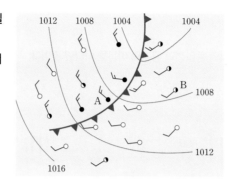

• 북반구 중위도에서 나타나는 전선은 편서풍의 영향으로 서에서 동으로 이동한다.

보기

ㄱ. 일기도에 나타난 전선은 한랭 전선이다.

ㄴ. A 지역은 현재 적운형 구름과 함께 소나기가 내릴 가능성이 높다.

ㄷ. B 지역은 점차 한랭 전선의 영향을 벗어나 맑아질 것이다.

① ㄱ   ② ㄴ   ③ ㄱ, ㄴ   ④ ㄱ, ㄷ   ⑤ ㄴ, ㄷ

04 ▶ 여러 가지 전선의 특징

그림은 형성 과정이 다른 두 전선을 나타낸 것이다.

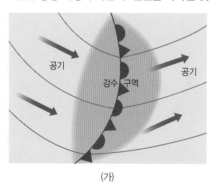

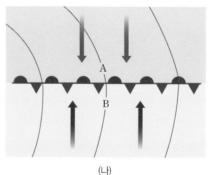

(가)   (나)

• 폐색 전선은 두 전선이 합쳐져서 전선이 소멸하는 단계의 전선이고, 정체 전선은 성질이 다른 두 기단의 세력이 비슷해서 일정한 장소에 오래 머물러 있는 전선이다.

이에 대한 설명으로 옳은 것만을 보기에서 있는 대로 고른 것은?

보기

ㄱ. (가)는 폐색 전선이고, (나)는 정체 전선이다.

ㄴ. 전선을 경계로 양쪽의 온도 차이는 (가)보다 (나)가 크다.

ㄷ. (나)에서 A 지역은 B 지역보다 강수 현상이 많이 나타난다.

① ㄱ   ② ㄷ   ③ ㄱ, ㄴ   ④ ㄴ, ㄷ   ⑤ ㄱ, ㄴ, ㄷ

05 > 정체성 고기압

그림 (가)와 (나)는 각각 어느 계절에 잘 나타나는 기압 배치를 나타낸 일기도이다.

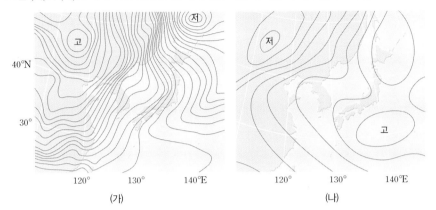

(가)   (나)

이에 대한 설명으로 옳은 것만을 보기에서 있는 대로 고른 것은?

> **보기**
>
> ㄱ. (가)의 고기압은 차가운 지면의 영향으로 공기가 침강하여 형성된다.
>
> ㄴ. (나)의 고기압은 대기 대순환의 하강 기류에 의해 형성된다.
>
> ㄷ. (가)의 고기압은 겨울철에 발달하고, (나)의 고기압은 여름철에 발달한다.

① ㄱ   ② ㄴ   ③ ㄱ, ㄷ   ④ ㄴ, ㄷ   ⑤ ㄱ, ㄴ, ㄷ

• 시베리아 고기압은 한랭 건조한 곳에서 형성되며, 북태평양 고기압은 중위도 고압대에서 형성된다.

06 > 전선의 형성 과정

그림 (가)~(다)는 북반구 중위도 지역에서 온대 저기압이 발달하는 과정을 순서 없이 나열한 것이다.

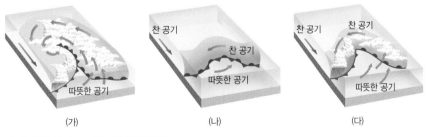

(가)   (나)   (다)

이에 대한 설명으로 옳지 않은 것은?

① 온대 저기압이 발달하는 순서는 (나) → (다) → (가)의 순이다.

② (가) 단계에서 폐색 전선이 나타난다.

③ (나) 단계에서 찬 공기가 따뜻한 공기를 밀어내면서 전선이 소멸한다.

④ (다) 단계에서 전선의 중심부에는 상승 기류가 발달한다.

⑤ 전선의 형성과 소멸을 통해 에너지의 이동과 교환이 이루어진다.

• 온대 저기압은 중위도 지역에서 북쪽의 찬 기단과 남쪽의 따뜻한 기단이 만나 전선을 형성할 때 중심부에 나타나는 저기압이다.

07 ▶ 온대 저기압과 날씨

그림은 우리나라의 어느 기상 관측소에서 시간에 따라 기압과 온도를 측정하여 나타낸 것이다.

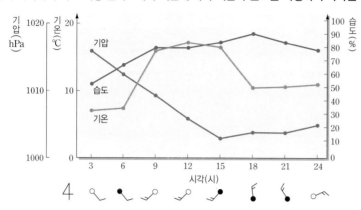

• 온난 전선이 통과하면 기압이 하 강하고 기온은 상승하며, 한랭 전 선이 통과하면 기압이 상승하고 기온은 하강한다.

이에 대한 설명으로 옳은 것만을 보기에서 있는 대로 고른 것은?

> **보기**
>
> ㄱ. 이날 6시~9시 사이와 15시~18시 사이에 전선이 통과하였다.
>
> ㄴ. 오전에 강한 바람과 함께 좁은 지역에 소나기가 내렸다.
>
> ㄷ. 낮에는 비가 그치고 대기 상태가 맑고 건조해졌다.

① ㄱ   ② ㄷ   ③ ㄱ, ㄴ   ④ ㄴ, ㄷ   ⑤ ㄱ, ㄴ, ㄷ

08 ▶ 일기도 해석

그림 (가)는 어느 날 우리나라 주변의 지상 일기도를, (나)는 A~C 지역 중 한곳의 날씨를 일 기 기호로 나타낸 것이다.

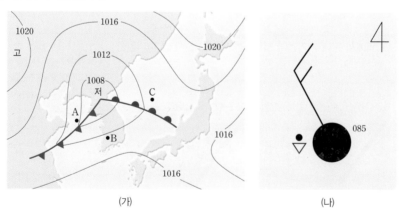

(가)   (나)

• 한랭 전선의 후면은 적운형 구름 이 형성되어 소나기가 내린다.

현재 일기도의 날씨에 대한 설명으로 옳지 <u>않은</u> 것은?

① (나)는 A 지역의 날씨를 나타낸다.

② 기압이 가장 높은 지역은 A이다.

③ 구름의 양이 가장 적은 지역은 B이다.

④ 이 시간 이후로 C 지역은 점차 구름이 낮아진다.

⑤ B 지역과 C 지역의 풍속은 7 m/s보다 약하게 불고 있다.

09 ▶ 위성 영상과 레이더 영상 해석

그림 (가)~(다)는 2018년 4월 6일 우리나라 주변의 가시 영상과 적외 영상 및 레이더 영상을 나타낸 것이다.

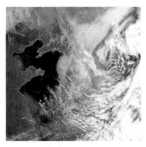
(가) 가시 영상

(나) 적외 영상

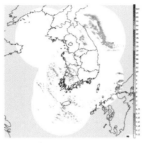
(다) 레이더 영상

이에 대한 설명으로 옳은 것만을 보기에서 있는 대로 고른 것은?

보기
ㄱ. (가)로부터 우리나라를 덮고 있는 구름의 두꺼운 정도를 알 수 있다.
ㄴ. (나)에서 북한 쪽 구름의 고도는 남한 쪽 구름의 고도보다 높다는 것을 알 수 있다.
ㄷ. (다)로부터 강수 구역과 강수량을 판단할 수 있다.

① ㄱ   ② ㄷ   ③ ㄱ, ㄴ   ④ ㄴ, ㄷ   ⑤ ㄱ, ㄴ, ㄷ

• 가시 영상에서 밝은 부분은 구름이 두꺼운 곳이고, 적외 영상에서 밝은 부분은 온도가 낮고 고도가 높은 구름이다. 레이더 영상에서는 비구름의 분포를 알 수 있다.

고난도
10 ▶ 일기도와 위상 영상의 해석

그림 (가)는 어느 날의 지상 일기도를, (나)는 같은 시간대에 기상 위성에서 촬영한 가시 영상이다.

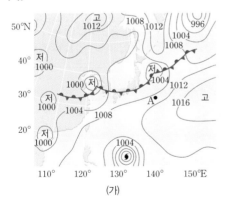
(가)

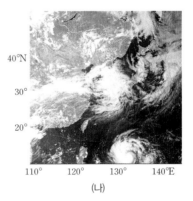
(나)

이에 대한 설명으로 옳은 것만을 보기에서 있는 대로 고른 것은?

보기
ㄱ. 우리나라는 장마 전선의 영향을 받고 있다.
ㄴ. A 지점에는 북풍 계열의 바람이 분다.
ㄷ. 구름은 전선의 남쪽보다 북쪽에 많이 분포한다.

① ㄱ   ② ㄷ   ③ ㄱ, ㄷ   ④ ㄴ, ㄷ   ⑤ ㄱ, ㄴ, ㄷ

• 바람은 고기압에서 저기압으로 불며, 구름은 저기압의 중심이나 전선 근처에 많이 분포한다.

고난도
11 > 태풍의 특징
그림은 어느 해 8월 태풍이 우리나라를 통과하는 동안 관측한 기압과 바람을 나타낸 것이다.

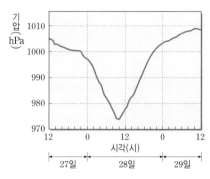

이에 대한 설명으로 옳은 것만을 보기에서 있는 대로 고른 것은?

보기
ㄱ. 태풍이 지나는 동안 관측소의 풍향은 시계 방향으로 바뀌었다.
ㄴ. 28일 약 10시를 기준으로 태풍의 중심이 접근했다가 멀어졌다.
ㄷ. 관측소는 태풍의 안전 반원 지역에 위치하였다.

① ㄱ   ② ㄷ   ③ ㄱ, ㄴ   ④ ㄱ, ㄷ   ⑤ ㄴ, ㄷ

• 태풍은 저기압의 일종이므로 북반구에서 시계 반대 방향으로 회전하면서 이동한다.

12 > 태풍의 이동 경로
그림은 우리나라 주변을 지나는 태풍의 발생 위치와 월별 이동 경로를 나타낸 것이다.
이에 대한 설명으로 옳은 것만을 보기에서 있는 대로 고른 것은?

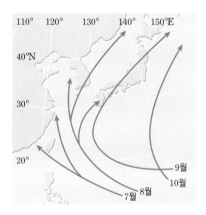

보기
ㄱ. 태풍의 발생 위치는 위도 20° 이하의 열대 해상이다.
ㄴ. 우리나라에 영향을 주는 태풍은 주로 7월~8월에 발생한다.
ㄷ. 겨울에 태풍이 거의 발생하지 않는 것은 수온이 낮아지기 때문이다.

① ㄱ   ② ㄷ   ③ ㄱ, ㄴ   ④ ㄱ, ㄷ   ⑤ ㄱ, ㄴ, ㄷ

• 태풍은 해상 수온이 높은 해역에서 발생한다. 우리나라에 영향을 주는 태풍은 주로 태평양의 수온이 높아지는 시기에 올라온다.

13 ▶ 태풍의 진로

그림은 우리나라에 영향을 준 어느 태풍의 진로와 중심 기압의 변화를 24시간 간격으로 측정하여 나타낸 것이다.

이에 대한 설명으로 옳지 <u>않은</u> 것은?

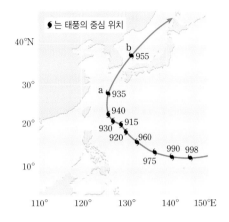

① 북위 약 25°를 지난 후부터 태풍의 진로는 편서풍의 영향을 받았다.

② a에서 b를 통과하는 동안 태풍의 세력이 더 강해졌다.

③ 태풍의 이동 속도는 무역풍대보다 편서풍대에서 더 빠르다.

④ 태풍이 통과하면서 우리나라에서는 풍향이 시계 반대 방향으로 바뀌었다.

⑤ 태풍에 따른 피해는 우리나라보다 일본이 더 컸을 것이다.

• 북반구에서 태풍의 진행 방향에 대하여 오른쪽은 위험 반원이고, 왼쪽은 안전 반원이다.

고난도

14 ▶ 태풍의 이동과 물리량의 변화

표는 2017년에 발생한 태풍 난마돌의 시간에 따른 여러 가지 물리량 변화를 나타낸 것이다.

• 태풍은 저기압의 일종이므로 중심 기압이 낮을수록 세력이 강하다.

일시	중심 위치		중심 기압 (hPa)	최대 풍속 (m/s)	강풍 반경 (km)	강도	크기	진행 방향	이동 속도 (km/h)
	위도(°N)	경도(°E)							
7월 1일 21:00	16.7	130.4	1006	14	—	—	—	북서	35
7월 2일 03:00	18.7	128.7	1004	15	—	—	—	북서	48
7월 2일 09:00	20.6	127.1	1002	18	279.30	약	소형	북서	45
7월 2일 15:00	21.9	125.8	1002	18	297.92	약	소형	북서	33
7월 2일 21:00	23.6	124.5	1000	18	297.92	약	소형	북서	39
7월 3일 03:00	24.8	124.0	994	21	316.54	약	소형	북북서	24
7월 3일 09:00	26.1	124.0	992	23	316.54	약	소형	북	24
7월 3일 15:00	27.8	124.8	985	27	316.54	중	소형	북북동	34
7월 3일 21:00	29.5	126.1	985	27	316.54	중	소형	북동	38
7월 4일 03:00	31.4	127.8	985	27	316.54	중	소형	북동	44
7월 4일 09:00	32.8	130.3	990	24	130.34	약	소형	동북동	47
7월 4일 15:00	33.5	134.4	994	21	130.34	약	소형	동	65
7월 4일 21:00	34.4	138.3	996	20	130.34	약	소형	동북동	62
7월 5일 03:00	35.8	142.4	998	—	—	—	—	동북동	67

이에 대한 설명으로 옳은 것만을 보기에서 있는 대로 고른 것은? (단, 서울의 위도는 37.6 °N이고, 경도는 127 °E이다.)

> **보기**
>
> ㄱ. 중심 기압이 낮을수록 최대 풍속이 강하다.
> ㄴ. 태풍이 강해질수록 태풍의 이동 속도가 빨라진다.
> ㄷ. 난마돌이 통과할 때 우리나라의 서울 지역은 위험 반원에 속했다.

① ㄱ   ② ㄷ   ③ ㄱ, ㄴ   ④ ㄱ, ㄷ   ⑤ ㄴ, ㄷ

02 우리나라의 주요 악기상

학습 Point 뇌우와 우박 > 국지성 호우와 폭설 > 한파와 폭염 > 황사

 뇌우와 우박

악기상(惡氣象)은 일상생활에 어려움이나 재해를 일으키는 기상 현상이다. 우리나라의 주요 악기상에 속하는 뇌우는 대기가 불안정한 날에 적란운이 발달하는 경우에 발생할 수 있다. 뇌우는 국지성 호우나 우박 등을 동반하여, 농작물에 피해를 주고 가옥을 파괴하는 등 피해를 일으키기도 한다.

1. 뇌우

강한 상승 기류에 의해 적란운이 발달하면서 천둥, 번개와 함께 소나기가 내리는 현상을 뇌우(雷雨)라고 하고, 뇌우를 일으키는 구름을 뇌운(雷雲)이라고 한다.

(1) **발생 조건:** 여름철 강한 햇빛에 의해 지표면이 국지적으로 가열되어 강한 상승 기류가 형성될 때, 한랭 전선에서 따뜻한 공기가 빠르게 상승할 때, 온대 저기압이나 태풍에 의해 강한 상승 기류가 발달할 때 등과 같이 대기가 불안정할 때 잘 발생한다.

(2) **발달 단계:** 뇌우는 적운 단계 → 성숙 단계 → 소멸 단계를 거쳐 발달한다.

① **적운 단계:** 뇌우 발달의 초기 단계로, 지표면의 가열에 의해 고온 다습한 공기가 상승하여 적운을 형성한다. 수증기를 포함한 공기가 상승할 때는 응결이 일어나면서 숨은열을 방출하므로 적운 내부는 주위 공기보다 온도가 높아지고 밀도가 낮아지며 점차 더 강한 상승 기류가 발생하기 때문에 빗방울이 지상에 떨어지지 못하여 강수 현상은 미약하다.

② **성숙 단계:** 상승 기류가 계속 발달하여 대류권 계면의 높이까지 구름이 성장하면 구름 입자들이 점점 커지고 무거워져 하강하기 시작한다. 이때 구름 주위의 건조한 공기가 구름 속으로 끌려 들어가고, 구름 입자 일부가 증발하여 공기가 냉각되며 무거워지면서 하강 기류를 이루게 된다. 하강 기류의 찬 공기는 지표면을 따라 이동하면서 강한 돌풍을 일으켜 소나기, 천둥, 번개, 우박 등을 동반하게 된다.

③ **소멸 단계:** 강수를 동반한 찬 공기의 하강이 계속되면 구름 밑면에서 고온 다습한 공기의 유입이 줄어들어 뇌우는 소멸 단계에 들어간다. 결국 구름 내부에는 전체적으로 하강 기류만 남게 되어 구름은 사라지게 된다.

뇌우의 예측

뇌우는 규모가 작아 일기도상에 나타나지 않는 현상이기 때문에 예측하기 어렵다.

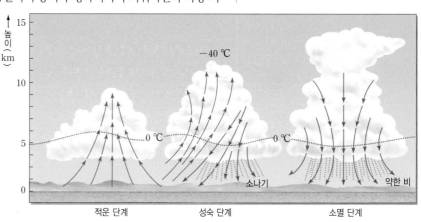

▲ **뇌우의 발달 단계**

(3) **낙뢰(落雷):** 벼락이라고도 하며, 성숙 단계의 뇌우에서 발생하는 방전(妨電) 현상이다. 뇌우를 구성하는 적란운의 윗부분은 빙정으로 되어 있고, 아랫부분은 물방울로 되어 있어서 구름 내에서 빙정끼리의 마찰과 물방울의 분열에 의하여 양전기와 음전기가 발생한다. 전기가 한 구름 안에서 방전을 하거나 구름과 구름 사이에서, 또는 구름과 지표면 사이에서 방전이 일어나게 되면 번개와 천둥이 발생한다.

2. 우박

우박은 대기가 불안정한 날에 수직으로 발달한 적란운에서 만들어져 땅 위로 떨어지는 얼음 덩어리이다. 지름이 5 mm 미만이면 싸락 우박, 지름이 5 mm 이상이면 우박이라고 부른다. 국내에서는 지름 1 cm 내외의 우박이 주로 관측되지만 간혹 골프공 크기의 우박이 관측되기도 한다.

(1) **우박의 발생:** 적란운의 강한 상승 기류는 우박의 씨앗이 되는 빙정을 구름의 어는 고도 이상으로 떠받쳐 올린다. 과냉각 물방울에서 증발한 수증기가 이 빙정에 달라붙어 더욱 커지거나, 빙정과 충돌한 과냉각 물방울이 얼어붙어 더 큰 빙정이 된다. 성장하여 무거워진 빙정이 떨어지다가 어는 고도 밑으로 내려오면 표면이 녹게 되며, 이때 다시 상승 기류를 만나 어는 고도 이상으로 올라가 성장한다. 이처럼 빙정은 적란운 속에서 상승과 하강을 반복하면서 상승 기류가 얼음 덩어리의 무게를 더 이상 지탱하지 못할 때까지 성장한다.

① **발생 시기:** 우리나라에서 우박은 5월~6월의 초여름과 9월~10월의 가을에 기온이 5 ℃~25 ℃ 사이인 날 주로 발생한다. 겨울과 한여름에는 우박이 거의 발생하지 않는데, 겨울에는 기온이 낮고 대기가 건조하여 적란운이 생기지 않으며, 한여름에는 기온이 너무 높아서 우박이 생겨도 금방 녹아 비로 되어 버리기 때문이다.

② **발생 구역:** 우박은 보통 몇 분 정도의 짧은 시간 동안 비구름이 움직이는 방향을 따라 수 km 정도 폭의 좁은 지역에서만 집중적으로 내린다. 이는 우박이 잘 발달한 소나기성 구름에서 생기는 현상이기 때문이다.

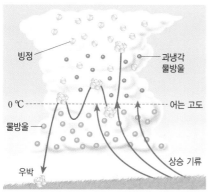

▲ 우박의 형성

▲ 우박(2013년 5월, 이탈리아 베로나)

(2) **우박의 구조:** 우박은 중심부를 투명한 얼음층과 불투명한 얼음층이 번갈아 둘러싸는 층상 구조를 가진다. 빙정은 적란운 내에서 상승과 하강을 반복하며 성장하는데, 이때 빙정에 달라붙은 과냉각 물방울이 어는 속도에 차이가 발생하므로 얼음 속에 기포가 포함되기도 한다. 이러한 기포의 포함 여부에 따라 층상 구조가 나타나는 것이다.

낙뢰 피해 예방법

낙뢰 피해를 줄이기 위해서는 피뢰침을 설치해야 하며, 야외에서 낙뢰가 발생하면 최대한 낮은 장소로 대피하고, 키가 큰 나무나 전봇대 등으로의 접근을 피한다.

과냉각 물방울

온도가 영하로 내려가도 얼지 않고 액체 상태로 존재하는 물방울이다. 구름 속의 온도가 −40 ℃~0 ℃인 구간에는 과냉각 물방울이 존재한다.

우박의 구조

우박은 투명한 얼음층과 불투명한 얼음층이 교대로 나타나는 구조이다. 불투명한 얼음층은 기포가 포함되어 있는 층이다.

국지성 호우와 폭설

국지성 호우와 폭설은 모두 좁은 지역에 짧은 시간 동안 영향을 미치는 강수 현상으로, 많은 피해를 일으키기도 한다.

1. 국지성 호우(집중 호우)

시간과 공간의 규모에 관계없이 많은 비가 연속적으로 내리는 현상을 호우(豪雨)라고 하며, 짧은 시간 동안 좁은 영역에 일정량 이상의 많은 양의 비가 집중적으로 내리는 현상을 국지성 호우 또는 집중 호우라고 한다.

(1) **국지성 호우의 정의 및 범위:** 일반적으로 1시간에 30 mm 이상의 비가 내리거나 하루에 80 mm 이상의 비가 내릴 때, 또는 연강수량의 10 %에 상당하는 비가 하루에 내릴 때를 말하며, 지속 시간은 보통 수십 분~수 시간 정도이지만 1일~2일 동안 지속되기도 한다. 주로 반지름 약 10 km~약 20 km의 좁은 지역에서 집중적으로 내린다.

(2) **국지성 호우의 발생:** 태풍, 장마 전선, 저기압과 고기압의 가장자리에서 대기가 불안정할 때 강한 상승 기류에 의해 만들어지는 적란운에서 주로 발생하며, 천둥과 번개를 동반하기도 한다.

▲ **국지성 호우의 위성 영상(2011년 7월 27일)** 한반도 중심부에 강한 대류에 의한 구름이 발달하여 서울, 경기 북동부 지역에 시간당 70 mm~80 mm의 강수를 기록하였다. 도심 곳곳이 물에 잠기고, 서울의 우면산에서는 산사태가 발생하였다.

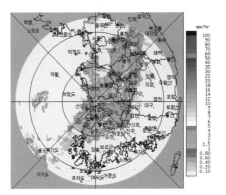

▲ **국지성 호우의 레이더 영상(2017년 7월 8일 오전 8시)** 파란색과 노란색을 거쳐 붉은색을 나타낼수록 시간당 강수량이 많음을 뜻한다. 이 날 목포는 시간당 1 mm 미만의 강수를 기록하였으나 완도나 고창 등의 지역은 시간당 30 mm~40 mm의 강수를 기록하였다.

▲ **국지성 호우로 침수된 도로(2017년 7월 16일, 충북 청주)** 이 날 청주는 오전 7시 10분부터 오전 8시 10분 사이에 91.8 mm의 폭우가 쏟아졌으며 총강수량은 290.1 mm를 기록했다.

국지성 집중 호우와 게릴라성 집중 호우

국지성 집중 호우가 일정하게 한 지점에 내리는 집중 호우인데 반해 게릴라성 집중 호우는 여러 지점 또는 한 지점의 호우가 끝나면 다른 지점에 집중 호우가 내리는 현상이다.

호우 특보 기준

· 호우 주의보: 3시간 강우량이 60 mm 이상 예상되거나 12시간 강우량이 110 mm 이상 예상될 때

· 호우 경보: 3시간 강우량이 90 mm 이상 예상되거나 12시간 강우량이 180 mm 이상 예상될 때

국지성 호우의 발생 장소와 지속 시간

적란운이 크게 발달하려면 수증기가 공급되어야 하고, 많은 수증기를 포함하고 있는 공기가 상승할 수 있는 기상 조건이 형성되어야 하므로, 국지성 호우는 따뜻하고 습한 공기와 접한 해안 지역이나 공기가 상승하기 좋은 산악 지대에서 발생할 가능성이 높다. 적란운은 수명이 1시간~2시간 정도밖에 되지 않지만 주변의 기상 조건에 따라 만들어지고 소멸하는 과정이 수없이 반복되면서 국지성 호우가 며칠 동안 지속되기도 한다.

2. 폭설

겨울철에는 짧은 시간에 많은 눈이 내리는 기상 현상이 발생하기도 하는데, 1시간에 1 cm ~3 cm 이상 또는 24시간 이내에 5 cm~20 cm 이상의 눈이 강약 주기를 반복하여 내리면 폭설 또는 대설이라고 한다.

(1) 폭설의 발생 원인

① 온대 저기압의 접근: 많은 수증기를 포함한 온대 저기압이 우리나라를 통과하며 눈구름을 발달시킬 때 전국적으로 폭설이 내리기도 한다.

② 대륙 고기압의 확장: 대륙 고기압의 세력 변화에 따라 우리나라의 폭설 지역이 결정된다. 즉, 대륙 고기압의 세력이 강하여 중국 남부 및 한반도까지 그 영향을 미치고 동해와 일본 부근에 저기압이 형성되는 1월에는 서고 동저형의 기압 배치에 따라 찬 공기가 북서풍을 타고 이동해 와서 주로 서해안에서 눈구름대를 만들지만, 대륙 고기압의 세력이 약화되어 우리나라 남쪽에 저기압이 형성되는 2월~3월에는 북고 남저의 기압 배치에 따라 북동풍이 불게 되므로 동해안에서 눈구름이 발달한다.

• 서해안 폭설: 시베리아 고기압이 북서쪽에서 확장하여 황해를 지날 때 잘 나타난다. 상층의 −30 ℃를 밑도는 찬 공기가 상대적으로 따뜻한 바다로부터 열과 수증기를 공급 받으면 눈구름이 크게 발달한다. 이 눈구름이 북서풍의 영향을 받아 이동해 오면 우리나라 호남 서해안에 폭설이 발생한다.

• 동해안 폭설: 차가운 대륙 고기압이 이동해 와서 우리나라 북쪽의 만주 동쪽이나 오호츠크해 부근에 위치하고, 우리나라 남쪽과 일본 열도 부근에 저기압이 위치하는 북고 남저형 기압 배치가 형성되면 상층의 찬 공기가 북동풍을 따라 이동해 오고, 온도가 상대적으로 높은 동해의 해수면으로부터 수증기를 지속적으로 공급 받아 눈구름이 만들어진다. 이때 이 눈구름이 태백산맥에 부딪쳐 상승하게 되는 지형적인 원인이 더해지면서 더욱 발달하여 폭설이 내린다.

서해안 폭설 _ 차고 건조한 공기 덩어리가 북서풍을 타고 이동하며 황해를 지날 때 따뜻한 해수면에서 수증기를 공급 받아 눈구름이 형성된다. 이 눈구름이 서해안으로 이동해 오면 국지적으로 많은 눈이 내리게 된다.

동해안 폭설 _ 차고 건조한 공기 덩어리가 북동풍을 타고 이동하며 동해를 지날 때 따뜻한 해수면에서 증발이 일어나 눈구름이 형성된다. 이 눈구름이 동해안으로 이동해 오면 국지적으로 많은 눈이 내리게 된다.

▲ **폭설의 원인**

③ 지형적인 원인: 동해안 폭설의 경우 동해에 위치한 저기압에서 발생한 동풍이 태백산맥에 부딪혀 강제 상승한 결과 눈구름이 강하게 발달하여 영동 지방에 폭설을 내리는 것이다. 울릉도 폭설의 경우에는 영동 지방의 폭설 원인과 마찬가지로 북동풍의 영향뿐만 아니라 동해안의 저기압에서 비롯된 눈구름이 북서풍을 따라 울릉도로 이동해 올 경우 울릉도의 성인봉에 부딪치는 지형적인 영향이 더해진 것이다.

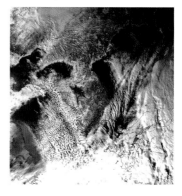

서해안 폭설의 위성 영상(2015년 1월 1일)
서해상에서 발생한 적란운이 서해안으로 유입되어, 전북 고창에서는 불과 3시간 동안 무려 22 cm가 넘는 눈이 쌓였다.

대설 특보 기준
• 대설 주의보: 24시간 동안 신적설이 5 cm 이상 예상될 때
• 대설 경보: 24시간 신적설이 20 cm 이상 예상될 때, 산지는 24시간 신적설이 30 cm 이상 예상될 때

강풍
강풍도 우리나라에 영향을 주는 악기상에 속한다. 강풍은 10분 동안의 평균 풍속이 14 m/s 이상인 바람으로, 강하게 발달한 온대 저기압의 영향을 받을 때, 태풍의 영향을 받을 때, 강하게 발달한 시베리아 고기압의 영향을 받을 때 주로 나타난다. 육상에서 풍속 14 m/s(산지는 17 m/s) 이상 또는 순간 풍속 20 m/s(산지는 25 m/s) 이상이 예상될 때는 강풍 주의보가 발표되고, 육상에서 풍속 21 m/s(산지는 24 m/s) 이상 또는 순간 풍속 26 m/s(산지는 30 m/s) 이상이 예상될 때 강풍 경보가 발표된다.

▲ 동해안 폭설의 지형적인 원인

(2) **폭설의 영향:** 폭설에 따라 눈사태가 일어나거나 송전선이나 통신선이 절단되고, 나뭇가지가 부러질 수 있다. 적설량이 30 cm에 이르면 도로 교통이 마비 상태가 되므로, 이에 따라 간접적인 피해도 잇따른다. 그러나 폭설이 반드시 피해만 일으키는 것은 아니다. 겨울철의 가뭄을 해소하거나, 산불을 방지하는 역할을 하기도 한다.

③ 한파와 폭염

최근에는 한파와 폭염으로 여러 산업의 피해가 늘어나고 있을 뿐만 아니라 농어촌, 도시를 구분할 것 없이 각 지역의 주민들이 불편을 겪고 있다.

1. 한파

겨울철에 한랭한 기단이 위도가 낮은 지방으로 확장하여 기온이 급격하게 하강하는 현상으로, 한파가 찾아오면 한파 특보가 내려진다.

(1) **한파의 원인:** 시베리아 고기압이 남동쪽으로 확장하면서 북서풍이 강하게 불면 한파가 내습한다. 최근에는 여기에 제트 기류의 약화 현상이 더해져 한파가 더욱 강해지고 있다. 즉, 북극 상공의 제트 기류는 수십 일 또는 수십 년을 주기로 강약을 반복하면서 북극의 찬 공기를 차단하는 역할을 하는데, 지구 온난화에 따른 북극의 이상 고온 현상으로 제트 기류가 불안정해지면 차단되어 있던 찬 공기가 남쪽으로 내려오면서 한파가 강화되는 것이다.

▲ **한파의 위성 영상(2018년 1월 11일)** 중국과 몽골에서 남하하는 한기에 의해 해상에서 빗자루로 쓸어내리는 듯한 모양으로 발달한 적운열이 나타난다.

▲ **한파에 따른 피해(2011년 1월 17일 광주)** 한파로 수도관이 동파되면서 건물의 창문과 벽을 타고 흐르던 물이 얼어붙어 대형 고드름이 만들어졌다.

(2) **한파에 따른 피해:** 한파가 지속되면 저체온증이나 동상 등 한랭 질환이 발생하고, 가정에서는 수도관이 파열되는 등 재산 피해가 발생한다. 농작물의 냉해, 가축과 양식 어류 동사(凍死) 등 농업, 축산업, 어업상의 피해도 발생한다.

2. 폭염

폭염은 매우 심한 더위를 일컫는 말로, 현재까지 아직 명확한 정의가 내려지지 않고 있다. 폭염의 기준이 나라마다 다르기 때문이다. 우리나라는 장마가 끝나는 7월 하순 이후부터 8월 초순까지 폭염이 나타나는 경우가 많다.

(1) **폭염의 원인:** 우리나라는 대체로 장마 후 고온 다습한 북태평양 고기압의 영향을 받아 여름철 날씨가 무덥다. 최근에는 지구 온난화에 따른 영향으로 중국 북부나 몽골 지역이 일찍부터 가열되면 공기 덩어리가 상승하여 이동해 오는데, 이 공기 덩어리가 우리나라 쪽으로 확장한 북태평양 고기압의 위에 놓이게 되면 대기가 안정해져 구름이 발달하지 않게 된다. 그 결과 지표면이 더욱 쉽게 가열되어 우리나라 폭염의 원인이 되기도 한다.

(2) **폭염에 따른 피해:** 폭염이 계속되면 열사병이나 열에 의한 탈진 등 온열 질환이 발생한다. 농작물이 말라 죽거나 가축이 집단 폐사하며, 수온 상승에 따른 녹조 현상으로 수질 오염이 발생하여 양식 어류가 떼죽음을 당하기도 한다.

(3) **열대야(熱帶夜):** 해가 진 후 다음날 아침 해가 뜰 때까지(18 : 01~다음날 09 : 00) 기온이 25 ℃ 이하로 내려가지 않아 열대 지역의 밤처럼 무더운 현상이다. 지표면과 대기는 낮 동안 받은 태양 복사 에너지를 밤에 방출하는데, 구름이 많거나 습도가 높으면 대기가 에너지를 흡수하므로 온실 효과가 강화된다. 그 결과 에너지가 대기 중에 남아서 밤에도 기온이 내려가지 않게 되며, 여기에 열섬 효과까지 더해져 열대야가 발생한다.

4 황사

먼 곳으로부터 모래 먼지가 이동해 와서 하늘을 뿌옇게 만드는 황사는 봄철의 골칫거리이다. 최근에는 지구 온난화의 영향으로 황사가 더욱 심해지고 있다.

1. 황사의 발원지

황사는 중국 북부나 몽골의 황토 지대에서 바람 때문에 공중으로 높이 올라간 흙먼지나 모래가 강한 바람을 타고 이동하면서 천천히 지표에 떨어지는 자연현상이다. 일반적으로 황사가 나타나면 하늘이 누런색을 띠거나, 심하면 황갈색으로 보인다. 우리나라에 영향을 주는 황사의 발원지는 중국과 몽골의 사막 지대와 황하 중류의 황토 지대로, 아시아 대륙의 중심에 자리잡고 있다. 이 지역은 비가 적게 내리고 햇빛이 강하여 증발이 잘 일어나는 메마른 곳으로, 바람도 강하다. 특히 네이멍구 고원과 커얼친(만주)은 우리나라와 가까운 황사 발원지로서, 발원한 흙먼지가 우리나라로 가장 빨리 이동하여 영향을 줄 수 있다. 타커라마칸 사막은 한반도에서 멀리 떨어져 있어서 우리나라에 주는 영향이 적은 편이다. 발원지에서의 황사 입자 크기는 1 ㎛~1000 ㎛이고, 우리나라에서 관측되는 황사 입자의 크기는 대기에서 수일 동안 떠 다닐 수 있는 1 ㎛~10 ㎛에 해당한다.

폭염 특보 기준
• 폭염 주의보: 하루 최고 기온이 33 ℃ 이상인 상태가 2일 이상 지속될 것으로 예상될 때
• 폭염 경보: 하루 최고 기온이 35 ℃ 이상인 상태가 2일 이상 계속될 것으로 예상될 때

열섬 현상과 열대야
열섬은 주변보다 기온이 현저하게 높은 지역으로, 도시 지역의 등온선 모양이 바다에 떠 있는 섬처럼 보이기 때문에 붙여진 이름이다. 열섬 현상은 농촌보다는 도시에서 많이 나타나고, 낮보다는 밤에 주로 발생한다. 인구가 많은 도시에서는 건물이나 자동차 등에서 배출되는 인공 열이 많아 기온이 상승한다. 또 도시 건물의 콘크리트나 도로의 아스팔트는 반사율(albedo)이 낮아서 열을 많이 흡수하므로 도시 기온이 더욱 상승하는 원인이 된다. 뜨거운 공기가 도시 하늘을 덮으면 대기 순환이 잘 이루어지지 않는 데다가 밤에는 열섬 현상이 더 강해지므로 열대야가 나타난다.

▲ 황사의 발원지

2. 황사의 발생 과정과 발생 시기

(1) **황사의 발생 과정**: 황사 발원지인 건조한 지역에 강한 바람이 불면 미세한 토양 입자가 솟아오르기 시작한다. 이때 강한 햇빛에 지표면이 가열되면 대기가 불안정해지면서 상승 기류가 발생하고, 먼지 입자가 상승 기류와 함께 상층 대기까지 올라가 편서풍을 타고 이동하면서 황사가 시작된다.

(2) **황사의 발생 시기**: 황사는 발원지의 흙과 먼지가 겨울 동안 얼어붙어 있다가 강한 햇빛을 받으며 녹게 되는 봄철에 주로 발생한다. 이때는 지표면에 식물 군락이 형성되어 있지 않아서 먼지가 더욱 쉽게 발생한다. 최근에는 지구 온난화의 영향으로 황사 발생 시기가 2월 무렵으로 앞당겨지기도 한다.

3. 황사의 피해와 대책

(1) **황사에 의한 피해**: 황사는 가시거리(可視距離)를 감소시켜 항공기의 이착륙을 방해하거나 항공기 엔진에 손상을 일으킬 수 있다. 반도체나 전자 장비와 같은 정밀 기계의 생산에도 지장을 주며, 황사 먼지가 농작물의 잎에 쌓이면 기공(氣孔)을 막아 성장을 방해한다. 눈병을 일으키고 호흡기 질환자들에게 위협을 주기도 한다.

(2) **황사 방지 대책**: 황사는 지권과 기권의 상호 작용에 따라 발생하는 자연적 측면이 강하고, 그 영향도 여러 나라에 미치므로 대책 수립이 어렵지만, 황사의 발원지인 중국과 몽골에 나무를 심고 숲을 가꾸며 방목을 억제하는 등 사막화가 확대되지 않게 하는 점이 가장 중요하다. 또 지구 온난화도 황사 피해를 심화시키므로, 지구 온난화를 막기 위한 노력도 기울여야 한다.

사막화
사막화는 자연적인 기후 변동이나 인간의 활동으로 기존의 사막이 확대되는 현상을 말한다. 특히 지나친 벌채나 과잉 경작, 과잉 방목 등의 인위적인 원인에 의해 사막화가 심화되고 있다.

황사 경보
황사로 인해 1시간 평균 미세먼지 농도 $800\ \mu\mathrm{g/m^3}$ 이상이 2시간 이상 지속될 것으로 예상될 때 발표한다.

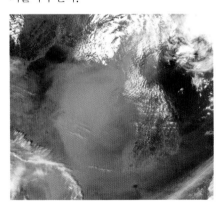

▲ 황사의 이동

▲ 황사로 뒤덮인 하늘(2015년 3월 30일, 경기도 성남)

심화

황사와는 다른 미세먼지

황사는 삼국사기에도 기록된 흙먼지 현상으로, 주로 봄에 관측되었던 자연현상이다. 그러나 미세먼지는 황사와 마찬가지로 하늘을 뿌옇게 만든다는 점은 비슷하지만, 주로 봄에 영향을 미치는 황사와 달리 미세먼지는 일 년 내내 영향을 미치며 발생 과정과 특성 역시 많은 차이가 있다.

❶ 미세먼지의 성분과 발생 원인

먼지는 입자 크기에 따라 미세먼지, 초미세먼지로 나뉜다. 세계보건기구는 지름 $10~\mu m$ 이하의 먼지는 미세먼지로, 지름 $2.5~\mu m$ 이하는 초미세먼지로 규정하고 있다. 황사는 주로 칼슘, 철분, 알루미늄, 마그네슘 등 토양 성분으로 이루어져 있지만, 미세먼지는 황산염, 질산염, 암모니아 등의 이온 성분과 금속 화합물, 탄소 화합물 등 연소 결과물인 유해 물질로 되어 있고 황사 구성 물질보다 크기가 훨씬 작다. 미세먼지는 산불, 황사 등을 통해 자연적으로 발생하기도 하지만 대부분은 자동차 운행, 공장에서의 화석 연료 사용, 산불 및 화전 경작, 가정의 난방과 취사 등의 과정에서 인위적으로 발생한다.

오염 물질	주요 배출원
황 산화물 (SO_x)	석탄, 나무 등 황이 포함된 연료의 연소
질소 산화물 (NO_x)	질소가 포함된 연료의 연소, 공기 중의 질소가 연소되는 과정의 고온에서 분해(자동차, 가스보일러 등)
암모니아(NH_3)	가축 사육, 비료, 자동차 등
휘발성 유기 화합물 (Volatile Organic Compounds, VOCs)	용매 사용, 자동차 연료, 인쇄소, 화장품, 방향제 등 다양한 배출원

▲ 미세먼지 생성에 관여하는 오염 물질의 주요 배출원

❷ 미세먼지의 위험성

미세먼지 입자에 포함되어 있는 금속 화합물, 탄소 화합물 등 각종 유해 물질은 크기가 매우 작아서 코와 기도를 거쳐 기도 깊숙한 폐포에 도달할 수 있다. 보통의 먼지는 코나 기도에서 걸러지지만 미세먼지는 폐포 끝까지 도달하여 산소와 이산화 탄소가 교환될 때 모세혈관으로 이동한 후 혈액을 통해 온몸을 순환한다. 높은 농도의 미세먼지에 갑자기 노출되면 기도가 자극을 받아 기침과 호흡 곤란이 발생하며, 천식이 악화된다.

❸ 우리나라 미세먼지 주요 원인

많은 사람들은 중국에서 발생한 황사를 우리나라 미세먼지의 주요 원인으로 꼽는다. 겨울에는 중국발 스모그, 봄에는 황사의 영향으로 미세먼지 농도가 더욱 증가하기 때문에 우리나라의 미세먼지는 국외, 특히 중국으로부터 오는 것이라고 생각할 수 있다. 그러나 2016년 환경부의 조사 결과에 따르면 미세먼지는 국외와 국내 요인이 거의 비슷한 것으로 나타났다. 미세먼지의 주요 배출원으로는 공장 매연과 자동차 배기가스 요인이 가장 컸으며, 그 외에도 건설 및 선박, 발전소 등이 미세먼지 배출의 주요 원인으로 지목되고 있다. 미세먼지는 그 크기가 작을 뿐만 아니라 기상 현상이나 배출원에 따라 농도가 크게 달라진다. 따라서 미세먼지를 줄이기 위해서는 미세먼지 생성에 대한 과학적 연구가 우선되어야 한다. 그리고 이러한 연구를 바탕으로 상황에 맞는 정책 수립이 뒤따라야 한다.

세계보건기구 (World Health Organization, WHO)
세계 보건 상태 향상에 대한 국제적인 협력을 촉진하기 위하여 설립된 국제 연합의 전문 기구로, 1948년에 설립되었다. 중앙 검역소 업무·유행병 및 전염병에 대한 대책·회원국의 공중 보건 행정 강화의 세 가지 업무를 맡고 있다.

미세먼지 크기 비교
미세먼지는 입자의 지름이 $10~\mu m$ 보다 작은 미세먼지(PM_{10})와 입자의 지름이 $2.5~\mu m$보다 작은 초미세먼지($PM_{2.5}$)로 구분할 수 있다. $10~\mu m$는 머리카락 지름의 $\frac{1}{5}$ ~$\frac{1}{9}$에 해당하고, $2.5~\mu m$는 머리카락 지름의 $\frac{1}{20}$~$\frac{1}{30}$에 해당할 정도로 매우 작다.

머리카락 단면

미세먼지 PM_{10} ($10~\mu m$)

초미세먼지 $PM_{2.5}$ ($2.5~\mu m$)

02 우리나라의 주요 악기상

❶ 뇌우와 우박

1. **뇌우** 강한 상승 기류에 의해 적란운이 발달하면서 천둥, (❶   )와 함께 소나기가 내리는 현상이다.
- 발생 조건: 여름철 강한 햇빛에 의한 국지적 가열로 상승 기류가 발달할 때, (❷   ) 전선에서 따뜻한 공기가 빠르게 상승할 때, 온대 저기압이나 태풍에 의해 강한 (❸   ) 기류가 발달할 때 등과 같이 대기가 불안정할 때 잘 발생한다.
- 발달 단계: 적운 단계 → 성숙 단계 → 소멸 단계를 거쳐 발달한다.

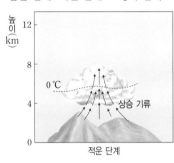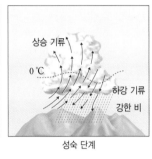

▲ 뇌우의 발달 과정

2. **우박** 대기가 불안정한 날에 수직으로 발달한 (❹   )에서 만들어져 땅 위로 떨어지는 얼음 덩어리이다.
- 발생 시기: 우리나라에서 우박은 초여름과 (❺   )에 주로 발생한다.
- 발생 구역: 우박은 소나기성 구름에서 생기는 현상이기 때문에 비구름이 움직이는 방향을 따라 수 km 정도 폭의 좁은 지역에서만 집중적으로 내린다.

❷ 국지성 호우와 폭설

1. **국지성 호우(집중 호우)** 짧은 시간 동안 좁은 영역에 일정량 이상의 많은 양의 비가 집중적으로 내리는 현상이다.
- 국지성 호우의 정의 및 범위: 일반적으로 1시간에 (❻   )mm 이상의 비가 내리거나 하루에 80 mm 이상의 비가 내릴 때, 또는 연강수량의 10 %에 상당하는 비가 하루에 내릴 때를 말한다.
- 국지성 호우의 발생: 태풍, 장마 전선, 저기압과 고기압의 가장자리에서 대기가 불안정할 때 강한 상승 기류에 의해 만들어지는 (❼   )에서 주로 발생하며, 천둥과 번개를 동반하기도 한다.
2. (❽   ) 짧은 시간에 많은 눈이 오는 기상 현상으로, 온대 저기압이 눈구름을 발달시킬 때, 대륙 고기압이 확장하여 눈구름을 발달시킬 때, 이미 발생한 눈구름에 지형적이 원인이 더해질 때 발생한다.

❸ 한파와 폭염

1. **한파** 한랭한 기단이 위도가 낮은 지방으로 확장하여 기온이 급격하게 하강하는 현상이다.
2. **폭염** 매우 심한 더위로, 우리나라의 경우 장마가 끝나는 7월 하순~8월 초순까지 폭염이 나타나는 경우가 많다.

❹ 황사

황사 중국 북부나 (❾   )의 황토 지대에서 상승한 흙먼지나 모래가 강한 바람을 타고 멀리까지 이동하면서 지표에 떨어지는 현상이다.
- 발생 과정: 황사 발원지에서 먼지 입자가 상승 기류와 함께 상층 대기까지 올라가 (❿   )을 타고 이동하면서 황사가 시작된다.
- 발생 시기: 황사는 발원지의 흙과 먼지가 겨울 동안 얼어 있다가 강한 햇빛을 받으며 녹게 되는 봄철에 주로 발생한다.

01 그림은 뇌우의 내부에서 공기의 흐름을 나타낸 것이다.
이에 대한 설명으로 옳은 것만을 보기에서 있는 대로 고르시오.

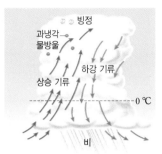

┌ 보기 ────────────
ㄱ. 성숙 단계의 뇌우이다.
ㄴ. 구름 내에서 상승 및 하강 기류가 나타난다.
ㄷ. 지표면과의 방전에 의해 번개와 천둥이 나타날 수 있다.
└──────────────

02 그림은 우박의 형성 과정을 나타낸 것이다.
이에 대한 설명으로 옳은 것만을 보기에서 있는 대로 고르시오.

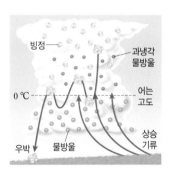

┌ 보기 ────────────
ㄱ. 주로 층운형 구름에서 만들어진다.
ㄴ. 공기가 상승과 하강을 반복하며 성장한다.
ㄷ. 한여름과 한겨울에 더욱 잘 발달한다.
└──────────────

03 국지성 호우가 발생할 수 있는 경우만을 보기에서 있는 대로 고르시오.

┌ 보기 ────────────
ㄱ. 태풍   ㄴ. 적란운
ㄷ. 온난 전선   ㄹ. 장마 전선
└──────────────

04 다음과 관련 있는 구름의 종류를 쓰시오.

┌────────────────────────┐
│ 우박   뇌우   강한 상승 기류   국지성 호우 │
└────────────────────────┘

05 빈칸에 들어갈 알맞은 말을 쓰시오.

┌────────────────────────────┐
│ (1) (   )는 일반적으로 1시간에 30 mm 이상의 비가 내릴 때를 일컫는다.
│ (2) (   )는 해가 진 후 다음날 아침 해가 뜰 때까지 기온이 25 ℃ 이하로 내려가지 않을 때를 일컫는다.
└────────────────────────────┘

06 다음은 어느 해 겨울날 우리나라의 위성 영상과 기상 현상을 나타낸 것이다.

┌──────────────────────────┐
│ 차가운 대륙 고기압이 황해를 지나면서 눈구름이 크게 발달하였고, 이 눈구름에서 폭설이 발생하였다.   
└──────────────────────────┘

이에 대한 설명으로 옳은 것만을 보기에서 있는 대로 고르시오.

┌ 보기 ────────────
ㄱ. 폭설이 내린 곳은 우리나라 서해안이다.
ㄴ. 찬 공기가 황해를 지나면서 열과 수증기를 공급 받았다.
ㄷ. 눈구름이 태백산맥에 부딪쳐 상승하며 더욱 발달한다.
└──────────────

07 다음에서 설명하는 악기상은 무엇인지 쓰시오.

┌──────────────────────────┐
│ 몽골이나 중국 북부의 황토 지대에서 강한 바람 때문에 공중으로 높이 올라간 흙먼지나 모래가 강한 바람을 타고 이동하면서 천천히 지표에 떨어지는 자연현상으로, 우리나라의 봄철에 주로 발생한다.
└──────────────────────────┘

01 ❯뇌우

그림은 육지에서 뇌우가 발달하는 과정을 순서 없이 나타낸 것이다.

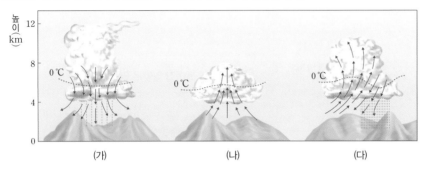

이에 대한 설명으로 옳지 않은 것은?

① (가)는 뇌우의 발달 단계 중 소멸 단계이다.

② (가) 단계에서 우박이 가장 많이 발생한다.

③ (나) 단계는 뇌우 발달 단계 중 초기 단계이다.

④ (다) 단계에서 낙뢰가 발생한다.

⑤ 뇌우의 발달 단계는 (나)―(다)―(가) 순이다.

• 뇌우는 구름 속에서 상승 및 하강 기류가 나타나면서 발달한다.

02 ❯뇌우와 우박

그림 (가)는 어느 날 우리나라 주변의 일기도를, (나)는 뇌우의 모습을, (다)는 우박의 모습을 나타낸 것이다.

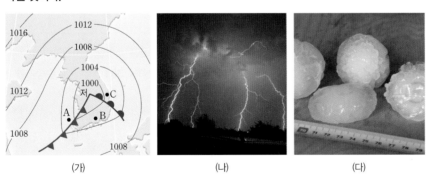

이에 대한 설명으로 옳은 것만을 보기에서 있는 대로 고른 것은?

보기

ㄱ. (가)에서 구름은 주로 A와 C 지역에 많이 분포한다.

ㄴ. (나)는 구름과 지표면 사이에서 방전이 일어나 발생한다.

ㄷ. (나)와 (다)는 (가)의 C 지역에서 나타날 수 있다.

① ㄱ   ② ㄷ   ③ ㄱ, ㄴ   ④ ㄴ, ㄷ   ⑤ ㄱ, ㄴ, ㄷ

• 우박은 적란운 내에서 공기가 상승 및 하강을 반복하면서 성장하여 만들어진다.

03 > 국지성 호우

그림은 국지성 호우로 도로가 침수된 모습을 나타낸 것이다.
이에 대한 설명으로 옳은 것만을 보기에서 있는 대로 고른 것은?

보기
- ㄱ. 1시간에 30 mm 이상 또는 하루에 80 mm 이상의 비가 내리는 현상이다.
- ㄴ. 강한 상승 기류에 의해 만들어지는 적란운에서 주로 발생한다.
- ㄷ. 비교적 오랜 시간 동안 넓은 범위의 지역에 영향을 미친다.

① ㄱ ② ㄴ ③ ㄱ, ㄴ ④ ㄴ, ㄷ ⑤ ㄱ, ㄴ, ㄷ

• 국지성 호우는 태풍, 장마 전선, 저기압과 고기압의 가장자리에서 대기가 불안정할 때 강한 상승 기류에 의해 만들어지는 구름에서 주로 발생한다.

고난도
04 > 국지성 호우

그림은 2011년 7월 우리나라 중부 지방에 국지성 호우가 발생하였을 때 우리나라 주변의 공기 배치 및 이동 방향을 나타낸 것이다. 이에 대한 설명으로 옳은 것만을 보기에서 있는 대로 고른 것은?

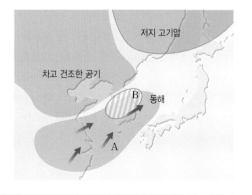

보기
- ㄱ. A는 따뜻하고 습윤한 공기이다.
- ㄴ. B 지역의 공기는 북쪽의 차고 건조한 공기와 만나 적란운을 형성한다.
- ㄷ. A는 북쪽의 저지 고기압에 가로막혀 특정 지역에 오래 머물며 국지성 호우를 내린다.

① ㄱ ② ㄷ ③ ㄱ, ㄴ ④ ㄴ, ㄷ ⑤ ㄱ, ㄴ, ㄷ

• 국지성 호우는 습도가 높고 온도가 다른 두 기단이 만나 적란운을 형성하면서 내리는 경우가 많다. 저지 고기압은 이동하는 공기를 막는 역할을 하는 고기압을 뜻한다.

05 ▸ 폭설

그림 (가)는 겨울철 어느 날 우리나라 부근의 지상 일기도를, (나)는 같은 날 구름의 위성 영상을 나타낸 것이다.

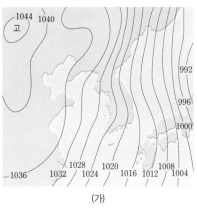

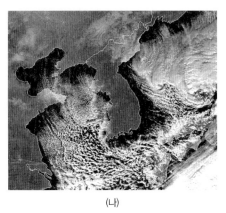

(가) (나)

이에 대한 설명으로 옳은 것만을 보기에서 있는 대로 고른 것은?

> 보기

ㄱ. 현재 우리나라는 시베리아 고기압의 영향을 받고 있다.

ㄴ. 황해의 구름은 찬 기단과 따뜻한 기단이 만나면서 형성된 것이다.

ㄷ. 우리나라 서해안 일부 지역에서는 폭설의 가능성이 있다.

① ㄱ   ② ㄷ   ③ ㄱ, ㄷ   ④ ㄴ, ㄷ   ⑤ ㄱ, ㄴ, ㄷ

- 서해안 폭설은 주로 겨울철에 찬 기단이 상대적으로 따뜻한 황해를 통과하면서 형성된 눈구름이 원인이다.

06 ▸ 한파와 폭설

다음은 어느 해 겨울의 한파와 호남 지방 폭설에 관한 기사의 일부이다.

> 전국에 연일 기승을 부리고 있는 한파는 ㉠ 강력하게 발달한 고기압이 찬 공기를 내뿜으며 우리나라 상공에 −30 ℃~−35 ℃의 공기층을 형성하였기 때문이라고 기상청은 전했다. ㉡ 겨울철의 전형적인 기압 배치가 계속되는 상황에서 찬 공기가 ㉢ 서해상을 지나면서 따뜻한 해수면을 만나 구름대가 만들어진다. 이 구름대가 내륙으로 들어와 ㉣ 태안반도, 변산반도 등의 육지에 부딪혀 상승하면서 충청과 호남 서해안 지방에 많은 눈을 뿌리고 있는 것이다. 그러나 서해안 지방에 눈을 뿌린 이 공기는 태백산맥을 넘어가면서 습한 성질을 잃어버리고 동해안 지방에 ㉤ 건조한 바람을 보내어 이 지역에 가뭄이 계속되고 있다.

㉠~㉤에 대한 설명으로 옳지 <u>않은</u> 것은?

① ㉠ – 이 고기압은 시베리아 고기압이다.

② ㉡ – 서고 동저형의 기압 배치이다.

③ ㉢ – 기층이 매우 안정해진다.

④ ㉣ – 두꺼운 구름이 형성된다.

⑤ ㉤ – 단열 변화 때문이다.

- 우리나라는 겨울철에 시베리아 기단의 영향으로 한파가 발생한다. 이때 찬 공기가 서해상의 따뜻한 해수면 위를 지나는 동안 기단이 변질되어 불안정해진다.

07 ❯ 폭염과 열대야

그림 (가)는 어느 해 8월 13일부터 15일까지 서울에서 측정한 기온 변화를, (나)는 같은 해 8월 13일 우리나라 주변의 일기도를 나타낸 것이다.

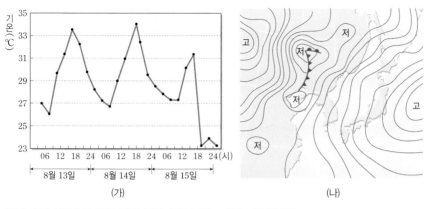

(가)　　　　　　　　　(나)

● 폭염 주의보는 한낮의 기온이 33 ℃ 이상일 때 발령되며, 열대야는 밤의 기온이 25 ℃ 이하로 내려가지 않는 현상이다.

이에 대한 설명으로 옳은 것만을 보기에서 있는 대로 고른 것은?

보기

ㄱ. 8월 13일과 14일에 서울에는 폭염 주의보가 내려졌다.

ㄴ. 8월 13일과 14일에 열대야가 나타났으며, 15일에 사라졌다.

ㄷ. 이 기간 동안 북태평양 고기압이 우리나라 날씨에 영향을 주었다.

① ㄱ　　　　② ㄷ　　　　③ ㄱ, ㄴ　　　　④ ㄴ, ㄷ　　　　⑤ ㄱ, ㄴ, ㄷ

08 ❯ 황사의 이동 경로

그림은 우리나라에 영향을 주는 황사의 발생 원리 및 이동 경로를 나타낸 것이다.

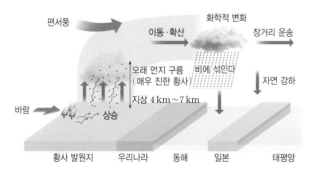

● 황사는 발원지에서 상승 기류를 만나 상층으로 올라간 후 바람에 의해 멀리 이동할 수 있다.

이에 대한 설명으로 옳지 않은 것은?

① 황사 발원지는 사막이나 고원과 같은 건조한 지역이다.

② 황사 발원지에 고기압이 형성되면 황사가 더 활발하게 일어난다.

③ 황사의 모래 먼지는 구름에 섞여 먼 곳으로 이동할 수 있다.

④ 우리나라에 영향을 주는 황사는 편서풍의 영향으로 서쪽에서 유입된다.

⑤ 황사가 대기 오염이 심한 지역을 통과하면 미세 먼지도 함께 유입될 수 있다.

03 해수의 성질

학습 Point   해수의 화학적 성질   >   해수의 물리적 성질   >   우리나라 주변 해수의 성질

1 해수의 화학적 성질

지구 표면적의 약 70 %를 차지하는 해양은 지구가 물의 행성이라는 점을 상징한다. 해수에는 여러 가지 물질이 녹아 있어서 독특한 화학적 성질을 나타내는데, 이러한 해수의 성질은 해양 환경 및 해수의 순환에도 큰 영향을 미친다.

1. 해수의 염분

해수에 녹아 있는 성분들을 염류라고 하며, 해수 1 kg에 녹아 있는 염류의 총량을 염분이라고 하며, psu를 단위로 사용한다. 전 세계 해수의 염분은 33 psu~37 psu에 분포하며, 평균 염분은 약 35 psu이다.

(1) **해수의 주요 염류:** 해수에는 염화 나트륨이 가장 많이 녹아 있고, 이 외에 염화 마그네슘, 황산 마그네슘, 황산 칼슘 등의 물질들이 녹아 있다. 이 물질들은 주로 육지로부터 강물에 녹아 흘러 들어오거나 해저 화산 활동 등에 의해 공급된다.

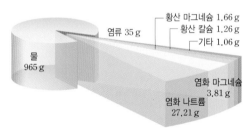

▲ **염분 35 psu의 해수에 들어 있는 염류의 양**

(2) **표층 해수의 염분 분포:** 중위도 해역의 염분이 가장 높고, 다음으로 열대 및 저위도 해역의 염분이 높으며, 고위도 해역의 염분이 가장 낮다.

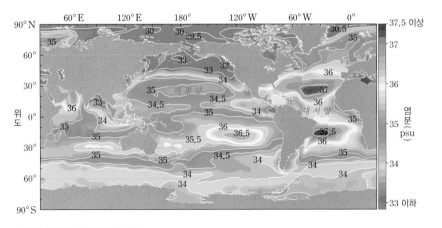

▲ **전 세계 해양의 연평균 염분 분포**

염분의 단위

1981년 이전에는 해수 1 kg에 용해되어 있는 염류 전량을 천분율로 나타내는 퍼밀(permil, ‰)을 염분의 단위로 사용했으나, 최근에는 염분과 전기 전도도 사이의 관계식에 기초한 척도인 실용 염분 단위 psu (practical salinity unit)를 사용한다. 두 단위 간에는 값의 차이가 없다.

염분비 일정 법칙

해수의 염분은 장소에 따라 다르지만, 각 염류가 녹아 있는 비율은 항상 일정하다. 이것을 염분비 일정 법칙이라고 한다.

염분이 높은 해역

요르단과 이스라엘 국경에 걸쳐 있는 사해(死海, Dead Sea)는 고립된 바다로 증발량이 강수량보다 훨씬 많다. 그러므로 염분이 약 200 psu로 세계에서 가장 높다. 아프리카 동북부와 아라비아반도 사이에 있는 홍해는 사막으로 둘러싸여 있으며 염분이 약 41 psu에 이른다.

(3) 염분에 영향을 미치는 요인

① **증발량과 강수량**: 증발량이 많을수록, 강수량이 적을수록 염분이 높다. 저기압대인 적도 부근과 위도 60° 부근 바다는 강수량이 증발량보다 많아 염분이 낮은 반면, 고기압대인 중위도 해역은 증발량이 강수량보다 많아 염분이 높게 나타난다.

② **하천수의 유입**: 하천수는 해수보다 염분이 낮으므로 하천수가 유입되는 연안은 같은 위도의 먼바다에서보다 염분이 낮다. 따라서 대양의 중심부보다 가장자리에서 염분이 낮다.

③ **빙하의 융해**: 고위도 해역에서는 빙하가 녹으므로 염분이 대체로 낮다. 그러나 결빙이 일어나는 해역은 염분이 높다.

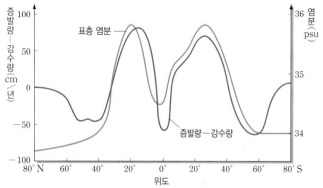

▲ **위도별 표층 염분 분포**

▲ **해빙(解氷)과 염분**　빙하 녹은 물이 흘러 들어가는 극 해역은 염분이 낮아진다.

2. 해수 중의 용존 기체

해수면은 대기와 접촉해 있으므로 대기 중의 기체가 해수로 자유롭게 들어오고 나갈 수 있다. 해수 중에 용해된 여러 가지 기체는 바닷속에 존재하는 생물의 활동에 의해 영향을 받으며, 반대로 이러한 생물의 서식에도 중요한 역할을 한다.

(1) **해수 중 기체의 용해도**: 해수 중 기체의 용해도는 수온, 수압, 염분 등의 영향을 받는데, 이 중에서 수온의 영향이 가장 크다. 수온이 높아지면 기체의 용해도가 작아져 해수에 녹아 있던 기체가 대기 중으로 방출되고, 수온이 낮아지면 기체의 용해도가 커져 대기 중의 기체가 해수에 녹아들게 된다. 수심이 깊어질수록 수온이 낮아지고 수압도 높아지므로 기체의 용해도가 커진다.

(2) **용존 산소량**: 해수에 녹아 있는 산소의 양을 뜻하는 용존 산소량은 해수면으로부터 수심 약 100 m에 이르기까지의 해수 표층에서 매우 높다. 표층의 해수는 대기로부터 산소를 공급 받을 수 있고, 해양 생물의 광합성을 통해 산소가 공급되기 때문이다. 이후 수심 약 800 m~약 1000 m에 이를 때까지는 용존 산소량이 감소한다. 그 까닭은 수심이 깊어짐에 따라 대기와의 상호 교환이 차단되거나 광합성 생물에 의한 산소 공급이 이루어지지 않는 상황에서 수중 생물의 호흡이나 유기물 분해 과정에 따른 소비만 일어나기 때문이다. 그러나 수심 약 800 m~약 1000 m보다 깊은 곳에서는 용존 산소량이 높게 나타나는데, 이는 수심이 깊어질수록 산소를 소비하는 해양 생물의 수가 감소하고, 고위도에서 유입되는 심층 해수에 용존 산소량이 많기 때문이다.

용존 산소
물이나 용액 속에 녹아 있는 분자 상태의 산소를 용존 산소라고 한다. 즉, 화합물이 아닌 상태의 산소이므로, 물 분자를 이루는 산소는 용존 산소가 아니다.

(3) **용존 이산화 탄소량:** 용존 이산화 탄소량은 해수에 녹아 있는 이산화 탄소의 양을 뜻한다. 해수 중 이산화 탄소의 용해도는 수온이 낮아질수록, 염분이 낮아질수록, 수압이 상승할수록 증가한다. 이산화 탄소는 해수 중에서 탄산 수소 이온(HCO_3^-)이나 탄산 이온(CO_3^{2-}) 형태로 존재한다. 용존 이산화 탄소의 농도는 해수 표층에서 가장 낮고, 수심 약 1000 m에 이르기까지 급격히 높아지다가 이후부터는 완만하게 증가하거나 일정한 농도를 유지한다. 용존 이산화 탄소의 농도가 해수 표층에서 낮은 까닭은 1차 생산자인 식물성 플랑크톤의 광합성으로 유기물이 생성되는 과정에서 이산화 탄소가 쓰이기 때문이다. 그러나 표층 아래에서는 수중 생물의 호흡과 유기물 분해 과정의 산물로 이산화 탄소 농도가 증가하며, 수심 약 500 m 이하에서는 이산화 탄소를 많이 포함한 표층수가 침강하기 때문에 이산화 탄소 농도가 급격히 증가한다.

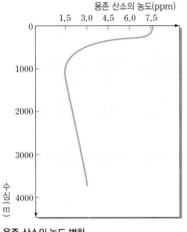

용존 산소의 농도 변화

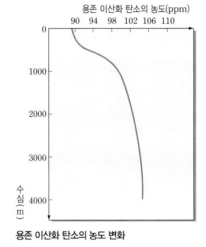

용존 이산화 탄소의 농도 변화

▲ **수심에 따른 용존 기체의 농도 변화**

지구 온난화와 해수의 용존 이산화 탄소량

해수에 녹아 있는 이산화 탄소의 농도는 대기 중 이산화 탄소 농도의 약 60배 이상으로, 바다는 이산화 탄소의 저장고라고 할 수 있다. 따라서 지구 온난화의 영향으로 수온이 상승하면 해수에 녹아 있던 이산화 탄소가 대기 중으로 방출되어 지구 온난화가 더 심화된다.

② 해수의 물리적 성질

해수의 온도와 밀도, 염분 등의 물리적 성질은 해수의 화학적 성질과 마찬가지로 해양 환경과 해수의 순환에 큰 영향을 미친다.

1. 해수의 온도 분포

해수는 태양 복사 에너지를 흡수하므로 해수의 표층 수온은 위도와 계절에 따라 다르다. 그러나 해수는 육지에 비해 열용량이 크고 혼합 작용이 활발하므로 온도 변화의 폭이 육지에 비해 훨씬 작다.

(1) **위도별 표층 수온 분포:** 해수의 표층 수온은 태양 복사 에너지의 입사량이 많을수록 높다. 따라서 고위도에서 저위도로 갈수록 수온이 높아지고, 겨울보다 여름에 수온이 높게 나타난다. 연중 수온 차이는 계절에 따른 태양 복사 에너지양의 차이가 적은 저위도보다는 고위도에서 크게 나타난다.

(2) **수륙 분포에 따른 표층 수온 분포:** 대륙의 영향을 받는 연안보다는 대륙의 영향을 받지 않는 대양의 중심부에서 표층 수온의 변화가 작게 나타난다.

해수의 표층 수온에 영향을 미치는 요인

위도가 높을수록 단위 면적에 입사하는 태양 복사 에너지양이 적으므로 표층 수온은 고위도에서 저위도로 갈수록 높다. 동일 위도라고 하더라도 난류가 흐르는 해역은 한류가 흐르는 해역보다 수온이 높다. 수륙 분포도 표층 수온에 영향을 미치는데, 대륙으로 둘러싸인 바다는 대륙의 영향을 크게 받기 때문이다.

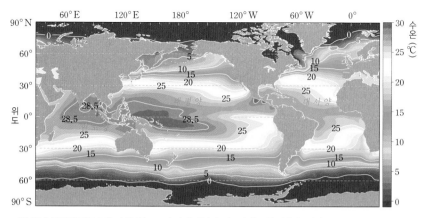

▲ 전 세계 해양의 평균 표층 수온 분포 전 세계 해양의 평균적인 표층 수온은 대체로 위도와 나란하게 나타난다. 이는 지구가 둥글어서 위도에 따라 입사하는 태양 복사 에너지양이 다르기 때문이다.

(3) 수온의 연직 분포: 해수의 표층 수온을 결정하는 태양 복사 에너지는 수심 100 m 이내에서 대부분 흡수되고, 수심 약 300 m보다 깊은 곳에는 거의 도달하지 않기 때문에 수심에 따라 수온의 변화가 생긴다. 해수는 수온의 연직 분포에 따라 혼합층, 수온 약층, 심해층으로 구분한다.

① **혼합층:** 태양 복사 에너지는 대부분 해수의 표층에서 흡수된다. 따라서 해수 표면 부근은 흡수한 태양 복사 에너지양이 많아 온도가 높고, 해수면 부근에서 부는 바람에 의해 해수가 고르게 섞여 수온이 일정한 층이 나타나는데, 이 층을 혼합층이라고 한다. 혼합층의 두께는 장소와 계절에 따라 변하며 바람이 강할수록 두꺼워진다. 혼합층의 형성에 영향을 미치는 바람의 세기는 위도별, 계절별로 달라지므로 혼합층의 두께도 위도와 계절에 따라 달라진다.

• **위도에 따른 혼합층의 발달:** 입사하는 태양 복사 에너지양이 많은 적도 해역은 중위도 해역보다 표층 수온이 높지만 바람의 세기가 약하기 때문에 혼합층의 두께가 얇다. 반면, 바람이 강하게 부는 중위도 해역은 해수의 상하 혼합이 잘 일어나므로 다른 지역에 비해 혼합층의 두께가 두껍다. 위도 약 50° 이상의 고위도 해역은 표층 해수가 태양 복사 에너지에 의해 거의 가열되지 않으므로 혼합층이 잘 발달하지 않는다.

• **계절에 따른 혼합층의 발달:** 여름에는 겨울에 비해 표층 수온이 높아지고 바람이 약해지므로 혼합층의 수온이 높아지고 두께는 얇아진다.

② **수온 약층:** 혼합층 아래에서 수심에 따라 수온이 급격히 낮아지는 층이다. 수온 약층의 아래쪽에는 수온이 낮아서 밀도가 큰 해수가 분포하고, 위쪽에는 수온이 높아서 밀도가 작은 해수가 분포하므로 수온 약층은 상하 혼합이 일어나기 어려운 안정한 층이다. 따라서 수온 약층에서는 대류가 잘 일어나지 않아 혼합층과 심해층 사이의 물질과 열의 교환을 막는 역할을 한다. 수온 약층은 표층 수온이 높은 여름에 발달하고, 고위도에서 저위도로 갈수록 수온 약층이 형성되는 수심이 얕아진다.

③ **심해층:** 수온 약층의 아래에는 태양 복사 에너지가 도달하지 않아서 위도나 계절 및 수심에 따라 수온의 변화가 거의 없는 심해층이 있다. 심해층은 해수 전체의 부피 중 약 80 %에 이를 정도로 많은 부피를 차지한다.

파장에 따른 해수의 투과율
해수를 투과하는 빛의 양은 광합성 식물이 존재할 수 있는 깊이를 제한한다. 수심에 따라 도달하는 빛의 양은 파장에 따라 다른데, 파장이 짧을수록 물에 대한 투과도가 높다. 수심 약 100 m까지는 녹색광(파장 약 520 nm)이 도달하므로 광합성 식물이 존재할 수 있다. 수심 약 250 m까지는 파장이 짧은 청색광(파장 약 470 nm)이 도달하고, 그 이상의 수심에는 햇빛이 거의 도달하지 않는다.

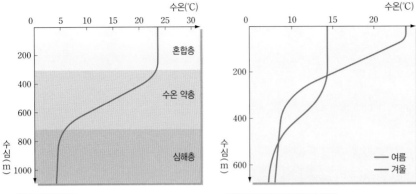

▲ 해수의 층상 구조

▲ 해수 층상 구조의 계절별 변화

계절에 따른 수온 약층의 발달
혼합층은 여름보다 겨울에 더 발달하고, 수
온 약층은 겨울에 비해 여름에 더 발달한다.
심해층의 수온은 계절에 따라 차이가 거의
없다.

(4) **위도별 수온의 연직 분포:** 저위도보다 중위도에서 바람이 강하게 불고, 고위도에서는 태
양 복사 에너지의 입사량이 적다. 따라서 위도별 혼합층의 두께는 적도에서 가장 얇고, 중
위도에서 가장 두꺼우며, 고위도에서는 혼합층이 거의 나타나지 않는다. 저위도의 경우 수
온 약층의 깊이에 따른 수온 변화가 가장 크게 나타나고, 고위도의 경우 깊이에 따른 수온
변화가 거의 없으므로 수온 약층이 거의 나타나지 않는다.

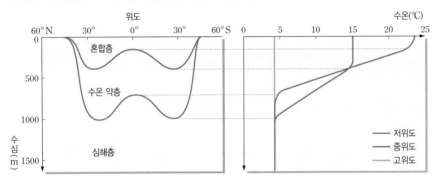

▲ 위도별 해수의 층상 구조와 수온의 연직 분포

2. 해수의 밀도 분포

집중 분석 058쪽

해수의 밀도는 수온, 염분, 수압 등에 의해 결정된다. 일반적으로 수온이 낮을수록, 염분이
높을수록, 수압이 높을수록 해수의 밀도가 증가한다.

(1) **해수의 밀도 범위:** 해수 속에는 여러 가지 염류가 용해되어 있기 때문에 순수한 물보다
밀도가 약간 크다. 일반적으로 표층 해수의 밀도는 $1.022\,\mathrm{g/cm^3}$~$1.027\,\mathrm{g/cm^3}$의 범위를
나타내고, 수심 $100\,\mathrm{m}$에서의 밀도는 약 $1.027\,\mathrm{g/cm^3}$이다.

(2) **해수의 밀도 분포:** 해수의 밀도는 염분과 함께 해양의 성질을 나타낸다. 특히 해수의 밀
도 변화는 해수의 연직 운동을 일으키는 주요인이다.

① 위도에 따른 밀도 분포: 해수의 밀도는 수온이 비교적 낮고 염분이 높은 남·북위 $50°$~$60°$
에서 최대로 나타나고, 수온이 비교적 높고 염분이 낮은 적도 지역에서 최소로 나타난다.

② 수심에 따른 밀도 분포: 수심이 깊어질수록 대체로 수온이 낮아지므로 해수의 밀도가 증
가한다. 특히 수온 약층에서 밀도가 급격히 증가하고, 심해층에서는 일정한 분포를 나타낸
다. 해수의 밀도는 그 값의 차이가 매우 작지만 해수의 연직 운동을 일으키는 중요한 물리
량이다.

해수의 밀도와 수온, 염분의 관계
해수의 밀도는 수온이 상승하면 감소하고
염분과 수압이 높아질수록 증가한다. 염분
과 수온의 분포는 지리적인 위치와 기후의
영향을 받으며 밀도의 변화에도 영향을 미
친다. 수온 변화의 폭이 염분 변화의 폭보다
크므로 외해에서는 염분보다 수온의 영향이
더 크다. 외해에서 해수의 염분은 약 33 psu
~36 psu이고, 이에 해당하는 수온은 약
$-1\,℃$~$30\,℃$에 이른다.

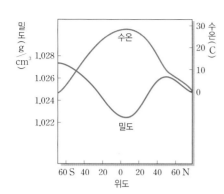

▲ 위도에 따른 해수의 온도와 밀도

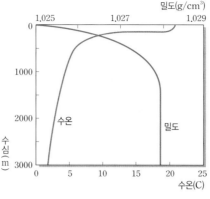

▲ 수심에 따른 해수의 온도와 밀도

(3) **수온 – 염분도:** 해수의 밀도는 수온과 염분에 따라 변하며, 수압에 의한 영향은 매우 작다. 수온 변화의 폭이 염분 변화의 폭보다 더 크므로 염분보다 수온의 영향을 크게 받음을 알 수 있다. 해수의 온도와 염분에 따른 밀도의 분포를 나타낸 그래프를 수온 – 염분도(Temperature – Salinity diagram, T – S diagram)라고 한다. 수온 – 염분도를 통해 수심에 따른 해수의 성질을 파악할 수 있으며 서로 다른 해역 해수의 성질을 비교할 수 있다.

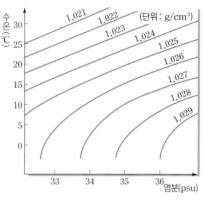

▲ **수온 – 염분도**　수온이 낮을수록, 염분이 높을수록 해수의 밀도가 높아진다.

① **수괴의 형성:** 해양에서 물리적 · 화학적 성질이 비슷한 해수의 덩어리를 수괴(水槐)라고 한다. 수온, 염분, 용존 산소량, 영양 염류 등은 수괴의 성질을 형성하는 요소이며, 이 중에서도 수온과 염분이 가장 중요한 요인이다.

② **수괴의 특징 분석 :** 수온과 염분 등의 성질이 거의 균일한 해수 덩어리인 수괴는 대체로 그 해수가 만들어진 해역의 수온과 염분을 보존한다. 수온 – 염분도를 이용하면 수괴를 구분하고 추적할 수 있다.

동해 수괴
우리나라 동해의 약 300 m 깊이에는 동해 수괴가 존재한다. 이 수괴는 수온이 0 ℃~1 ℃이고, 염분이 34.0 psu~34.1 psu로 겨울철 동해 북부 러시아 블라디보스토크 외해의 표층 해수가 침강하여 동해까지 이른 것이다.

시야확장 ➕ 해수의 밀도와 어는점의 관계

수온 · 염분에 따른 해수의 최대 밀도와 어는점의 변화를 보면, 최대 밀도 변화 그래프의 기울기가 어는점 변화 그래프의 기울기보다 크고, 염분이 24.7 psu, 수온이 −1.33 ℃인 점에서 두 직선이 교차한다.

❶ 염분이 24.7 psu보다 작은 해수: 최대 밀도가 어는점보다 크기 때문에 수온이 내려갈 경우 결빙되기 전에 최대 밀도에 도달하므로 가라앉게 된다. 이와 같은 원리에 의해 표층수가 침강하여 심층수와의 혼합이 일어난다.

❷ 해수의 염분이 24.7 psu 이상인 해수: 수온이 어는점에 도달해도 최대 밀도가 되지 않는다. 따라서 해수는 표층에서부터 얼기 시작하지만 최대 밀도가 아니기 때문에 가라앉지 못하며, 특히 결빙이 일어날 경우에는 염분이 주변 해역으로 빠져나가 주변 해수의 밀도가 더 높아지기 때문에 얼음이 더 가라앉지 못하게 된다. 이것이 빙산이 바다 위에 떠 있는 원리이다.

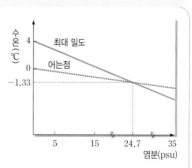

▲ **수온 · 염분에 따른 최대 밀도와 어는점**

③ 우리나라 주변 해수의 성질

우리나라는 대륙과 해양으로 둘러싸여 있어서 계절에 따라 해수의 온도와 염분의 분포가 다양하게 나타난다.

1. 우리나라 주변 바다의 표층 수온

(1) **위도에 따른 표층 수온 분포:** 표층 수온은 대체로 북쪽(고위도)으로 갈수록 낮아지고, 남쪽(저위도)로 갈수록 높아진다.

(2) **계절에 따른 표층 수온 분포:** 우리나라 주변 해역은 계절풍 및 대기와 해양의 열교환에 따라 여름철 수온이 높고 겨울철 수온이 낮으며, 여름보다 겨울에 수온 차가 크다.

(3) **지역에 따른 표층 수온 분포**

① 황해: 황해는 수온의 연교차가 가장 크다. 이는 황해의 수심이 가장 얕으므로 남해나 동해보다 육지의 영향을 많이 받기 때문이다.

② 동해: 한류와 난류가 만나는 조경 수역이 나타나는 동해는 위도에 따른 수온 차이가 가장 크다. 여름철 동해 남부에서는 연안을 따라 저층의 찬 해수가 상승하여 주변보다 수온이 낮은 영역이 나타나기도 한다.

③ 남해: 남해는 수온이 높은 쿠로시오 해류가 지속적으로 영향을 미치므로 연중 수온이 가장 높고, 수온의 연교차가 가장 작다.

(4) **해수와 육지의 기후:** 해수의 온도는 육지의 기후에 영향을 준다. 우리나라에서 12월의 최저 기온은 바다의 영향을 받는 해안 지방이 내륙 지방보다 높게 나타난다.

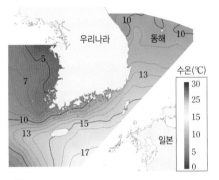 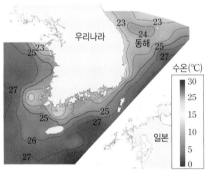

▲ 우리나라 주변 바다의 계절 평균 표층 수온 분포(1984년~2016년)

2. 우리나라 주변 바다의 염분

(1) **계절에 따른 표층 염분 분포:** 강수량이 많은 여름철에는 우리나라 주변 바다의 염분이 낮아진다.

(2) **지역에 따른 표층 염분 분포**

① 황해: 평균 32.1 psu(30.3 psu~33.8 psu)로, 표층 염분이 가장 낮다. 계절에 상관없이 동중국해와 황해 연안으로부터 하천수가 유입되기 때문이다.

② 동해: 평균 33.7 psu(32.0 psu~34.5 psu)로, 동해의 수심이 깊고, 하천수의 유입량이 적기 때문에 계절에 따른 염분 변화가 다른 해역에 비해 크지 않다.

황해 연안의 수온 분포

황해는 연안에서 조류(潮流)가 강하게 발달하고, 수직 혼합이 활발하게 일어난다. 황해는 동해와 남해에 비해 수심이 얕으므로 여름철 강한 햇빛에 의해 해수면 온도가 상승하여, 표층과 중층 사이의 수온 차이가 커져 수온 약층이 발달한다. 그러나 황해 연안에서는 조류에 따른 수직 혼합이 활발하게 일어나 수온 약층이 발달하지 않는다. 그 결과 해수 표층의 수온이 먼바다에 비해 낮다. 여름철에는 강우의 집중으로 하천수가 연안으로 많이 유입된다. 겨울철에는 차고 강한 북서풍의 영향으로 수온이 낮아지고 해수의 수직 혼합이 활발해지므로, 여름철에 형성된 수온 약층이 사라지고 수직적으로 균일한 수온 분포를 나타내게 된다.

조경

조경(潮境)은 성질이 서로 다른 수괴가 만나 생기는 경계면이다. 우리나라에는 동한 난류와 북한 한류가 동해의 원산만 근처에서 만나 조경 수역을 형성하는데, 이곳에서는 한류와 난류가 섞이므로 영양 염류와 플랑크톤이 풍부하고, 한류성 어종과 난류성 어종이 함께 분포하여 좋은 어장을 형성한다. 동해의 조경 수역은 난류의 세력이 강한 여름에는 함경남도 먼바다에서 형성되고, 한류의 세력이 강한 겨울에는 죽변부터 주문진 사이의 먼바다에 형성되는데, 최근에는 지구 온난화의 영향으로 조경 수역이 점차 고위도로 북상하고 있다.

③ 남해: 평균 33.0 psu(29.1 psu~34.4 psu)로, 쿠로시오 해류의 영향을 받아 염분이 높은 편이지만 여름철에는 중국 양쯔강으로부터 유입된 하천수와 섞여서 염분이 낮아진다. 따라서 남해는 표층 염분의 연교차가 가장 크다.

(3) **육지로부터의 거리에 따른 표층 염분 분포**: 육지에 가까울수록 하천수의 영향을 많이 받으므로 염분이 낮다.

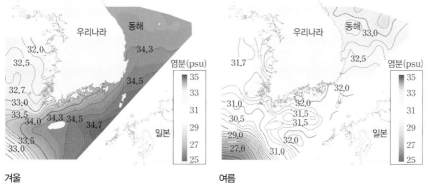

겨울　　　　　　　　　여름

▲ 우리나라 주변 바다의 계절 평균 표층 염분 분포(1984년~2016년)

우리나라 주변 바다의 용존 산소량

기체의 용해도는 수온에 반비례하므로, 난류보다 한류의 용존 산소량이 높다. 그러므로 동해에서 한류의 영향이 미치는 곳은 수온이 낮으므로 용존 산소량이 많은 편이다. 한편, 같은 바다라고 하더라도 수온이 낮은 겨울철에는 용존 산소량이 많고, 수온이 높은 여름철에는 용존 산소량이 적다.

시야**확장** ➕ **ARGO 플로트 탐사 시스템**

ARGO(Array for Real-time Geographic Oceanography) 프로그램은 세계기상기구와 국가 간 해양과학위원회의 국제 공동 프로그램으로, 시공간적인 해양의 수온, 염분 및 해류의 감시와 체계적인 관측을 수행하는 사업이다. 이 프로그램의 ARGO 플로트는 해양 무인 관측 탐사 장비로, 일정한 수심까지 잠수하도록 설계되어 그 수심에서 해류를 따라 일정 기간 표류하다가 플로트 내부의 동력에 의해 표층으로 부상하면서 수온과 염분을 연속적으로 관측한다. 기록된 모든 정보는 ARGOS 센터로 보내져 자료 처리 과정을 거친 후 ARGO 사업 참여 국가에 전송된다.

우리나라의 국립기상과학원은 2001년부터 매년 10기~15기의 ARGO 플로트를 투하하여 운영하고 있다. 이 중 거의 대부분이 동해와 북서태평양에서 운영되면서, 입체적인 연직 수온 변화 자료를 제공하고 있다. 바다에 투하된 플로트는 6시간~12시간이 지난 뒤 목표 수심(동해 800 m, 북태평양 2000 m)까지 약 10 cm/s의 속도로 잠수하고, 목표 수심에서 동해는 7일, 북태평양에서는 9일 동안 표류한 후 약 10 cm/s 속도로 상승하면서 수온과 염분을 관측한다. 해수면에 상승한 플로트는 약 12시간 동안 머물면서 상공을 통과하는 위성에 자료를 전송한 후 다시 잠수한다.

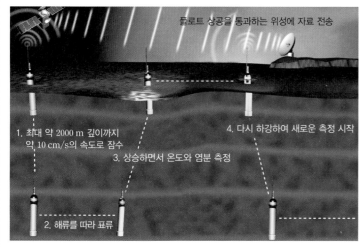

▲ ARGO 플로트의 작동 과정

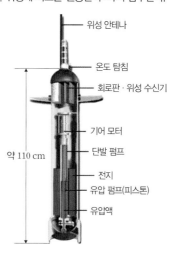

▲ ARGO 플로트의 구조

수온 – 염분도의 분석

해수의 물리적 특성에서는 수온과 밀도가 주로 다루어진다. 수온은 표층 수온 분포 및 연직 수온 분포를 뜻하고, 밀도는 수온의 영향을 가장 크게 받는다.

❶ 수온 – 염분도의 의미

수온 – 염분도는 Temperature(수온)과 Salinity(염분)의 머리글자를 따서 T–S도라고도 한다. 특정한 수온과 염분의 수괴는 수온 – 염분도에서 한 점으로 표시할 수 있는데, 가로축은 염분으로, 세로축은 수온으로 하여 등밀도선과 함께 나타낸다.

(1) **등밀도선과 수온과 염분의 관계**: 등밀도선은 염분에 비례하고, 수온에 반비례한다.

(2) **수온과 밀도의 관계**: 수온 – 염분도의 아래쪽으로 향할수록 수온이 낮아지고 밀도는 높아진다.

(3) **염분과 밀도의 관계**: 수온 – 염분도의 오른쪽으로 향할수록 염분이 높아지고 밀도도 높아진다. 그러므로 수온 – 염분도에서 오른쪽 아랫부분의 밀도가 가장 높다.

등밀도선

수온 – 염분도에서 같은 밀도를 나타내는 곳을 등밀도선이라고 한다. 등밀도선과 수온 – 염분선으로 수괴의 상태를 파악할 수 있다.

❷ 수온 – 염분도의 해석

어느 한 관측 지점에서 수심에 따라 수온과 염분을 측정하여, 이를 수온 – 염분도에 나타내면 오른쪽 그림과 같이 나타낼 수 있다.

(1) **표층~10 m**: 그림의 해수는 표층(0 m)에서 수온이 25 °C이고, 염분이 33.5 psu이며 밀도는 1.022 g/cm³보다 작다. 수심 약 10 m 지점까지 수온은 25 °C로 일정하고, 염분은 약 33.8 psu, 밀도는 1.022 g/cm³로, 염분과 밀도가 증가하였다. 그러므로 표층~수심 약 10 m 지점까지는 혼합층이다.

(2) **10 m~100 m**: 수심이 깊어질수록 수온이 급격히 감소하는 수온 약층으로, 염분의 변화는 거의 없으나 수온의 감소로 밀도는 높아진다.

(3) **100 m 이하**: 깊이에 따라 수온이 거의 변하지 않으므로 심해층이다.

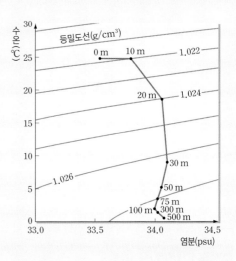

> 정답과 해설 **157**쪽

유제

그림은 어느 해역의 수심에 따른 수온 – 염분도를 나타낸 것이다.
이에 대한 설명으로 옳은 것만을 보기에서 있는 대로 고른 것은?

보기
ㄱ. 혼합층의 두께는 약 150 m이다.
ㄴ. 수온 약층은 800 m~2000 m 구간에서 뚜렷하게 나타난다.
ㄷ. 밀도 변화는 2000 m~5000 m 구간에서 가장 크게 나타난다.

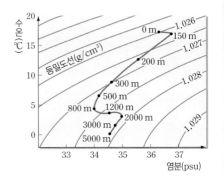

① ㄱ   ② ㄷ   ③ ㄱ, ㄴ   ④ ㄱ, ㄷ   ⑤ ㄱ, ㄴ, ㄷ

03 해수의 성질

① 해수의 화학적 성질

1. 해수의 염분 해수 1 kg에 녹아 있는 염류의 총량을 나타낸 것으로, 염분의 단위로는 (**❶**)를 사용한다.

• 해수의 주요 염류: 해수 속에는 (**❷**)이 가장 많이 녹아 있고, 이 외에 염화 마그네슘, 황산 마그네슘, 황산 칼슘 등과 같은 물질들이 녹아 있다.

• 염분에 영향을 미치는 요인: 염분은 (**❸**)에 비례하고, 강수량에 반비례한다. 하천수의 유입이 많아지면 염분이 낮아지고, 빙하가 형성되는 해역의 염분은 높아지며, 해빙이 일어나는 해역의 염분은 낮아진다.

• 표층 해수의 염분 분포: (**❹**)위도 해역의 염분이 가장 높다.

2. 해수 중의 용존 기체 해수 중에 용해된 기체는 해수 중에 존재하는 생물 활동에 의해 크게 영향을 받으며, 생물의 서식에도 중요한 역할을 한다.

• 해수 중 기체의 용해도: 해수 중 기체 용해도는 (**❺**)이 높아질수록 작아지는 경향을 나타낸다.

• 용존 산소량: 해수면으로부터 수심 약 100 m에 이르기까지 (**❻**)로부터의 공급이 많으므로 해수 표층에서 높게 나타난다.

• 용존 (**❼**)량: 해수 표층에서 낮게 나타나며, 수심이 깊어질수록 증가한다.

② 해수의 물리적 성질

1. 해수의 온도 분포 해수의 온도와 밀도, 염분은 해수의 순환에 큰 영향을 미친다.

• 위도와 수륙 분포에 따른 표층 수온 분포: 저위도로 갈수록 수온이 높고, 고위도로 갈수록 수온이 낮으며 대륙의 영향을 받는 연안보다는 대양의 중심부에서 수온의 변화가 작게 나타난다.

• 해수의 연직 수온 분포: 표층에는 (**❽**)에 의한 혼합 작용으로 온도가 일정한 혼합층이 형성되고, 혼합층 아래에 온도가 급격히 감소되어 안정한 (**❾**)이 나타나며, 그 아래에는 계절에 따라 수온의 변화가 거의 없는 (**❿**)이 나타난다.

2. 해수의 밀도 분포 해수의 밀도는 수온, 염분, 수압 등에 의해 결정된다.

• 위도와 수심에 따른 밀도 분포: 해수의 밀도는 수온이 낮고 (**⓫**)이 높은 위도 50°~60°에서 최대로 나타나고, 반대로 적도에서 최소로 나타나며, 수심이 깊어지고 수압이 높아질수록 증가한다.

• 수온 – 염분도: 해수의 수온과 염분에 따른 (**⓬**)의 분포를 나타낸 그래프로, 이를 통해 서로 다른 해역에 있는 해수의 성질을 비교하기 편리하다.

③ 우리나라 주변 해수의 성질

1. 우리나라 주변 바다의 표층 수온 남쪽(저위도)으로 갈수록 수온이 높고, 겨울철보다 여름철의 수온이 높다.

• (**⓭**): 수심이 낮기 때문에 수온의 연교차가 크다.

• (**⓮**): 위도에 따른 수온 차이가 가장 크게 나타난다.

• 남해: 난류의 지속적인 영향으로 수온이 가장 높고 수온의 연교차가 가장 적다.

2. 우리나라 주변 바다의 염분 여름에는 (**⓯**)이 많기 때문에 겨울보다 해수의 염분이 낮다.

• (**⓰**)의 표층 염분: 지형적인 특성으로 하천수의 유입이 많기 때문에 염분이 낮다.

• (**⓱**)의 표층 염분: 수심이 깊고 하천수의 유입량이 적어 계절에 따른 염분 변화가 다른 해역에 비해 크지 않다.

• 남해의 표층 염분: 쿠로시오 해류의 영향으로 염분이 높은 편이지만 여름철에는 중국 양쯔강으로부터 담수가 유입되어 염분이 낮아지므로 표층 염분의 연교차가 가장 크다.

01 해수의 화학적 성질에 대한 설명으로 알맞은 말을 쓰시오.

(1) ( )은 해수 1 kg 속에 들어 있는 염류의 총 g수 이다.

(2) 염분의 단위로는 실용 염분 단위인 ( )를 사용 한다.

(3) 해수에 녹아 있는 물질들을 염류라고 하며, 이 중 가 장 많은 비율을 차지하는 것은 ( )이다.

02 해수의 표층 염분을 증가시키는 요인과 감소시키는 요인을 보기에서 골라 쓰시오.

> 보기
> ㄱ. 결빙 활발   ㄴ. 해빙 활발
> ㄷ. 증발량 증가   ㄹ. 강수량 증가
> ㅁ. 하천수의 유입

(1) 표층 염분을 증가시키는 요인

(2) 표층 염분을 감소시키는 요인

03 표층 염분에 대한 설명으로 옳은 것만을 보기에서 있는 대 로 고르시오.

> 보기
> ㄱ. 강수량에 반비례한다.
> ㄴ. 수온에 반비례한다.
> ㄷ. 연안보다 먼바다의 염분이 더 높다.
> ㄹ. 중위도 고압대 해역의 염분이 저위도 저압대 해역 의 염분보다 높다.

04 그림은 위도에 따른 해수의 물리량 A, B의 분포를 나타낸 것이다.

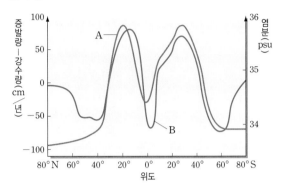

(1) A와 B에 해당하는 물리량은 무엇인지 각각 쓰시오.

(2) 중위도 해역에서 A와 B의 값이 높게 나타나는 까닭 을 기압의 분포와 증발량, 강수량을 이용하여 설명하 시오.

05 그림은 어느 해역에서 수심에 따른 용존 산소 와 용존 이산화 탄소의 농도 변화를 나타낸 것 이다.

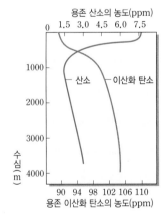

(1) 용존 산소의 농도 가 수심이 깊은 곳 보다 해수 표층에서 더 높은 까닭은 무 엇인지 쓰시오.

(2) 해수 중 기체의 용해도에 가장 큰 영향을 미치는 물 리량을 쓰시오.

(3) 다음 ( ) 안에 들어갈 알맞은 말을 쓰시오.

> 지구 온난화가 진행되면 해수 중 기체의 용해도가 낮아지기 때문에 해수에 녹아 있던 ( )가 대기 로 방출되어 지구 온난화 현상이 가속화된다.

06 그림은 수심에 따른 해수의 온도 분포를 나타낸 것이다.

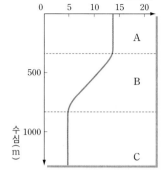

(1) A층~C층의 명칭을 쓰시오.

(2) A층의 두께에 가장 큰 영향을 주는 요인은 무엇인지 쓰시오.

(3) B층의 물리적 특징으로 옳은 내용을 다음에서 고르시오.

> 수심이 깊어질수록 수온이 (높아, 낮아)지므로 B층은 (안정, 불안정)하다.

07 그림은 수심에 따른 해수의 온도와 밀도의 분포를 나타낸 것이다.

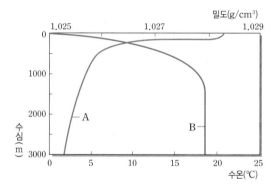

(1) A와 B에 해당하는 물리량은 무엇인지 쓰시오.

(2) 수온의 연직 분포에 따라 해양을 혼합층, 수온 약층, 심해층으로 구분할 때 밀도의 변화가 가장 크게 나타나는 해수의 층은 어느 곳인지 쓰시오.

(3) 다음 ( ) 안에 들어갈 알맞은 말을 쓰시오.

> 수심에 따른 해수의 밀도 분포는 수온에 반비례하는 경향이 있다. 이 외에도 해수의 밀도에 영향을 주는 요인은 ( )과 ( )이 있다.

08 그림은 어느 해역의 수괴 A~C의 물리적 특성을 수온-염분도에 나타낸 것이다.

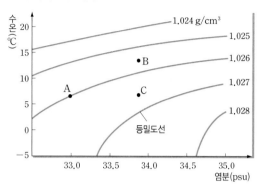

(1) 부등호를 사용하여 A~C의 밀도가 큰 것부터 순서대로 나열하시오.

(2) A와 C의 밀도 차이에 영향을 준 요인은 무엇인지 쓰시오.

(3) B와 C의 밀도 차이에 영향을 준 요인은 무엇인지 쓰시오.

09 그림은 우리나라 주변 해역 표층 해수의 겨울철과 여름철의 평균 염분 분포를 나타낸 것이다.

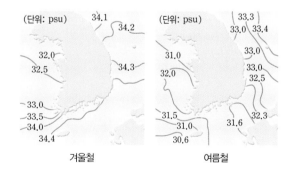

겨울철   여름철

이에 대한 설명으로 옳은 것만을 보기에서 있는 대로 고르시오.

> 보기
>
> ㄱ. 전 해역에서 염분이 겨울철보다 여름철에 낮은 것은 강수량이 여름철에 많기 때문이다.
>
> ㄴ. 황해는 수심이 낮아 증발량이 많기 때문에 수심이 깊은 동해에 비해 염분이 낮다.
>
> ㄷ. 남해는 염분의 연교차가 다른 해역에 비해 크다.

01 ▷표층 염분 분포

그림은 태평양과 대서양의 표층 염분 분포를 위도에 따라 나타낸 것이다.
이에 대한 설명으로 옳은 것만을 보기에서 있는 대로 고른 것은?

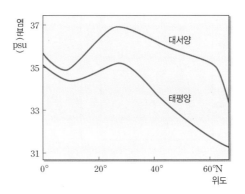

• 해수의 표층 염분에 영향을 주는 가장 큰 요인은 증발량과 강수량이다.

보기
ㄱ. 동일 위도에서 표층 염분은 대서양이 태평양보다 높다.
ㄴ. 위도 약 20°~약 30°에서는 두 대양 모두 증발량이 강수량보다 많다.
ㄷ. 전체 염류 중 염화 나트륨의 비율은 대서양에서 더 높다.

① ㄷ   ② ㄱ, ㄴ   ③ ㄱ, ㄷ   ④ ㄴ, ㄷ   ⑤ ㄱ, ㄴ, ㄷ

02 ▷해수 중 용존 기체의 양

그림은 해수 중에 녹아 있는 산소의 양과 이산화 탄소의 양을 수심에 따라 나타낸 것이다.

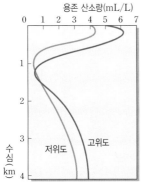

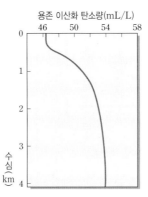

• 표층 해수의 용존 산소량과 이산화 탄소량은 광합성 생물의 분포와 관련이 있다.

이에 대한 설명으로 옳은 것만을 보기에서 있는 대로 고른 것은?

보기
ㄱ. 고위도 해수는 저위도 해수보다 수온이 낮기 때문에 용존 산소량이 많다.
ㄴ. 산소의 농도가 표층에서 높은 까닭은 광합성 생물의 영향 때문이다.
ㄷ. 수심 1 km 이하의 해수 중 이산화 탄소의 농도가 증가하는 것은 해양 생물의 호흡 작용 때문이다.

① ㄱ   ② ㄴ   ③ ㄱ, ㄴ   ④ ㄴ, ㄷ   ⑤ ㄱ, ㄴ, ㄷ

03 ❯ 계절에 따른 해수의 연직 수온 분포

그림은 수심이 **100 m**인 어느 해역에서 매월 깊이에 따른 수온을 측정하여 등수온선으로 나타낸 것이다.

• 수온 약층에서는 등수온선이 조밀하게 나타난다.

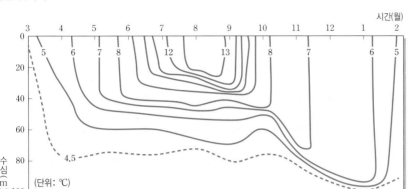

이에 대한 설명으로 옳은 것만을 보기에서 있는 대로 고른 것은?

보기

ㄱ. 혼합층은 8월~9월 사이에 가장 얇게 형성된다.

ㄴ. 수온 약층은 여름보다 3월~4월 사이에 가장 강하게 발달한다.

ㄷ. 해저면에서의 수온은 계절에 관계없이 거의 일정하다.

① ㄱ ② ㄷ ③ ㄱ, ㄴ ④ ㄱ, ㄷ ⑤ ㄱ, ㄴ, ㄷ

04 ❯ 해수의 연직 수온 분포

그림은 어느 해 경상북도 울진군 죽변항 앞바다에서 수심에 따른 수온 분포를 측정하여 나타낸 것이다.

• 심해층은 수심이 깊은 곳에 수온이 낮고 깊이에 따른 수온의 변화가 없는 층이다.

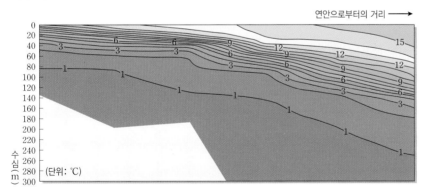

이에 대한 설명으로 옳은 것만을 보기에서 있는 대로 고른 것은?

보기

ㄱ. 혼합층의 두께는 연안에서 멀어질수록 두꺼워진다.

ㄴ. 수온 약층은 등수온선의 간격이 조밀하게 나타난다.

ㄷ. 심해층이 나타나는 수심은 연안으로부터의 거리에 관계없이 일정하다.

① ㄱ ② ㄷ ③ ㄱ, ㄴ ④ ㄱ, ㄷ ⑤ ㄴ, ㄷ

05 › 수온-염분도의 이해

그림은 서로 다른 해역에서 채취한 수괴 **A∼D**의 물리량을 수온-염분도에 나타낸 것이다.

이에 대한 설명으로 옳은 것만을 보기에서 있는 대로 고른 것은?

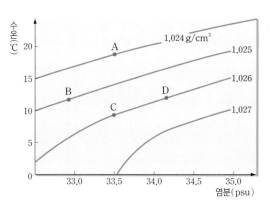

• 해수의 밀도는 수온과 염분에 따라 변하며, 밀도가 서로 다른 해수가 만나면 밀도가 큰 해수가 침강한다.

보기
ㄱ. 해수의 밀도는 A가 가장 작다.
ㄴ. B와 D의 밀도가 다른 것은 염분이 다르기 때문이다.
ㄷ. C와 D가 섞이면 C가 아래로 가라앉을 것이다.

① ㄱ   ② ㄴ   ③ ㄱ, ㄴ   ④ ㄴ, ㄷ   ⑤ ㄱ, ㄴ, ㄷ

06 › 수온-염분도와 해수의 층상 구조

그림은 어느 해역에서 수심에 따른 수온과 염분을 수온-염분도에 나타낸 것이다.

이에 대한 설명으로 옳은 것만을 보기에서 있는 대로 고른 것은?

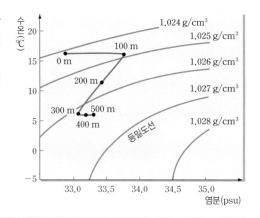

• 수온-염분도에서 밀도의 변화는 등밀도선에 연직 방향으로 나타난다.

보기
ㄱ. 혼합층에서는 수온보다 염분의 변화가 크다.
ㄴ. 수심 100 m∼300 m 사이의 해수는 대류가 활발하게 일어난다.
ㄷ. 수심에 따른 밀도의 변화는 수온 약층에서 가장 크게 나타난다.

① ㄱ   ② ㄷ   ③ ㄱ, ㄷ   ④ ㄴ, ㄷ   ⑤ ㄱ, ㄴ, ㄷ

07 ▶ 우리나라 주변 바다의 염분과 해류

그림 (가)는 우리나라 주변 해역의 8월 표층 염분 분포를, (나)는 우리나라 주변의 표층 해류 분포를 나타낸 것이다.

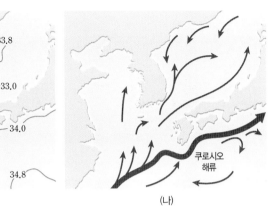

(가)   (나)

이에 대한 설명으로 옳은 것만을 보기에서 있는 대로 고른 것은?

> 보기

ㄱ. A 해역은 하천수의 유입이 많다.

ㄴ. B 해역의 염분은 쿠로시오 해류의 영향을 받는다.

ㄷ. C 해역은 D 해역보다 (증발량−강수량)의 값이 크다.

① ㄱ   ② ㄴ   ③ ㄱ, ㄴ   ④ ㄱ, ㄷ   ⑤ ㄱ, ㄴ, ㄷ

• 우리나라 주변 해수의 염분에 영향을 주는 요인에는 하천수의 유입과 고염분의 난류 등이 있다.

08 ▶ 우리나라 주변 바다의 물리적 특성

그림 (가)는 우리나라 주변 바다에서 A~C 지점의 위치를, (나)는 A~C 지점에서 2월에 측정한 표층 수온과 표층 염분을 수온−염분도에 나타낸 것이다.

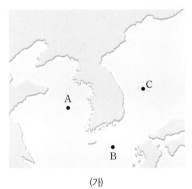
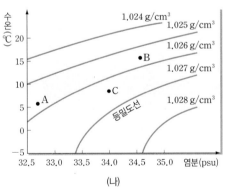

(가)   (나)

이에 대한 설명으로 옳은 것만을 보기에서 있는 대로 고른 것은?

> 보기

ㄱ. A 해역은 B 해역에 비해 수온과 염분이 낮다.

ㄴ. B 해역이 C 해역에 비해 밀도가 낮은 까닭은 수온이 높기 때문이다.

ㄷ. C 해역이 A 해역에 비해 밀도가 높은 까닭은 염분이 높기 때문이다.

① ㄱ   ② ㄷ   ③ ㄱ, ㄴ   ④ ㄴ, ㄷ   ⑤ ㄱ, ㄴ, ㄷ

• 해수의 밀도는 염분에 비례하고 수온에 반비례한다.

09 > 우리나라 주변 해수의 연직 구조

그림은 우리나라 동해의 어느 지점에서 3년 동안 관측한 해수의 평균 수온과 평균 염분을 나타낸 것이다.

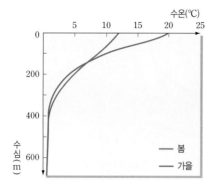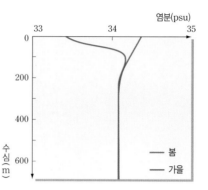

이에 대한 설명으로 옳은 것만을 보기에서 있는 대로 고른 것은?

┌─ 보기 ──────────────────────────────────
│ ㄱ. 수온 약층은 봄보다 가을에 더 강하게 발달하였다.
│ ㄴ. 표층 해수의 염분 변화에 가장 큰 영향을 주는 요인은 수온이다.
│ ㄷ. 표층 해수의 밀도는 가을보다 봄에 더 높다.
└──────────────────────────────────────

① ㄱ　　　　　② ㄷ　　　　　③ ㄱ, ㄷ　　　　　④ ㄴ, ㄷ　　　　　⑤ ㄱ, ㄴ, ㄷ

● 계절별 수온 분포와 염분의 상관관계를 비교해 보면 상관관계가 나타나지 않는다. 해수의 염분 변화에는 증발량과 강수량, 하천수의 유입, 해수의 결빙과 해빙 등이 영향을 미친다.

10 > 우리나라 주변 해수의 계절별 수온 변화 특징

그림은 지난 30년 간 우리나라 주변 바다에서 측정한 2월과 8월의 평균 표면 수온 분포이다.

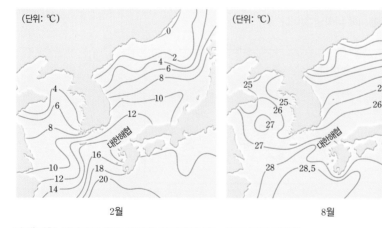

2월　　　　　　　　　　　　　　　　8월

이에 대한 설명으로 옳은 것만을 보기에서 있는 대로 고른 것은?

┌─ 보기 ──────────────────────────────────
│ ㄱ. 수온의 연교차는 황해가 동해보다 크다.
│ ㄴ. 대한해협의 해수는 저위도에서 북상하는 난류의 영향을 받는다.
│ ㄷ. 동해의 조경 수역은 겨울보다 여름에 고위도에서 형성된다.
└──────────────────────────────────────

① ㄱ　　　　　② ㄷ　　　　　③ ㄱ, ㄴ　　　　　④ ㄴ, ㄷ　　　　　⑤ ㄱ, ㄴ, ㄷ

● 수온은 계절적 영향과 수심, 난류 및 한류의 영향 등에 따라 달라진다.

우리나라는 삼면이 바다로 둘러싸여 있으며, 동해에서는 약 40 °N 부근에서 동한 난류와 북한 한류가 만나 조경(潮境)을 이루므로 좋은 어장이 형성된다. 동해 연안에서는 수온이 높은 수괴를 수송하는 동한 난류가 흐르고, 동한 난류 아래로 수온이 1 ℃ 이하로 낮은 북한 한류나 동해 중층수가 흐른다. 동해는 황해와 달리 수심이 깊고 하천수의 유입량이 적기 때문에 상대적으로 염분이 높다. 동해를 흐르는 동한 난류는 염분이 높은 쿠로시오 해류에서 갈라져 나온다. 따라서 연중 일정한 염분의 해수가 유입되기 때문에 동해의 표층 염분은 대체로 높은 상태를 유지한다.

동해는 아시아 대륙의 동북부, 한반도 및 러시아의 연해주와 일본 열도, 사할린섬으로 둘러싸여 있다. 남북 길이는 약 1700 km이고, 동서 최대 길이는 약 1110 km에 이른다. 동해에는 해산, 해저 절벽, 해저 대지 등의 해저 지형이 발달되어 있고 대한해협, 쓰가루해협, 소야해협과 타타르해협을 통해 동중국해, 북태평양과 오호츠크해로 연결되어 있다. 평균 수심은 1497 m이고, 최대 수심은 2985 m에 이른다. 동해의 수심은 대체로 동쪽보다 서쪽이 깊고 남쪽보다 북쪽이 깊다.

동해는 중국 동북부의 집안(集安)에 남아 있는 고구려 광개토대왕비에도 그 명칭이 기록되어 있고, 1530년에 완성된 지리서『신증동국여지승람(新增東國輿地勝覽)』의 팔도총도(八道總圖)에도 동해라는 명칭이 선명하게 표기되어 있는 등 2000년 이상 사용되어 온 이름이다.

동해에는 천연기념물 제336호로 지정되어 있는 아름다운 섬, 독도가 있다. 독도는 울릉도에서 남동쪽으로 약 87.4 km, 경상북도 울진군 죽변면으로부터 직선거리로 약 216.8 km 지점에 위치하며, 신생대 네오기에 해저 화산 활동으로 형성된 화산섬이다. 독도는 동도와 서도 2개의 큰 섬과 89개의 부속 섬으로 이루어져 있으며, 맑은 날에는 울릉도에서 맨눈으로도 볼 수 있다. 독도는 512년(신라 지증왕 13년)에 신라의 장군 이사부가 울릉도와 독도 및 주변 해역을 장악하고 있던 우산국을 정복하면서부터 우리 역사에 기록되어 있다.

▲ **팔도총도에 표기된 동해와 독도** 팔도총도는『신증동국여지승람』의 동람도(東覽圖)에 수록된 지도로, 동해와 독도가 표기되어 있다. 독도는 우산도(于山島)로 표기되어 있다.

▲ **독도** 독도는 우리나라 최동단의 영토로, 독도에 주민등록을 둔 사람은 십여 명에 이른다. 아름다운 경관을 보기 위하여 해마다 수많은 관광객들이 이곳을 찾는다.

01 ▶이동성 고기압

그림은 일기 변화가 심한 봄철의 지상 일기도를 나타낸 것이다.

이에 대한 설명으로 옳은 것만을 보기에서 있는 대로 고른 것은?

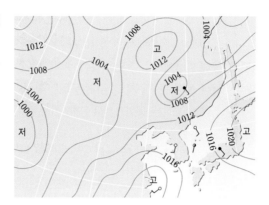

- 이동성 고기압은 규모가 작고 서에서 동으로 이동하는 특성을 가지고 있다.

보기

ㄱ. 현재 우리나라는 이동성 고기압의 영향으로 맑다.

ㄴ. 현재 우리나라에 영향을 주는 고기압은 북태평양 고기압에서 떨어져 나온 것이다.

ㄷ. 현재 이후로 우리나라는 북쪽에 위치한 저기압의 영향을 받아 날씨가 흐려질 것이다.

① ㄱ   ② ㄴ   ③ ㄱ, ㄴ   ④ ㄱ, ㄷ   ⑤ ㄴ, ㄷ

02 ▶온대 저기압의 발달 과정

그림 (가)와 (나)는 온대 저기압의 일생 중 일부분을 나타낸 것이다.

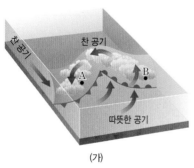

(가)

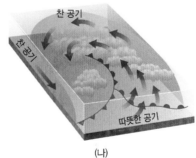

(나)

- 온대 저기압은 성질이 다른 두 기단이 만나 형성되어 이동하다가 두 전선이 겹치면서 소멸한다.

이에 대한 설명으로 옳은 것만을 보기에서 있는 대로 고른 것은? (단, A와 B는 지표상에 위치한다.)

보기

ㄱ. 온대 저기압은 (가)에서 (나)의 형태로 바뀐다.

ㄴ. (가)의 A에는 찬 기단이 위치하고, B에는 따뜻한 기단이 위치한다.

ㄷ. (나)에서는 정체 전선이 형성되어 오랫동안 강우 현상이 나타난다.

① ㄱ   ② ㄴ   ③ ㄱ, ㄴ   ④ ㄱ, ㄷ   ⑤ ㄴ, ㄷ

03 > 온대 저기압과 전선

그림 (가)는 어느 날 우리나라 주변의 지상 일기도를, (나)는 관측소 A에서 일정한 시간 간격으로 측정한 풍속과 풍향을 나타낸 것이다.

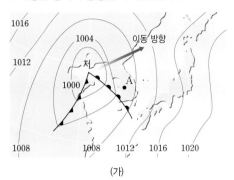

(가)

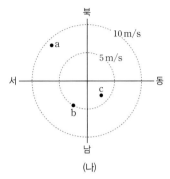

(나)

관측소 A에서의 기상 변화에 대한 설명으로 옳은 것만을 보기에서 있는 대로 고른 것은?

보기
ㄱ. (가)일 때 관측소 A에는 남동풍이 5 m/s보다 약하게 불고 있다.
ㄴ. (나)에서 시간에 따라 풍향과 풍속을 측정한 순서는 a → b → c의 순이다.
ㄷ. 풍속의 변화는 온난 전선보다 한랭 전선이 통과할 때 크게 나타났다.

① ㄱ   ② ㄷ   ③ ㄱ, ㄴ   ④ ㄱ, ㄷ   ⑤ ㄱ, ㄴ, ㄷ

북반구 저기압 주변에서는 바람이 저기압 중심으로 시계 반대 방향으로 불어 들어가므로, 저기압의 중심이 관측 지점보다 위를 통과하면 풍향이 시계 방향으로 변하고, 저기압의 중심이 관측 지점보다 아래를 통과하면 시계 반대 방향으로 풍속이 변한다.

04 > 태풍의 이동

그림은 2010년에 발생한 태풍 곤파스의 이동 경로 및 시간에 따른 중심 기압의 변화를 나타낸 것이다.
이에 대한 설명으로 옳은 것만을 보기에서 있는 대로 고른 것은?

태풍은 중심 기압이 매우 낮은 저기압의 일종이며, 열대 해상에서 형성되어 해수에서 수증기를 공급받아 발달한다.

보기
ㄱ. 태풍은 발생하여 이동하면서 세력이 계속 약해진다.
ㄴ. 대전에서는 태풍이 통과하면서 풍향이 시계 방향으로 바뀐다.
ㄷ. 태풍이 육지에 상륙하면 중심 기압이 상승하면서 더욱 강해진다.

① ㄱ   ② ㄴ   ③ ㄱ, ㄴ   ④ ㄴ, ㄷ   ⑤ ㄱ, ㄴ, ㄷ

05 ❯ 태풍의 구조

그림은 북반구에서 발생하여 북상하는 태풍의 중심으로부터 거리에 따른 기압과 풍속의 분포를 나타낸 것이다. 이에 대한 설명으로 옳은 것만을 보기에서 있는 대로 고른 것은?

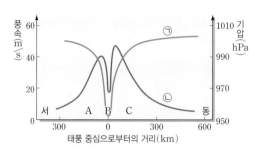

• 태풍의 눈은 태풍의 중심부로, 하강 기류가 나타나 바람이 약하고 구름이 적은 구역이다.

보기

ㄱ. ㉠은 기압이고, ㉡은 풍속이다.

ㄴ. A 지역에는 남풍 계열의 바람이 불고, C 지역에는 북풍 계열의 바람이 분다.

ㄷ. 태풍의 중심인 B 지역 상공에서는 약한 하강 기류가 나타난다.

① ㄱ   ② ㄷ   ③ ㄱ, ㄴ   ④ ㄱ, ㄷ   ⑤ ㄱ, ㄴ, ㄷ

06 ❯ 기상 관측

그림은 어느 날 우리나라 주변의 레이더 영상을 나타낸 것이다.

이에 대한 설명으로 옳은 것만을 보기에서 있는 대로 고른 것은?

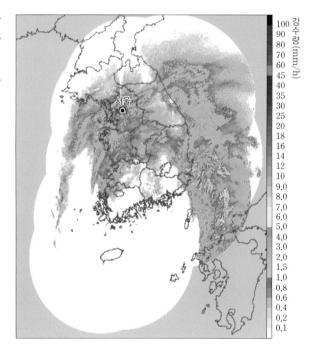

• 레이더 영상은 전파가 수증기나 빙정과 같은 강수 입자를 만나면 반사 또는 산란되는 현상을 이용하여 영상으로 나타낸 것이다.

보기

ㄱ. 레이더 영상을 통하여 구름의 두께와 고도를 알 수 있다.

ㄴ. 레이더 영상은 빛이 없는 밤에도 촬영이 가능하다.

ㄷ. 현재 서울을 포함한 중부 지방과 동해안 일대에 비구름이 분포하고 있다.

① ㄱ   ② ㄷ   ③ ㄱ, ㄴ   ④ ㄴ, ㄷ   ⑤ ㄱ, ㄴ, ㄷ

07 › 우박

그림 (가)는 우박이 형성되는 과정을, (나)는 지상에 떨어진 우박의 단면을 나타낸 것이다.

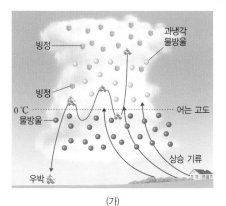
(가)

(나)

• 우박은 적란운 내에서 상승 및 하강을 반복하면서 성장하며, 주로 수증기가 충분하고 온도가 낮은 계절에 많이 생성된다.

이에 대한 설명으로 옳은 것만을 보기에서 있는 대로 고른 것은?

> 보기
> ㄱ. 구름 내에서 빙정은 상승 및 하강을 하며 성장한다.
> ㄴ. 우박의 불투명한 층은 공기 중의 먼지나 모래 입자가 함께 언 것이다.
> ㄷ. 우박은 주로 겨울과 한여름에 형성되어 떨어진다.

① ㄱ   ② ㄴ   ③ ㄱ, ㄴ   ④ ㄴ, ㄷ   ⑤ ㄱ, ㄴ, ㄷ

08 › 폭설

그림은 2011년 2월 11일 강원도 일대에 100년 만의 대폭설이 발생하였을 때의 기상 상태를 나타낸 것이다.

대폭설의 원인과 과정에 대한 설명으로 옳지 않은 것은?

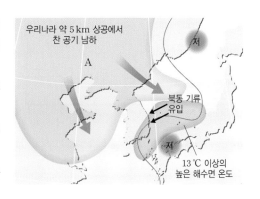

• 대부분의 폭설은 찬 기단이 따뜻한 해상을 지나면서 기단의 성질이 변하여 나타난다.

① A는 고위도 상공에서 형성된 차고 건조한 공기이다.

② A가 동해의 따뜻한 해수면을 통과하면서 눈구름대가 형성되었다.

③ 우리나라 남쪽의 저기압은 찬 공기의 남하를 저지하는 역할을 하였다.

④ 북동 기류는 동해에 형성된 눈구름을 강원도 지역으로 이동시키는 역할을 하였다.

⑤ 이러한 폭설은 동해의 수온이 낮을수록 더욱 잘 발생한다.

09 › 황사

그림은 최근 몇 년 동안 발원지에 따른 황사의 국내 유입 경로와 빈도를 %로 나타낸 것이다.

이에 대한 설명으로 옳은 것만을 보기에서 있는 대로 고른 것은?

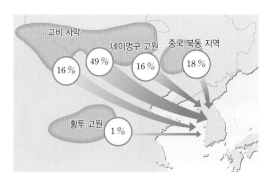

• 황사의 국내 유입 비율은 황사의 이동 경로와 관련이 있다.

보기
ㄱ. 황사의 발원지는 대부분 중위도 사막이나 고원 지역이다.
ㄴ. 황사의 이동은 편서풍의 영향을 받는다.
ㄷ. 황사 발원지가 가까울수록 황사가 우리나라로 유입되는 빈도가 높다.

① ㄱ   ② ㄴ   ③ ㄱ, ㄴ   ④ ㄴ, ㄷ   ⑤ ㄱ, ㄴ, ㄷ

10 › 위도에 따른 염분 분포

그림은 위도에 따른 해수의 표층 염분 분포를 나타낸 것이다.

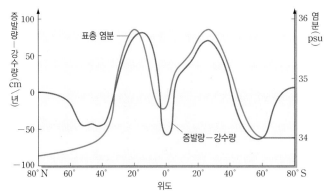

• 해수의 염분은 증발량에 비례하고, 강수량에 반비례한다. 중위도는 대기 대순환에 의해 고기압이 우세하게 나타나므로 증발량이 강수량보다 많다.

이에 대한 설명으로 옳은 것만을 보기에서 있는 대로 고른 것은?

보기
ㄱ. 표층 염분은 중위도 해역에서 가장 높게 나타난다.
ㄴ. 적도 해역은 증발량보다 강수량이 더 많다.
ㄷ. 고위도 해역에서는 해빙보다 결빙이 더 많이 일어난다.

① ㄱ   ② ㄴ   ③ ㄱ, ㄴ   ④ ㄴ, ㄷ   ⑤ ㄱ, ㄴ, ㄷ

11 ❯ 해수의 용존 기체

그림은 해수에 녹아 있는 산소와 이산화 탄소의 수심에 따른 농도 변화를 나타낸 것이다.
이에 대한 설명으로 옳은 것만을 보기에서 있는 대로 고른 것은?

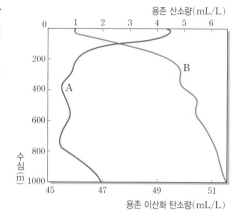

• 해수에 가장 많이 용해되어 있는 기체는 이산화 탄소이며, 수심에 따라 분포가 달라진다.

보기
ㄱ. A는 산소, B는 이산화 탄소이다.
ㄴ. 표층에는 산소가 이산화 탄소보다 많이 녹아 있다.
ㄷ. 표층에서 산소와 이산화 탄소의 농도는 광합성 작용과 관련이 있다.

① ㄱ   ② ㄴ   ③ ㄱ, ㄴ   ④ ㄱ, ㄷ   ⑤ ㄱ, ㄴ, ㄷ

12 ❯ 해수의 층상 구조

그림은 위도에 따른 해수의 층상 구조와 수온의 연직 분포를 나타낸 것이다.

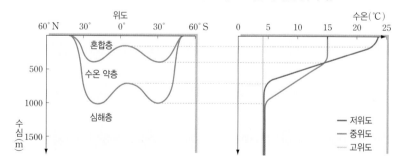

• 해수의 층상 구조와 수온의 연직 분포는 위도에 따라 다르게 나타난다.

이에 대한 설명으로 옳은 것만을 보기에서 있는 대로 고른 것은?

보기
ㄱ. 저위도보다 중위도에서 바람이 강하다.
ㄴ. 수온 약층의 수온 변화 폭은 중위도보다 저위도에서 더 크다.
ㄷ. 고위도 해역은 바람이 강하기 때문에 심해층만 나타난다.

① ㄱ   ② ㄴ   ③ ㄱ, ㄴ   ④ ㄱ, ㄷ   ⑤ ㄱ, ㄴ, ㄷ

13 ＞ 계절에 따른 해수의 층상 구조 변화

그림은 어느 해 초여름에 동해에서 측정한 수온과 염분의 연직 분포를 나타낸 것이다.

• 해수의 온도와 염분은 표층에서 변화가 가장 크게 나타난다.

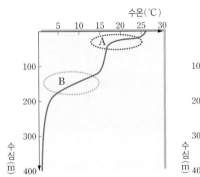
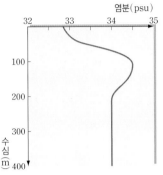

이에 대한 설명으로 옳은 것만을 보기에서 있는 대로 고른 것은?

> **보기**
>
> ㄱ. A 부분은 고염분의 난류가 유입되었음을 나타낸다.
>
> ㄴ. B 부분은 A 부분보다 계절에 따른 수온 분포의 변화가 크다.
>
> ㄷ. 심해층은 수심에 따른 수온과 염분의 변화가 가장 작다.

① ㄱ   ② ㄷ   ③ ㄱ, ㄴ   ④ ㄴ, ㄷ   ⑤ ㄱ, ㄴ, ㄷ

14 ＞ 해수의 물리량

그림은 수심에 따른 해수의 밀도 분포와 수온 분포를 나타낸 것이다.
이에 대한 설명으로 옳은 것만을 보기에서 있는 대로 고른 것은?

• 해수의 밀도는 수온에 반비례하고 염분에 비례한다.

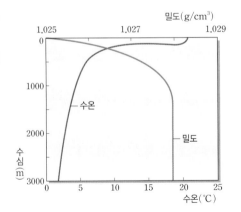

> **보기**
>
> ㄱ. 수심에 따른 수온과 밀도는 반비례한다.
>
> ㄴ. 수온 약층에서는 수심에 따라 밀도가 급격히 증가한다.
>
> ㄷ. 해수 표층으로 하천수가 유입되면 밀도 차에 의해 하천수가 침강할 것이다.

① ㄱ   ② ㄴ   ③ ㄱ, ㄴ   ④ ㄴ, ㄷ   ⑤ ㄱ, ㄴ, ㄷ

15 ❯ 해수의 염분 분포

그림 (가)는 세계 표층 해수의 평균 염분을, (나)는 증발량과 강수량의 위도별 분포를 나타낸 것이다.

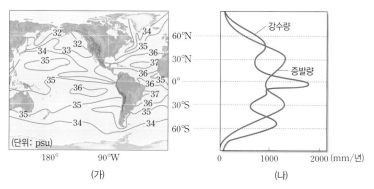

(가) (나)

이에 대한 설명으로 옳은 것만을 보기에서 있는 대로 고른 것은?

보기
ㄱ. 염분은 증발량에 비례하고, 강수량에 반비례한다.
ㄴ. 저기압이 우세한 지역은 염분이 낮게 나타난다.
ㄷ. 기온이 낮은 지역은 염분이 높게 나타난다.

① ㄱ   ② ㄴ   ③ ㄱ, ㄴ   ④ ㄱ, ㄷ   ⑤ ㄴ, ㄷ

• 해수의 염분은 증발량이 많을수록, 강수량이 적을수록 높게 나타난다. 중위도 지역은 대기 대순환에 의해 고기압이 우세하게 나타난다.

16 ❯ 수온 – 염분도 해석

그림은 어느 해역의 A 지점에서 해수면으로부터 수심 100 m까지 연직 방향으로 측정한 수온과 염분을 수온 – 염분도에 나타낸 것이다.
이에 대한 설명으로 옳은 것만을 보기에서 있는 대로 고른 것은?

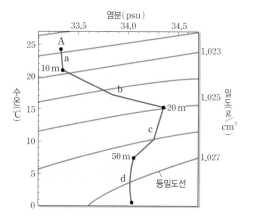

보기
ㄱ. a 구간은 바람에 의해 형성된 혼합층이다.
ㄴ. b 구간에서는 수온이 감소하고 염분이 증가하여 밀도가 증가한다.
ㄷ. c 구간과 d 구간의 밀도 변화는 염분보다 수온의 영향을 많이 받았다.

① ㄱ   ② ㄴ   ③ ㄱ, ㄷ   ④ ㄴ, ㄷ   ⑤ ㄱ, ㄴ, ㄷ

• 혼합층은 표층에서 수온이 일정한 층이며, 해수의 밀도는 수온에 반비례하고 염분에 비례한다.

01 그림은 북반구에 형성된 저기압과 고기압에서 공기의 이동과 구름의 형성을 나타낸 것이다.

KEY WORDS
• 단열 팽창
• 단열 압축

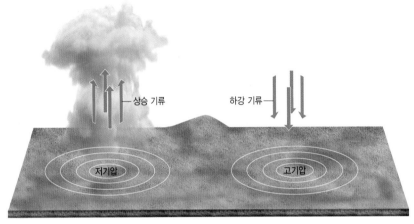

(1) 저기압과 고기압일 때 지상에서는 바람이 어떻게 부는지 시계 방향, 시계 반대 방향이라는 용어를 포함하여 각각 서술하시오.

_____

(2) 저기압에서는 구름이 많고, 고기압에서는 구름이 없는 맑은 날씨가 된다. 그 까닭을 공기의 상승, 하강과 관련된 물리적 변화를 적용하여 서술하시오.

_____

02 그림은 찬 기단과 따뜻한 기단이 만나 전선 면과 전선을 형성하는 모습을 나타낸 것이다.

KEY WORDS
• 전선 주변의 날씨
• 공기의 상승과 에너지 변화

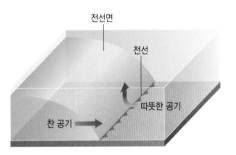

(1) 이 전선의 명칭과, 전선 부근에서 형성되는 구름의 종류를 쓰고, 전선 주변 강수 구역의 특징을 서술하시오.

_____

(2) 전선 부근에서는 바람이 강해지고 강우 현상도 나타나는데, 이러한 현상이 일어나기 위해 서는 에너지가 필요하다. 위 그림과 같은 전선의 에너지원은 무엇인지 서술하시오.

_____

03 그림은 형성 원인이 다른 정체성 고기압의 연직 등압면 분포를 나타낸 것이다.

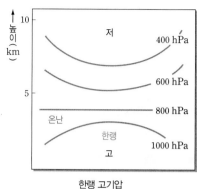

한랭 고기압

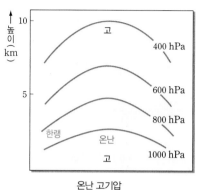

온난 고기압

(1) 우리나라 주변의 한랭 고기압과 온난 고기압의 예를 각각 한 가지씩 제시하시오.

• 한랭 고기압: _____

• 온난 고기압: _____

(2) 온난 고기압은 한랭 고기압에 비하여 고기압의 연직 높이가 매우 높다. 그 까닭을 고기압의 형성 원인을 중심으로 비교하여 서술하시오.

_____

04 그림은 북반구 어느 지역에서 온대 저기압이 통과하는 동안 10시부터 22시까지 관측한 기온과 기압을 나타낸 것이다.

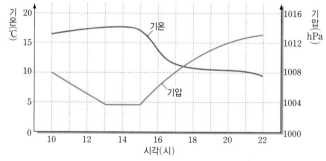

(1) 관측 시간 동안 이 지역에 전선이 통과한 시각과, 전선의 종류를 쓰시오.

_____

(2) 이날 오후의 날씨는 어떠한지 풍향의 변화와 강수 형태를 중심으로 서술하시오.

_____

KEY WORDS
(1) 고기압의 종류
  • 한랭 고기압
  • 온난 고기압
(2) 고기압의 형성 원인
  • 공기의 냉각 및 침강
  • 대기 대순환

KEY WORDS
• 온대 저기압과 전선
• 전선 통과 후 기온과 기압 변화

05 그림 (가)~(라)는 2018년 4월 22일 17시 45분에 위성 영상과 레이더 영상으로부터 얻은 한반도 주변의 기상 자료와, 같은 시간에 작성한 지상 일기도를 나타낸 것이다.

KEY WORDS
• 구름의 높이
• 구름의 두께
• 강수 입자의 분포

(가) 가시 영상

(나) 적외 영상

(다) 레이더 영상

(라) 지상 일기도

(1) (가)와 (나)에서 밝게 보이는 구름의 특징을 각각 서술하시오.

_____

(2) (다)의 레이더 영상은 무엇을 나타내는지 쓰고, 레이더 영상을 통해 어떤 사실을 알 수 있는지 서술하시오.

_____

(3) (라)의 일기도를 참조하여 우리나라에 구름이 많아지고 강수 현상이 나타난 까닭을 서술하시오.

_____

06 그림은 태풍이 발생하는 과정을 나타낸 것이다.

KEY WORDS
· 태풍의 발생 위치
· 강한 바람의 생성 원인
· 태풍의 에너지원

(1) 태풍 발생 과정을 바탕으로 태풍이 발생하는 위도 범위를 쓰고, 그 해역의 특징을 서술하시오.

_____

(2) 바람과 강우를 일으키는 태풍의 에너지원이 무엇인지 쓰시오.

_____

07 그림은 회전 속도가 130 km/h인 어느 태풍이 북쪽으로 30 km/h의 속도로 이동하고 있는 모습을 나타낸 것이다.

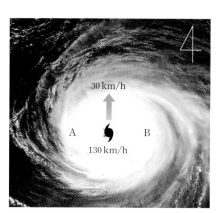

KEY WORDS
· 태풍의 위험 반원
· 태풍의 안전 반원

A와 B 중에서 어느 쪽이 위험 반원에 속하는지 A와 B에서의 풍속을 제시하여 서술하시오.

08 다음은 2017년 1월 19일 우리나라의 위성 영상과 이날 서해안 지역에 폭설이 내린 원인을 설명한 보도 자료이다.

한기(寒氣)를 동반한 대륙 고기압이 확장하며 서해안에 많은 눈이 내렸다. 일반적으로 겨울철 한파가 내습할 때 위성 영상에 나타나는 구름 분포를 보면 한기가 남하하면서 해상을 통과할 때 구름이 바람 방향을 따라 발생한다. 이번에 서해안에 많은 눈을 내리게 한 구름은 이러한 과정에서 만들어진 것이다.

(1) 우리나라 부근에서 부는 바람의 방향을 쓰고, 이 바람을 일으킨 대륙 고기압이 무엇인지 쓰시오.

_____

(2) 대륙 고기압이 확장하면서 눈구름이 발달하는 과정을 서술하시오.

_____

09 그림은 황사가 발원지에서부터 이동하여 우리나라에 영향을 주기까지의 과정을 나타낸 것이다.

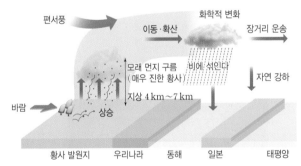

황사가 발원지에서 이동하여 우리나라에 도착하기까지의 과정을 아래와 같은 4단계로 구분하여 서술하시오.

• 발원지의 특성: _____

• 황사의 상승 조건: _____

• 황사의 이동: _____

• 황사의 하강 조건: _____

10 그림은 세계 표층 해수의 연평균 염분 분포를 나타낸 것이다.

KEY WORDS
・중위도 고압대
・증발량과 강수량
・하천수의 유입

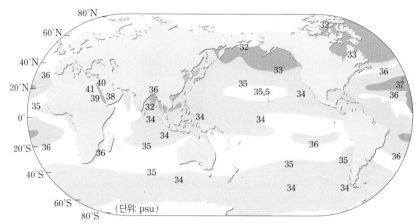

(1) 중위도 해역의 염분이 적도를 포함한 저위도 해역의 염분보다 높은 까닭을 대기 대순환과 관련지어 서술하시오.

(2) 동일 위도에서 대륙의 연안이 먼바다에 비해 염분이 낮게 나타나는 까닭을 서술하시오.

11 그림은 동해의 어느 해역에서 여름과 겨울에 측정한 해수의 깊이에 따른 수온과 염분 분포를 나타낸 것이다.

KEY WORDS
(1) ・해수의 층상 구조
    ・바람과 혼합층의 두께
(2) ・해수의 수온 분포
    ・수온 약층과 해수의 안정도

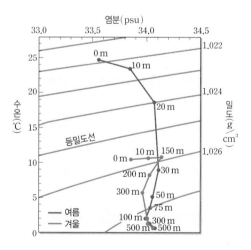

(1) 여름과 겨울의 혼합층의 두께를 구하여 비교하고, 혼합층의 두께가 계절에 따라 다른 까닭을 서술하시오.

(2) 여름과 겨울 중 어느 계절에 해수가 연직 방향으로 더 안정해지는지 서술하시오.

2
대기와 해양의 상호 작용

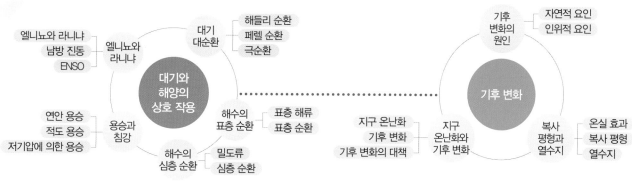

엘니뇨와 라니냐
남방 진동
ENSO

엘니뇨와
라니냐

대기
대순환

해들리 순환
페렐 순환
극순환

기후
변화의
원인

자연적 요인
인위적 요인

대기와
해양의
상호 작용

기후 변화

연안 용승
적도 용승
저기압에 의한 용승

용승과
침강

해수의
표층 순환

표층 해류
표층 순환

지구 온난화
기후 변화
기후 변화의 대책

지구
온난화와
기후 변화

복사
평형과
열수지

온실 효과
복사 평형
열수지

해수의
심층 순환

밀도류
심층 순환

대기와 해양의 상호 작용

기후 변화

01 대기와 해양의 상호 작용

학습 Point   대기 대순환 ➤ 해수의 표층 순환 ➤ 해수의 심층 순환 ➤ 용승과 침강 ➤ 엘니뇨와 라니냐

 ## 1 대기 대순환과 해수의 표층 순환

대기 대순환에서 위도별 지상풍의 방향과 표층 해류의 방향은 거의 일치하는데, 이는 표층 해류를 발생시키는 주된 원인이 지상에 부는 바람이기 때문이다. 바람에 의한 표층 해수의 이동을 표층 해류라고 하며, 표층 해류에 따른 순환을 표층 순환이라고 한다.

1. 대기 대순환 모형

지구 전체 규모로 일어나는 대기의 평균적인 순환을 대기 대순환이라고 한다. 대기 대순환은 위도별 태양 복사 에너지의 입사량 차이와 지구 자전에 의해 나타나는 3개의 거대한 순환 세포 모형으로 설명한다. 대기 대순환의 일차적 원인은 지표의 불균등 가열에 의한 열대류 운동이다.

(1) **해들리 순환**: 적도에서 가열된 공기가 상승하여 고위도로 이동하다가 위도 30° 부근에서 하강하여 다시 적도로 되돌아오는 순환으로, 지표에서는 무역풍이 분다.

① 적도 저압대 형성: 적도 부근의 공기가 태양 복사 에너지에 의해 가열되어 밀도가 작아지면서 상승 기류가 발달하여 지표에 저기압이 형성된다. 지표의 저기압 주위로부터 공기가 모여드는데, 이렇게 적도 지방에서 공기가 수렴하는 곳을 적도 저압대(열대 수렴대)라고 한다.

② 아열대 고압대 형성: 적도 저압대에서 상승한 공기는 상공에서 고위도로 이동하면서 전향력의 영향으로 동쪽으로 편향되고, 고위도에서 점차 냉각되어 밀도가 커지므로 하강하여 위도 30° 부근에 아열대 고압대를 형성한다.

해들리(Hadley, G., 1685~1768)
영국의 기상학자로, 핼리의 단일 순환 모형을 개선한 대기 대순환 모형을 제안하였다. 해들리는 북반구에서는 북동 무역풍이 불고, 남반구에서는 남동 무역풍이 분다고 설명하였다.

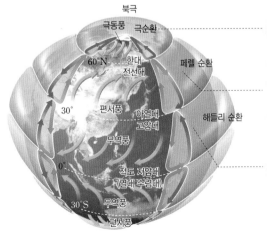

• **극순환**: 극지방 상공에서 냉각된 공기가 하강하여 극고압대를 형성하고, 공기가 지표를 따라 저위도로 이동하며 전향력의 영향으로 편향되어 극동풍을 형성한다. 극동풍은 위도 60° 부근에서 편서풍과 만나 상승한다.

• **페렐 순환**: 아열대 고압대에서 하강한 공기가 지표면에서 위도 30°에서 60° 부근으로 이동하며 전향력의 영향으로 편향되어 편서풍을 형성한다. 편서풍과 극동풍이 만나 한대 전선대를 형성하며 상승한다.

• **해들리 순환**: 적도 지방에서 가열된 공기가 상승하여 적도 저압대(열대 수렴대)를 형성하고, 위도 30° 부근에서 냉각되어 하강하여 아열대 고압대를 형성하면서 저위도 지방의 지상에 무역풍이 형성된다.

▲ 대기 대순환 모형

③ **무역풍 형성:** 아열대 고압대에서 하강하는 공기의 일부가 지표면을 따라 적도 지방으로 이동하면서 전향력의 영향으로 편향되어 위도 0° ~ 30° 사이에서 무역풍을 형성한다.

(2) **페렐 순환:** 위도 30°에서 하강한 공기가 고위도로 이동한 후 위도 60° 부근에서 상승하는 순환으로, 지표에서는 편서풍이 분다.

① **편서풍 형성:** 아열대 고압대에서 하강한 공기의 일부가 지표면을 따라 고위도 지방으로 이동하면서 전향력의 영향으로 편향되어 위도 30° ~ 60° 사이에서 편서풍을 형성한다.

② **한대 전선대 형성:** 편서풍은 위도 60° 부근에서 극지방으로부터 내려오는 한랭한 대기와 만나는데, 두 공기는 온도 차이가 크므로 쉽게 섞이지 않고 한대 전선대를 형성하며 상승한다.

(3) **극순환:** 극지방의 상공에서 냉각된 차가운 공기가 하강하여 지표면을 따라 저위도 지방으로 이동하면서 전향력의 영향으로 편향되어 극동풍을 형성한다. 이 공기는 한대 전선대에서 상승하여 다시 극으로 이동하는 순환을 이룬다.

(4) **직접 순환과 간접 순환:** 대기 대순환을 이루는 3개의 순환 세포 중 해들리 순환과 극순환은 열적 대류 현상으로 발생한 순환 구조이므로 직접 순환이라고 하고, 페렐 순환은 두 직접 순환 사이에서 열대류와 관계없이 만들어지기 때문에 간접 순환이라고 한다.

전향력
자전하는 지구에서 운동하는 물체에 작용하는 가상의 힘으로, 물체의 운동 방향에 대해 북반구에서는 오른쪽으로, 남반구에서는 왼쪽으로 작용한다.

시야확장 ➕ 지구가 자전하지 않을 때의 대기 대순환 모형

1686년 영국의 천문학자 핼리는 지구가 자전하지 않을 때의 대기 대순환 모형(단일 세포 순환 모형)을 제시하였다. 지구가 자전하지 않는다고 가정하면, 지구는 구형이므로 위도별 태양 복사 에너지의 입사량 차이로 인해 저위도에서 가열된 따뜻한 공기는 상승하여 양극으로 이동하고 극 부근에서 냉각된 공기가 하강하는 하나의 큰 열대류 순환이 일어날 것이다. 지구 자전에 의한 전향력의 영향이 없으므로 북반구의 지상에서는 지속적으로 북풍이 불고, 남반구의 지상에서는 지속적으로 남풍이 불 것이다. 그러나 이러한 순환 모형은 실제로 존재하지 않는데, 열적 순환으로 형성된 순환 세포가 지구 자전의 영향을 받아 복잡한 형태를 나타내기 때문이다.

▶ **지구가 자전하지 않는다고 가정할 때의 대기 대순환 모형**

---

2. 해수의 표층 순환

해양에서 일정한 방향과 속력으로 흐르는 규모가 큰 해수의 흐름을 해류라고 한다. 해류 중에서 바람에 의해 형성되는 해류를 표층 해류라고 하며, 표층 해류에 따른 순환을 표층 순환이라고 한다. 표층 해류는 적도를 경계로 남반구와 북반구에서 대칭적으로 분포하며, 대기 대순환에 따라 지상에 부는 바람과 유사한 방향으로 흐른다.

(1) **대기 대순환과 표층 해류:** 바람에 의해 형성되는 표층 해류의 방향은 대기 대순환에 의해 지상에 부는 바람의 방향과 대체로 일치한다.

① **무역풍대의 표층 해류:** 저위도의 무역풍대에서는 동쪽에서 서쪽으로 흐르는 북적도 해류와 남적도 해류가 형성되며, 적도 무풍대에서는 적도 반류가 서쪽에서 동쪽으로 흐른다.

② **편서풍대의 표층 해류:** 편서풍대에서는 서쪽에서 동쪽으로 흐르는 해류가 형성되며, 북반구와 남반구에서 각각 북태평양 해류(또는 북대서양 해류)와 남극 순환 해류가 흐른다.

표층 순환이 대칭적으로 나타나는 까닭
표층 순환은 적도를 경계로 남반구와 북반구가 서로 대칭적인 형태를 이루고 있다. 전향력이 물체의 운동 방향에 대하여 북반구에서는 오른쪽 직각 방향으로 작용하고 남반구에서는 왼쪽 직각 방향으로 작용하기 때문에 북반구와 남반구의 표층 순환이 대칭적으로 나타난다.

적도 반류
해수면의 경사로 인해 형성된 해류로, 적도 무풍대를 따라 해수면이 높은 해양의 서쪽에서 해수면이 낮은 해양의 동쪽으로 흐른다.

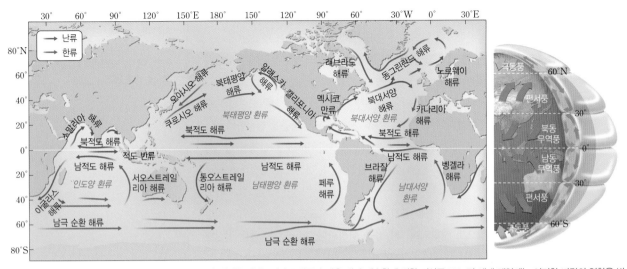

▲ **대기 대순환과 표층 해류** 표층 해류를 일으키는 주된 바람은 편서풍이나 무역풍과 같은 대기 대순환에 의한 지상풍으로, 전 세계 해양에는 이러한 바람의 영향을 받아 각각 동쪽과 서쪽 방향으로 흐르는 해류가 발생한다. 동쪽과 서쪽으로 흐르는 해류가 대륙에 막히면 해류는 남쪽 또는 북쪽으로 이동하며 북반구에서는 시계 방향, 남반구에서는 반시계 방향의 순환이 형성된다.

(2) **위도별 표층 순환:** 실제 해수의 순환은 대기 대순환에 의한 영향뿐만 아니라 대륙의 영향도 큰데, 대양의 동쪽과 서쪽이 대륙에 의해 막혀 있으므로 해류가 계속 흐르지 못하고 남북으로 갈라져 흐른다. 해수의 표층 순환은 남반구와 북반구가 서로 대칭을 이루며, 북반구에서는 시계 방향으로 순환하고, 남반구에서는 반시계 방향으로 순환한다. 표층 순환은 위도에 따라 열대 순환, 아열대 순환, 아한대 순환으로 구분한다.

① **열대 순환:** 적도 부근에서 북동 무역풍과 남동 무역풍의 영향을 받아 형성되는 북적도 해류와 남적도 해류가 적도 반류로 이어지며 열대 순환을 이룬다.

② **아열대 순환:** 대양의 대부분을 차지하는 순환으로, 무역풍과 편서풍의 영향을 받아 형성된다. 무역풍대에서 동쪽에서 서쪽으로 흐르는 북적도 해류와 남적도 해류가 대륙을 만나면 대양의 서쪽 연안을 따라 북반구에서는 북쪽으로 흐르고 남반구에서는 남쪽으로 흐른다. 이 해류들은 편서풍대에서 서쪽에서 동쪽으로 흐르는 해류로 이어지며 북태평양, 북대서양, 남태평양, 남대서양, 인도양에서 5개의 순환 구조가 형성된다.

• 북태평양의 표층 순환: 북반구의 북태평양에서는 북적도 해류 → 쿠로시오 해류 → 북태평양 해류 → 캘리포니아 해류로 이어지는 시계 방향의 순환(북태평양 환류)이 나타난다.

• 북대서양의 표층 순환: 북반구의 북대서양에서는 북적도 해류 → 멕시코 만류 → 북대서양 해류 → 카나리아 해류로 이어지는 시계 방향의 순환(북대서양 환류)이 나타난다.

• 남태평양의 표층 순환: 남반구의 남태평양에서는 남적도 해류 → 동오스트레일리아 해류 → 남극 순환 해류 → 페루 해류로 이어지는 반시계 방향의 순환(남태평양 환류)이 나타난다.

• 남대서양의 표층 순환: 남반구의 남대서양에서는 남적도 해류 → 브라질 해류 → 남극 순환 해류 → 벵겔라 해류로 이어지는 반시계 방향의 순환(남대서양 환류)이 나타난다.

• 인도양의 표층 순환: 남반구의 인도양에서는 남적도 해류 → 아굴라스 해류 → 남극 순환 해류 → 서오스트레일리아 해류로 이어지는 반시계 방향의 순환(인도양 환류)이 나타난다.

③ 아한대 순환: 편서풍과 극동풍의 영향을 받아 해류가 형성되지만, 바다가 좁고 대륙이 순환을 방해하기 때문에 아열대 순환보다 규모가 작고 불명확하다.

⑶ **서안 경계류와 동안 경계류:** 각 대양의 표층 순환의 중심은 서쪽으로 치우쳐 있으며, 대양의 서안에서 흐르는 해류는 유속이 빠른 반면 동안에서 흐르는 해류는 유속이 느린데, 이를 각각 서안 경계류와 동안 경계류라고 한다.

① 서안 경계류: 대양의 서안을 따라 흐르는 해류로, 유속이 약 $1\,m/s \sim 2\,m/s$로 빠른 편이다. 수온과 염분이 높으며 용존 산소량이 적고, 해류의 폭이 좁다. 북태평양의 쿠로시오 해류, 북대서양의 멕시코 만류 등이 이에 속한다.

② 동안 경계류: 대양의 동안을 따라 흐르는 해류로, 유속이 약 $5\,cm/s \sim 15\,cm/s$ 정도로 느린 편이다. 수온과 염분이 낮고 용존 산소량이 많으며, 해류의 폭이 넓다. 북태평양의 캘리포니아 해류, 북대서양의 카나리아 해류 등이 이에 속한다.

⑷ **표층 해류의 영향:** 표층 해류는 저위도의 남는 에너지를 고위도로 전달하여 위도별 에너지 불균형을 해소시키며 해안 지방의 기후에 영향을 미친다. 같은 위도에 있는 지역을 비교할 때, 난류가 흐르는 해안은 기온이 높고, 한류가 흐르는 해안은 기온이 낮다. 또, 표층 해류는 영양 염류를 분배하고 해양 생물을 퍼뜨리는 역할을 한다.

해류가 기후에 미치는 영향
북대서양에서 흐르는 난류인 멕시코 만류의 영향으로 영국과 아이슬란드 등 고위도 해안 지역의 기후가 같은 위도의 다른 지역에 비해 상대적으로 온화하다. 멕시코 만류가 연안에 흐르는 아이슬란드 리이캬비크($65\,°N$)의 겨울철 평균 기온은 뉴욕($40\,°N$)보다 높다.

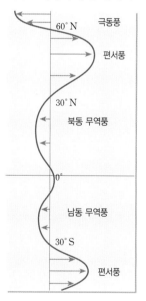
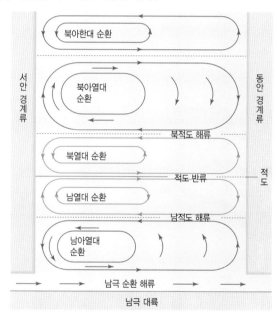

▲ 대기 대순환과 표층 순환

시야 확장 ➕ 바람에 의해 생성되는 표층 해류의 깊이

해수면 위에 바람이 불면 바람의 에너지가 가장 위에 있는 해수에 전달되어 표층 해수를 움직이게 한다. 표층 해수가 움직이면 해수층 사이의 내부 마찰에 따라 표층 바로 밑에 있는 해수층에 표층 해수의 운동 에너지 일부가 전달되고, 그에 따라 밑에 있는 해수가 움직인다. 이러한 과정이 연속적으로 반복되면서 수심이 깊어질수록 마찰로 인해 에너지가 손실되므로, 수심 약 $100\,m$ 이하에서는 바람의 직접적인 영향을 거의 받지 않는다. 따라서 바람에 의한 해류는 대개 수온 약층 위의 얇은 해수층에 국한된다.

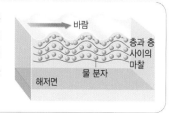

3. 우리나라 주변의 해류

우리나라 주변을 흐르는 난류의 근원은 쿠로시오 해류이고, 한류의 근원은 연해주 한류이다. 쿠로시오 해류는 필리핀과 대만 해역을 거쳐 북상하다가 동중국해에서 갈라져 일부는 대한 해협을 통과하는 대마(쓰시마) 난류와 동한 난류를 형성하고, 일부는 우리나라의 황해쪽으로 흘러 들어와 황해 난류와 제주 난류를 형성한다.

(1) 우리나라 주변의 해류

① **황해 난류**: 쿠로시오 해류에서 갈라진 후 제주도 남쪽 부근에서 황해로 흘러들어 와서 황해 중앙을 따라 북상하며, 겨울철에 뚜렷하게 나타난다.

② **동한 난류**: 쿠로시오 해류에서 갈라져 동해안을 따라 북상하는 해류로, 강원도 동해시 부근에서 울릉도 쪽으로 방향을 전환하여 흐른다. 수온이 높고 용존 산소와 영양 염류가 적으며, 겨울철 동해안의 기후를 온난하게 한다.

③ **북한 한류**: 북한 동쪽 연안을 따라 남하하는 해류로, 여름철에 남하하여 동해안 표층에 냉수대가 발달하기도 한다.

▲ **우리나라 주변의 해류** 실선은 연중 지속적으로 흐르는 해류를 나타내고, 점선은 수 개월 또는 수 년 단위로 변화를 보이는 해류를 나타낸다.

(2) 해류의 영향

① **조경 수역 형성**: 한류와 난류가 만나는 곳으로, 플랑크톤, 용존 산소량, 영양 염류가 풍부하여 좋은 어장이 형성된다. 우리나라 동해에서는 동한 난류와 북한 한류가 만나 조경 수역을 형성한다. 겨울철에는 한류의 세기가 강하여 조경 수역이 남쪽에 형성되며, 여름철에는 난류의 세기가 강하여 조경 수역이 북쪽에 형성된다. 동해에서는 겨울에 북한 한류가 남하하여 한류성 어종이 많이 잡히고, 여름에는 동한 난류의 세력이 북한 한류보다 강하므로 난류성 어종이 많이 잡힌다.

쿠로시오 해류

쿠로시오 해류는 북태평양 아열대 순환에서 태평양의 서안을 따라 흐르는 해류로, 북적도 해류의 일부가 필리핀 동쪽과 동중국해를 지나 일본 남쪽으로 북상하여 북위 36 °N 부근에서 동쪽으로 흐른다. 쿠로시오 해류는 난류로, 영양염류와 플랑크톤 및 혼탁물이 적어서 바닷물이 매우 맑기 때문에 검게 보인다. 해류의 폭은 약 100 km이고, 유속은 약 2.0 m/s ∼ 2.5 m/s로 매우 빠르다.

▲ **우리나라 주변 바다의 대표 어종**

② **기후에 미치는 영향**: 한류가 흐르는 해안 지역은 동일한 위도의 다른 지역보다 서늘하고 습도가 낮으며, 난류가 흐르는 해안 지역은 대체로 기온과 습도가 높다. 우리나라 동해안은 대마(쓰시마) 난류의 영향으로 겨울철에 서해안보다 따뜻하며, 함경도 지역은 북한 한류의 영향으로 안개가 자주 끼고 여름철에 냉해를 입기도 한다. 반면 대마(쓰시마) 난류가 흐르는 남해안은 겨울에도 따뜻하며, 서한 연안류가 다도해 부근까지 흘러와 짙은 안개가 끼기도 한다.

시야확장 ➕ 우리나라 주변 해류의 명칭

우리나라 주변의 해류는 사용하는 사람에 따라서 각기 다른 이름으로 불리고 있어 정확한 의미를 전달하고 이해하는 데 어려움이 있었다. 이러한 문제를 해결하기 위해 2016년에 한국해양학회에서 우리나라 주변의 해역 해류 명칭을 통일하기로 하였다. 이에 따라 규모가 작은 해류의 이름에는 '난류' 또는 '한류'라는 명칭을 포함하여 나타내고, 쿠로시오 해류나 오야시오 해류처럼 규모가 큰 해류에는 '해류'라는 명칭을 사용하기로 하였다.

- **동한 난류**(East Korea Warm Current, EKWC): 대한 해협에서 대마도 서쪽을 통과한 대마(쓰시마) 난류가 우리나라 동해안을 따라 북쪽으로 흐르는 난류이다. 약 37 °N ~ 약 38 °N 부근에서 북동 방향으로 흐르다가 동해 중앙을 통과하여 쓰가루 해협 쪽으로 흐르며, 진로는 해마다 변화한다.
- **북한 한류**(North Korean Cold Current, NKCC): 북한 동쪽 연안을 따라 남쪽으로 흐르는 폭이 좁은 해류이다. 속초와 묵호 연안 해역은 동한 난류의 약화와 여름철 북한 한류의 발달로 연안의 표층에 냉수대가 발달할 수 있다.
- **황해 난류**(Yellow Sea Warm Current, YSWC): 황해 중앙부 깊은 골의 서쪽 사면을 따라 북상하는 난류로, 겨울철에 뚜렷하게 분포하며, 저층에서 강하게 나타난다.
- **쿠로시오 해류**(Kuroshio Current, KC): 북태평양 중위도 아열대 순환의 서안 경계류로, 북적도 해류의 일부가 필리핀 동쪽 해역을 따라 북상하다 타이완과 요나구니지마 섬 사이를 통해 동중국해로 유입되며, 고온·고염분의 해수로 이루어져 있다.
- **제주 난류**(Jeju Warm Current, JWC): 제주도 남쪽의 동중국 해상에서 대만 난류와 쿠로시오 해류의 큐슈 서쪽 분지류의 영향을 받아 형성되며 제주를 시계 방향으로 돌아 제주 해협으로 유입된다. 겨울철에는 세력이 서쪽으로 확장된다.
- **연해주 한류**(Primorye Cold Current, PCC): 러시아 남쪽 해안을 따라 남서진하는 해류로, 동해 북부의 추운 해역에서 낮은 수온과 해빙으로 인해 형성된다.
- **서한 연안류**(West Korea Coastal Current, WKCC): 한반도의 서쪽 연안을 따라 흐르는 해류로 여름에는 북상하고 겨울에는 남하한다.
- **대마(쓰시마) 난류**(Tsushima Warm Current, TWC): 동중국해와 황해로부터 제주도 북쪽과 남동쪽으로 유입된 해류가 제주도 동쪽 해역에서 만나 대마(쓰시마) 난류를 형성하고, 대한 해협에서 대마도를 중심으로 동서로 갈라져 흘러간다.
- **중국 연안류**(Chinese Coastal Current, CCC): 산둥 반도를 지나 중국 동쪽 연안을 따라 흐르는 해류이다.
- **대만 난류**(Taiwan Warm Current, TC): 남중국해의 해수와 쿠로시오 해류로부터 형성된 해류로, 대만 해협을 지나 동중국해로 흐른다. 겨울보다 여름에 세력이 강하다.
- **류큐 해류**(Ryukyu Current, RC): 일본 류큐 열도의 동쪽에서 류큐 열도를 따라 흐르는 해류로, 오키나와 남쪽에서 큐슈 남부까지 존재한다. 해수 표층 아래에 그 중심이 있지만 표층에서도 나타난다.

우리나라 주변 해역의 주요 해류
- 동해: 대마(쓰시마) 난류, 동한 난류, 북한 한류, 연해주 한류
- 황해: 황해 난류, 대만 난류, 제주 난류, 양쯔강 유출류, 서한 연안류, 중국 연안류
- 북서태평양: 쿠로시오 해류, 류큐 해류, 북적도 해류, 아열대 반류, 오야시오 해류, 동캄차카 해류, 서캄차카 해류, 아극 해류

② 해수의 심층 순환

해수는 해역에 따라 수온과 염분 등이 다르기 때문에 밀도의 차이가 발생한다. 수온이 낮거나 염분이 높아서 밀도가 상승한 해수는 서서히 침강하여 심해에서 느리게 이동하는데, 이렇게 해양의 심층에서 일어나는 전 지구적인 규모의 해수 순환을 심층 순환이라고 한다.

1. 밀도류

해수의 밀도가 균일하게 분포하지 않을 경우, 밀도가 큰 해수는 아래쪽으로, 밀도가 작은 해수는 위쪽으로 움직인다. 이와 같은 과정으로 발생하는 해류를 밀도류라고 한다.

(1) **해수의 밀도 변화:** 해수의 밀도는 수온이 낮아지거나 염분이 높아질수록 커진다.

① **해수의 수온 변화:** 해수의 수온 변화는 주로 위도에 따른 태양 복사 에너지양의 차이로 발생하는데, 저위도에 비해 고위도 해역의 해수는 수온이 낮아서 밀도가 증가한다.

② **해수의 염분 변화:** 해수의 염분 변화는 강수량과 증발량, 강물의 유입, 결빙과 해빙 등에 의해 발생한다. 고위도로 갈수록 증발량이 줄어들어 염분이 낮아진다. 또 대기 대순환에 의해 고압대가 형성되는 아열대 해역은 증발량이 많아서 염분이 높게 나타난다. 극지방의 수온이 낮은 해역에서 해수가 얼면 염류가 빠져나와 해수의 염분이 높아진다.

③ **해수의 밀도 변화:** 해수의 밀도는 수온과 염분에 따라 다르며, 특히 수온의 영향이 더 크다. 고위도 해역의 해수는 수온이 낮고 염분이 높아서 밀도가 상대적으로 큰 반면, 저위도 해역의 해수는 염분이 낮고 수온은 높기 때문에 밀도가 상대적으로 작아서 고위도의 해수와 저위도의 해수 사이에는 밀도 차이가 발생한다.

(2) **밀도류의 발생:** 고위도 해역의 해수는 수온 하강과 염분 증가로 밀도가 높아져 침강하고, 저위도 해역의 해수는 고위도의 해수에 비해 밀도가 작다. 밀도가 서로 다른 두 해수가 접촉하면 밀도가 큰 해수는 아래쪽으로, 밀도가 작은 해수는 위쪽으로 움직인다.

2. 심층 순환

(1) **심층 순환의 발생:** 표층 해수의 수온이 낮아지거나 염분이 증가하면 해수의 밀도가 커지고, 주위보다 밀도가 큰 해수는 침강하여 같은 밀도의 해수가 분포하는 수심에 도달한 후 수평 방향으로 이동한다. 이러한 심층 해수의 움직임을 심층 순환이라고 하며, 심층 순환은 수온과 염분 변화에 따른 밀도 차가 원인이므로 열염 순환이라고도 한다.

염분 변화의 예

적도를 중심으로 하는 저위도 지방은 저압대가 형성되어 증발량보다 강수량이 많아서 염분이 낮게 나타난다. 반면, 고압대가 형성되는 중위도 해역은 강수량보다 증발량이 많아서 염분이 높게 나타난다. 또 극지방에서는 결빙이 우세할 때 염분이 높게 나타나고, 해빙이 많아지면 염분이 낮게 나타난다. 한편, 대륙 연안의 해수는 먼 바다의 해수보다 염분이 낮게 나타나는데, 이는 육지에서 하천수가 유입되기 때문이다.

▲ 위도에 따른 수온, 염분, 밀도 분포

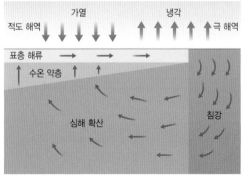

▲ 심층 순환의 발생

(2) **심층 순환의 분포:** 남극 대륙 주변의 웨델해와 북대서양의 그린란드해 주변에서 남극 저층수와 북대서양 심층수가 만들어져 침강하여 이동하면서 심층 순환이 일어난다.

① 남극 저층수: 밀도가 가장 큰 해수로, 겨울에 남극 대륙 주변의 웨델해에서 해수가 결빙될 때 염류가 빠져나와 해수의 염분이 높아지면서 밀도가 증가하여 가라앉아 형성된다. 밀도가 매우 높기 때문에 북대서양 심층수 아래에서 흐르며, 해저를 따라 북쪽으로 이동한다.

② 북대서양 심층수: 북반구 그린란드 해역에서 냉각된 표층 해수가 침강하여 형성되며, 남쪽으로 이동하여 남대서양으로 흘러가고, 남극 중층수와 남극 저층수 사이에 위치한다.

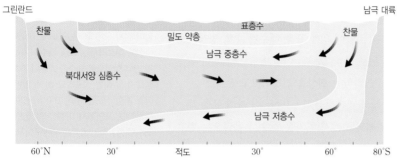

▲ **대서양의 심층 순환** 밀도가 가장 큰 남극 저층수는 북대서양 심층수 아래로 흐른다.

(3) **심층 순환의 속도:** 심층수가 해저에 도달하면 전향력과 해저 지형에 따라 이동하는데, 심층 순환은 수직 혼합이 약하여 표층으로 되돌아오기까지 오랜 시간이 걸린다. 그린란드해에서 침강한 물이 다시 표면으로 돌아오는 데 약 1000년이 걸린다고 알려져 있다.

(4) **표층 순환과 심층 순환의 역할:** 심층 순환은 매우 느리게 일어나지만 수온 약층 위에 국한되어 일어나는 표층 순환과는 달리 거의 전 수심에 걸쳐 일어나므로 해수의 순환에서 중요한 역할을 한다. 표층 순환으로 저위도의 따뜻한 해수가 고위도로 이동하면서 저위도의 열을 고위도로 운반하고, 고위도에서 냉각되어 밀도가 커진 해수는 침강하여 저위도로 이동하면서 표층 해수를 고위도로 움직이게 한다. 표층 순환과 심층 순환은 서로 연결되어 있으며, 이들 해수의 순환은 전 지구적인 열수지의 균형을 맞추며 각 해역의 온도가 계속 높아지거나 낮아지는 현상을 막아 준다. 특히 심층수는 용존 산소와 영양 염류가 풍부하므로, 심층 생물에 산소를 공급하고 표층 해수에 영양 염류를 공급하는 역할을 한다.

수온 염분도(T−S도)에 나타낸 대서양의 수괴

표층에서 침강하여 심층에서 흐르는 해수는 수온과 염분이 상당 기간 동안 변함없이 유지되는데, 이처럼 수온과 염분이 거의 같은 해수 덩어리를 수괴라고 한다. 수괴는 수온 염분도(T−S도)에 나타낸다.

• 남극 저층수: 염분 약 34.65 psu, 수온 약 −0.5 ℃로, 전 세계 해수 중 밀도가 가장 크다.

• 남극 중층수: 남극 해역 부근에서 형성된 해수로, 표층수와 심층수 사이인 수심 약 700 m ~ 약 1200 m에 이른 후 북쪽으로 이동한다.

• 북대서양 심층수: 염분 약 34.9 psu, 수온 약 3 ℃이며, 남극 저층수보다 밀도가 작으므로 남극 저층수 위에 분포한다.

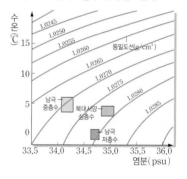

◀ **표층 순환과 심층 순환** 표층 순환과 심층 순환은 컨베이어 벨트와 같이 연결되어 있다. 그린란드해에서 침강한 북대서양 심층수는 대서양의 서쪽 해안을 따라 남쪽으로 흐르다가 남극 주변에서 생성되는 남극 저층수와 합류하여 더 냉각되고, 인도양과 태평양으로 갈라져 이동한다. 이 심층수는 수온이 올라가면서 점차 상승하여 인도양 북부와 북태평양에서 표층 순환과 연결되고, 다시 대서양으로 흘러 들어간다.

③ 대기와 해양의 상호 작용

대기와 해양은 맞닿아 있기 때문에 상호 작용을 통해 서로 영향을 미친다. 이러한 대기와 해양의 상호 작용에는 용승과 침강, 엘니뇨와 라니냐 현상 등이 있다.

1. 용승과 침강

표층 해수 위에 바람이 일정하게 계속해서 불면 해수가 수평 방향으로 이동하고, 그에 따라 해수가 연직 방향으로 이동하는 용승과 침강 현상이 발생한다.

⑴ **용승과 침강**: 북반구에서는 해수면에 바람이 불면 전향력의 영향으로 바람이 부는 방향의 오른쪽 직각 방향으로 해수가 이동한다. 이렇게 바람에 의해 표층 해수가 수평 방향으로 이동하면 이를 채우기 위해 심층의 찬 해수가 위로 올라오는데, 이를 용승이라고 한다. 반대로 바람에 의해 이동한 해수가 쌓여 심층으로 가라앉는 현상을 침강이라고 한다.

① 연안 용승과 연안 침강: 북반구 서해안(동해안)에서 계속해서 북풍(남풍)이 불어 표층 해수가 외해로 이동할 때, 이동한 해수를 채우기 위해 심층에서 차가운 해수가 올라오는 현상을 연안 용승이라고 한다. 반대로 연안에서 남풍(북풍)이 불어 표층 해수가 연안으로 이동하여 쌓이면서 해수가 가라앉는 현상을 연안 침강이라고 한다.

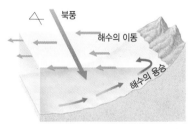

▲ **연안 용승** 북반구 서해안에서 북풍이 불면 표층 해수는 외해로 이동하고, 이를 채우기 위해 심층에서 차가운 해수가 올라온다.

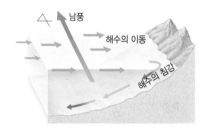

▲ **연안 침강** 북반구 서해안에서 계속해서 남풍이 불면 표층 해수는 연안으로 이동하여 쌓이면서 해수가 심층으로 가라앉는다.

② 적도 용승: 저위도 해역에서는 적도를 경계로 북동 무역풍과 남동 무역풍이 동에서 서로 부는데, 이 무역풍에 의해 북반구에서는 해수가 바람의 오른쪽 직각 방향으로, 남반구에서는 바람의 왼쪽 직각 방향으로 이동한다. 그 결과 적도의 표층 해수가 발산하고, 이를 채우기 위해 심층 해수가 상승하는데, 이를 적도 용승이라고 한다.

③ 저기압(태풍)에 의한 용승: 북반구에서 저기압이나 태풍 중심 부근에서는 반시계 방향으로 강한 바람이 지속적으로 불고 있으므로, 바람의 오른쪽 직각 방향으로 해수가 이동하여 저기압 중심에서는 표층 해수가 발산한다. 그 결과 심해의 찬 해수가 올라오는 용승이 일어난다.

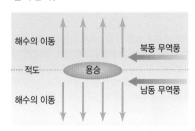

▲ 적도 용승

▲ 저기압에 의한 용승

▲ 고기압에 의한 침강

바람에 의한 표층 해수의 이동

수면에 부는 바람으로 해수의 흐름이 발생하면 수심이 깊어짐에 따라 유속이 점점 감소하고, 전향력의 영향으로 해수의 이동 방향이 점차 오른쪽(북반구)으로 바뀌어 어느 수심에 이르러서는 표층 해수의 이동 방향과 반대 방향으로 해수가 흐른다. 이때의 수심을 마찰 저항 심도라고 하며, 일반적으로 마찰 저항 심도는 수심 100 m~200 m에 위치한다. 표면에서 마찰 저항 심도까지의 해수의 평균적인 흐름은 북반구에서 바람이 부는 방향의 오른쪽 직각 방향으로 이동한다. 이렇게 표면에서 마찰 저항 심도까지의 해수의 평균적인 흐름을 에크만 수송이라고 한다.

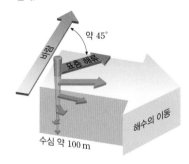

④ 고기압에 의한 침강: 북반구에서 고기압 부근에서는 시계 방향으로 바람이 지속적으로 불고 있으므로, 바람의 오른쪽 직각 방향으로 해수가 이동하여 고기압 중심에서는 표층 해수가 수렴한다. 그 결과 표층 해수가 가라앉는 침강이 일어난다.

(2) 용승의 특징

① 용승의 속도: 용승하는 해수는 그 상승 속도가 하루에 약 1 m에 불과할 정도로 느리기 때문에 용승을 관측하는 것은 매우 어려우며, 용승이 일어나는 해역의 표층 수온이 주변보다 낮게 나타나는 현상을 통해 용승을 확인할 수 있다.

② 용승이 일어나는 지역: 세계적으로 유명한 연안 용승 지역으로는 북아메리카의 캘리포니아 연안, 남아메리카의 페루 연안, 아프리카의 서해안 등이 있다. 용승이 일어나는 지역은 표층 수온이 낮아 주변의 기후가 연중 시원하게 유지되며, 찬 해수가 기층 하부의 온도를 낮추므로 기층이 안정되어 맑은 날씨가 유지되기도 한다. 또 차고 영양 염류가 풍부한 해수가 수심 100 m ~ 200 m에서 솟아오르므로 좋은 어장이 형성된다.

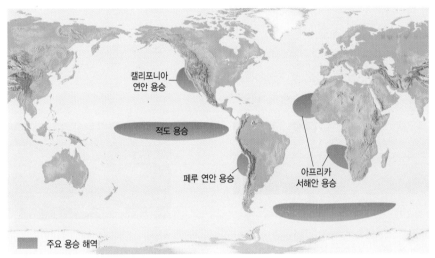

▲ **주요 용승 해역** 적도 부근의 해역에서는 무역풍에 의해 표층 해수가 발산하여 적도 용승이 일어난다. 캘리포니아 연안, 페루 연안과 아프리카 서해안에서는 지속적으로 부는 지상풍에 의해 연안 용승이 일어난다. 반면 남극 대륙 부근의 용승 해역은 북대서양 심층수가 표층으로 상승하는 곳이다.

시야확장 ➕ 우리나라 해안의 용승

우리나라의 여름철 동해 연안에서는 일반적으로 수심이 깊은 곳에 10 °C 이하의 냉수가 분포하지만, 남서풍~남동 계절풍이 며칠 이상 계속 불면 연안 쪽 표층의 따뜻한 해수가 외해로 밀려가고 심층에 있던 차가운 해수가 표층으로 올라오는 연안 용승 현상이 발생한다. 그 결과 연안을 따라 냉수대가 나타나는데, 이러한 냉수대의 출현은 기장, 울산, 감포, 울진, 속초 연안 등에서 불규칙적으로 나타나며 6월 말~8월 말 사이에 발생과 소멸을 반복한다.

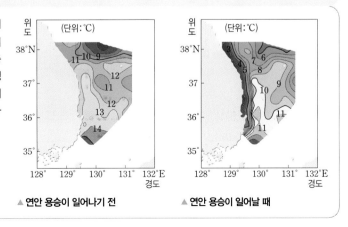

▲ 연안 용승이 일어나기 전   ▲ 연안 용승이 일어날 때

2. 엘니뇨와 라니냐

탐구 097쪽

대기와 해양은 서로 맞닿아 있으며 상호 작용하여 대기 대순환의 변화가 해양 순환의 변화를 가져오고, 해양의 변화가 대기 순환의 변화를 가져오는데, 그 대표적인 예가 엘니뇨와 라니냐이다.

(1) 엘니뇨와 라니냐의 발생

① 평상시 열대 태평양의 수온 분포: 열대 태평양을 가로질러 동쪽에서 서쪽으로 지속적으로 부는 남동 무역풍에 의해 따뜻한 표층 해수가 서쪽으로 이동하여 페루 연안에서는 용승이 일어난다. 그 결과 열대 태평양의 동쪽은 서쪽보다 수온이 낮고, 따뜻한 해수층의 두께는 동쪽보다 서쪽이 두꺼워진다. 용승하는 차가운 해수는 수온이 낮고 영양 염류가 풍부하므로, 페루 연안에는 좋은 어장이 형성된다.

② 엘니뇨 발생 시 열대 태평양의 수온 분포: 무역풍은 약 3년 ~ 7년 주기로 약화되는데, 그 결과 페루 연안의 용승이 약해지고 평상시보다 따뜻한 해수층이 두꺼워지며 해수면 온도가 상승한다. 또 이 시기에는 페루 연안뿐만 아니라 적도 부근 동태평양 해역 전체에 걸쳐 넓은 범위에서 해수면 온도가 상승한다. 이렇게 열대 태평양의 남아메리카 연안부터 열대 태평양 중앙에 이르는 해역까지 해수면 온도가 평상시보다 0.5 ℃ 높아진 상태가 5개월 이상 지속되는 대규모의 이상 수온 상승 현상을 엘니뇨(El Niño)라고 한다. 엘니뇨 시기에는 따뜻한 표층 해수가 동태평양까지 이동하므로 수온 약층의 경사가 완만해진다.

엘니뇨(El Niño)
페루 어부들이 붙인 명칭으로, '남자 아이'라는 뜻의 스페인어이다. 남아메리카 적도 부근 동태평양의 해수 온도가 따뜻해지는 현상이 크리스마스를 전후로 해서 일어나기 때문에 '아기 예수'란 의미를 갖게 되었다.

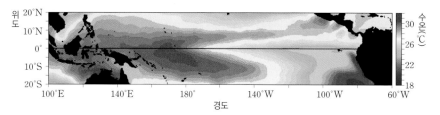

평상시(1993년 12월) 평상시 적도 부근 동태평양 연안에서는 지속적인 무역풍에 따라 표층의 따뜻한 해수가 태평양 서쪽으로 이동하고, 그 자리를 채우기 위해 연안 용승으로 심층의 찬 해수가 올라온다.

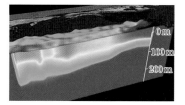

평상시

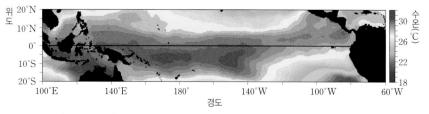

엘니뇨 발생 시(1997년 12월) 강한 엘니뇨가 발생하였던 이 시기에는 평상시에 비해 수온이 높은 해수가 적도를 따라 넓게 분포하고 있다.

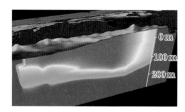

엘니뇨 발생 시

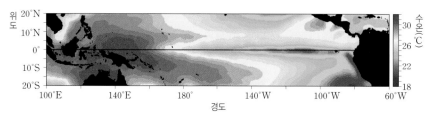

라니냐 발생 시(1998년 12월) 강한 라니냐가 발생하였던 이 시기에는 평상시에 비해 수온이 낮은 해수가 동태평양에서부터 서쪽까지 분포하고 있다.

▲ 열대 태평양 부근의 표층 수온 분포

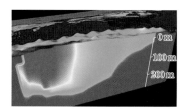

라니냐 발생 시

▲ 열대 태평양 부근의 수심에 따른 수온 분포

③ 라니냐 발생 시 열대 태평양의 수온 분포: 무역풍이 평상시보다 강하게 불면 페루 연안의 용승이 강해지고 따뜻한 해수층이 얇아져 해수면 온도가 낮아지고, 차가운 표층 해수가 분포하는 해역이 서쪽까지 확장된다. 이렇게 열대 태평양의 남아메리카 연안부터 열대 태평양 중앙에 이르는 해역까지 해수면 온도가 평상시보다 0.5 ℃ 낮아진 상태가 5개월 이상 지속되는 대규모의 이상 수온 하강 현상을 라니냐(La Niña)라고 한다. 라니냐 시기에는 동태평양의 표층 수온이 낮아지므로 수온 약층의 경사가 급해진다.

(2) **남방 진동**: 엘니뇨와 라니냐의 발생에 따른 열대 태평양 부근의 표층 수온 분포 변화는 기압 분포에도 영향을 미치는데, 엘니뇨와 라니냐 현상의 발생과 함께 나타나는 열대 태평양의 기압 분포 변화를 남방 진동이라고 한다.

① 워커 순환: 열대 태평양 해역에는 무역풍의 영향으로 북적도 해류와 남적도 해류가 동쪽에서 서쪽으로 흐르고, 동태평양에서는 용승이 일어난다. 이에 따라 평상시 동태평양의 해수면 온도는 약 24 ℃ ~ 25 ℃이고 서태평양의 해수면 온도는 약 29 ℃ ~ 30 ℃로, 동태평양이 서태평양보다 낮다. 증발량이 많은 서태평양에서는 상승 기류가 활발하여 저기압이 발달하고, 동태평양에서는 상공에서 수렴한 공기가 하강하여 지상에 고기압이 발달한다. 이러한 기압 배치로 인해 열대 태평양 상공에는 거대한 대기 순환이 형성되는데, 이를 워커 순환이라고 한다. 워커 순환은 적도를 따라 형성된 직접 순환 세포로, 적도 동서 방향의 순환에 해당한다. 따라서 평상시 서태평양 지역은 강수량이 많고, 동태평양 지역은 건조한 날씨가 이어진다.

② 엘니뇨 발생 시 열대 태평양의 기압 분포 변화: 엘니뇨가 발생하면 무역풍과 페루 연안의 용승이 약해지면서 서태평양의 따뜻한 해수가 동태평양으로 이동하여 동태평양의 해수면 온도가 높아지므로 저기압이 분포하는 위치가 동쪽으로 이동한다. 이에 따라 워커 순환에서 상승 기류가 발생하는 구역이 평상시보다 동쪽으로 이동한다. 그 결과 동태평양 지역은 평상시보다 강수량이 증가하는 반면 서태평양 지역은 고기압의 영향으로 건조하여 가뭄이 발생한다.

③ 라니냐 발생 시 열대 태평양의 기압 분포 변화: 라니냐가 발생하면 무역풍과 페루 연안의 용승이 강해지면서 적도 부근 동태평양의 따뜻한 해수가 서태평양으로 활발하게 이동하여 서태평양의 해수면 온도가 평상시보다 더 높아지고, 저기압이 더욱 강하게 발달한다. 그 결과 서태평양 지역은 평상시보다 강수량이 증가하는 반면 동태평양 지역에는 고기압이 더욱 강하게 발달하여 맑은 날씨와 가뭄이 지속된다.

라니냐(La Niña)
엘니뇨가 '남자 아이'를 뜻하는 말이므로 미국의 한 과학자가 '여자 아이'를 뜻하는 스페인어인 라니냐를 사용하면서 널리 알려지게 되었다.

엘니뇨와 라니냐의 기준
엘니뇨·라니냐 감시 구역(열대 태평양 5°S ~ 5°N, 170°W ~ 120°W)의 3개월 이동 평균 해수면 온도 편차(관측값－평균값)가 ＋0.5 ℃ 이상(－0.5 ℃ 이하)으로 5개월 이상 지속될 때 그 첫 달을 엘니뇨(라니냐)의 시작으로 본다.

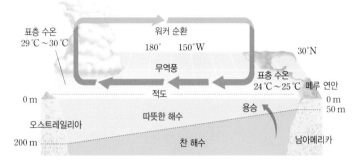

평상시 워커 순환

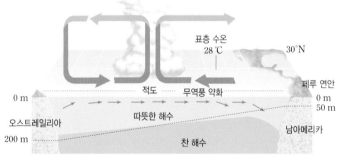

엘니뇨 발생 시 워커 순환

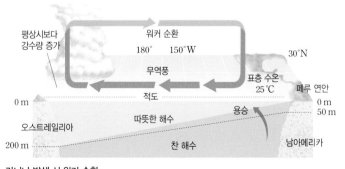

라니냐 발생 시 워커 순환
▲ **열대 태평양 상공의 워커 순환**

⑶ **엘니뇨 남방 진동(ENSO):** 엘니뇨와 라니냐는 적도 태평양 해수면의 온도 변화 현상을 일컫고 남방 진동은 대기의 기압 분포 변화를 나타낸다. 그런데 엘니뇨, 라니냐와 남방 진동은 대기와 해양의 상호 작용으로 함께 일어나는 현상임이 밝혀져, 이 두 현상을 합쳐서 엘니뇨 남방 진동(El Niño and Southern Oscillation) 또는 엔소(ENSO)라고 한다.

⑷ **엘니뇨 남방 진동(ENSO)과 기후 변화:** 엘니뇨 시기에는 적도 부근 태평양 중심부의 표층 수온이 상승하고, 이 지역에 상승 기류가 발달하면서 저기압이 형성되어 적도 태평양의 고기압의 위치가 서쪽으로 이동한다. 고기압의 위치 변화는 저기압의 위치를 바꾸고, 이러한 영향이 순차적으로 퍼져 나가면서 태평양뿐만 아니라 대서양과 전 지구적인 기압 분포에 영향을 미쳐서 이상 기후 현상이 나타난다. 엘니뇨 발생 시 우리나라의 겨울은 평상시보다 따뜻하고 강수량이 증가하는 편이고, 미국의 서부 지역도 강수량이 많은 겨울이 나타난다. 반면, 오스트레일리아 북동부, 동남아시아, 인도 지역에는 평상시와는 달리 가뭄 피해가 발생한다. 라니냐 발생 시의 기상 특징은 엘니뇨 시기와는 반대로 나타나기도 한다.

2015년 엘니뇨 발생 시의 기상 이변
엘니뇨가 발생했던 2015년 겨울, 미국 동부 지역은 12월에도 기온이 약 21 ℃에 이르는 초여름 날씨가 이어졌으며, 미국 서부 지역인 캘리포니아에는 폭설과 한파가 몰아쳤다. 인도에서는 2015년～2016년에 50 ℃에 이르는 폭염과 가뭄으로 수백 명의 인명 피해가 발생하였으며, 우리나라는 2016년 5월에 서울에서 기온이 31.9 ℃까지 오르는 것을 시작으로 여름에 일평균 기온이 30 ℃ 이상인 날이 11일이었을 정도로 폭염이 지속되었다.

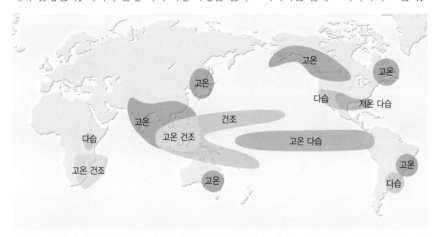

▲ **엘니뇨 발생 시 기후 변화** 엘니뇨가 발달하는 해의 겨울철에 북반구에서는 아시아 중부 및 동부와 알래스카 지역을 포함하는 북아메리카 서북부의 기온이 평상시보다 높게 나타나고, 남반구에서는 아프리카 남동부, 오스트레일리아 남동부, 남아메리카 동부 지역의 기온이 높게 나타난다. 적도 부근의 중앙 태평양과 동태평양의 강수량이 평상시보다 증가하고, 인도네시아 부근과 오스트레일리아 북부는 강수량이 감소한다.

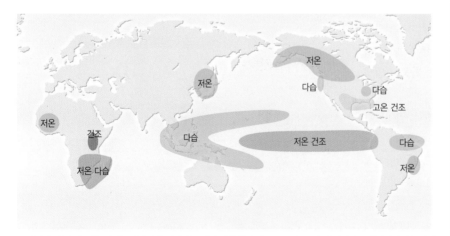

▲ **라니냐 발생 시 기후 변화** 라니냐가 발달하는 해의 겨울철에 적도 부근의 중앙 태평양과 동태평양의 강수량이 평상시보다 감소하고, 인도네시아 부근 서태평양의 강수량이 증가한다. 남아메리카의 경우 북부에서는 강수량이 증가하고, 중부 및 동부 지역에서는 강수량이 감소한다. 북반구의 기온은 평상시보다 낮은 경향을 나타낸다.

엘니뇨와 라니냐의 영향 조사하기

엘니뇨와 라니냐로 인한 기후 변화 사례를 조사하고 우리 생활에 주는 영향을 파악할 수 있다.

과정 및 결과

강한 엘니뇨와 라니냐가 발생하였던 시기에 전 세계적인 기후 변화의 사례를 조사하여 정리하고, 인간 생활에
어떤 영향을 미치는지 정리해 본다.

구분	기후 변화 사례	생활에 미친 영향
엘니뇨 발생 시 (1997년)	• 동남아시아와 오스트레일리아 지역에 폭염과 가뭄이 발생하였다. • 남아메리카 지역에는 폭우와 홍수가 발생하였다.	• 동남아시아와 오스트레일리아에서는 가뭄으로 인한 산불 피해가 발생하였고, 농작물의 수확량이 감소하였다. • 남아메리카 지역에서는 폭우와 홍수로 인해 가옥과 도로가 침수되는 피해가 발생하였다.
라니냐 발생 시 (1989년)	• 북아메리카 지역에 강력한 한파가 찾아왔다. • 동남아시아 지역에 홍수가 발생하였다.	• 북아메리카 지역은 한파로 인해 농작물 수확량이 감소하였다. • 동남아시아 지역은 홍수로 인해 전염병의 피해가 극심하였다.

정리

• 열대 태평양에서 엘니뇨가 발생하면 평상시와 달리 동태평양의 해수면 온도가 높아지고, 서태평양의 해수면
온도가 낮아진다. 이에 따라 서태평양에서는 고기압이 형성되고, 동태평양에서는 저기압이 형성되어 가뭄이
나 홍수와 같은 기상 이변이 발생한다.
• 엘니뇨와 라니냐의 영향으로 열대 태평양의 해수면 온도 분포가 변하면 태평양 상공의 기압 분포가 변하고,
대기와 해양의 상호 작용으로 인해 가뭄, 홍수, 태풍 등의 기상 변화뿐만 아니라 해양 생태계 변화를 포함하
여 전 지구적인 환경 변화가 나타난다.

탐구 확인 문제

> 정답과 해설 164쪽

01 엘니뇨에 대한 설명으로 옳지 <u>않은</u> 것은?

① 기권과 수권의 상호 작용으로 발생한다.
② 무역풍이 평상시보다 약해질 때 발생한다.
③ 적도 동태평양의 표층 수온이 평상시보다 높아진다.
④ 엘니뇨의 영향으로 대기의 순환에 변화가 나타난다.
⑤ 적도 태평양을 제외한 다른 지역의 기후에는 영향을
미치지 않는다.

02 열대 태평양의 수온 분포와 대기 순환에 대한 설명으로 옳
은 것만을 보기에서 있는 대로 고른 것은?

보기
ㄱ. 평상시 동태평양 지역은 평균적으로 맑은 날씨가
나타난다.
ㄴ. 무역풍이 약해지면 동태평양 해역의 표층 수온이
평상시보다 낮아진다.
ㄷ. 무역풍이 약해지면 동남아시아 지역의 강수량이 평
상시보다 증가한다.

① ㄱ ② ㄴ ③ ㄱ, ㄴ
④ ㄱ, ㄷ ⑤ ㄴ, ㄷ

대기와 해양의 상호 작용 – 남방 진동과 북극 진동

대기 대순환에 따라 표층 해수가 이동하고 수온이 영향을 받는다. 그리고 해수면의 온도 변화는 다시 대기의 변화에도 영향을 미치므로 최근에는 대기와 해양의 상호 작용을 함께 연구하고 있다.

❶ 남방 진동

1924년 영국의 워커(Walker, G. T., 1868~1958)는 인도에서 남서 계절풍에 의한 강우량의 예보를 위하여 세계 각지 기압의 상호 관계를 조사하던 중 태평양 동서의 대기압이 뚜렷한 역상관관계를 나타낸다는 사실을 알아내었다. 즉, 동태평양에서 기압이 상승하거나 하강하면, 반대로 서태평양에서는 기압이 하강하거나 상승하는 것으로 나타났다. 워커는 이러한 현상이 인도양과 남반구의 적도 태평양 사이에서 일어나며 시소와 같은 상관성을 지닌다 하여 남방 진동(Southern Oscillation)이라고 하였다.

남방 진동의 강도는 남방 진동 지수(Southern Oscillation Index, SOI)로 알 수 있는데, 이는 남태평양 타히티와 오스트레일리아 다윈(Darwin)의 월 평균 기압의 편차로 나타낸다. 남방 진동 지수가 클 때는 기압의 동서 차이가 큰 경우로, 태평양의 동쪽에 고기압이 존재하고 서쪽에 저기압이 존재하여 갈라파고스에서부터 인도네시아에 이르는 적도 태평양 전 지역에 무역풍이 강하게 분다. 반대로 남방 진동 지수가 작을 때는 기압의 동서 차이가 작은 경우로, 이때는 무역풍이 약해진다는 사실이 밝혀졌다. 엘니뇨는 이러한 남방 진동 지수가 작을 때, 즉 무역풍이 약화될 때 일어나는 현상으로 인식된다.

많은 학자들의 연구 결과, 남방 진동은 적도에서의 단순한 기압 변동뿐만 아니라 적도 부근의 해수면 온도와 강수량, 인도 및 남동아프리카의 강수량, 중위도 지역의 기온과 강수량 등과도 밀접한 관련이 있다는 사실이 밝혀졌다. 이에 따라 엘니뇨가 남아메리카 해역에서만 일어나는 국지적인 현상이 아니라 오스트레일리아, 인도네시아, 아프리카와 같이 서로 멀리 떨어진 지역 사이에서도 기상 이변을 일으키는 전 지구 규모의 해양과 대기의 상호 작용 결과로 이해할 수 있다. 따라서 엘니뇨와 남방 진동을 통합하여 엘니뇨 남방 진동(El Niño Southern Oscillation, ENSO)이라고 일컫는다.

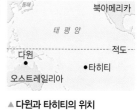

▲ 다윈과 타히티의 위치

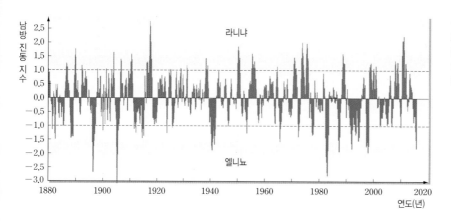

◀ **남방 진동 지수** 동태평양 타히티와 오스트레일리아 다윈에서 관측한 값으로, 고압부에서 저압부로 부는 무역풍의 세기를 나타낸다. 엘니뇨 현상은 음(파란색)의 값으로, 라니냐는 양(빨간색)의 값으로 나타난다.

② 북극 진동(Arctic Oscillation)

북극에 존재하는 찬 공기의 소용돌이가 일정한 주기로 강약을 되풀이하는 현상으로, 적도 태평양 부근 대기의 시소 현상을 남방 진동이라고 부르듯이, 북극에서 일어나는 대기의 시소 현상을 북극 진동이라고 한다. 북극 진동의 주기는 짧게는 수십 일에서부터 길게는 수십 년 정도로 상당히 불규칙한데, 중위도와 극 지역의 해면 기압 차이를 지수화한 것을 북극 진동 지수(Arctic Oscillation Index)라고 한다. 중위도와 극 지역의 기압 차이가 커서 북극 진동이 강하면 양의 값으로 표시하고, 중위도와 극 지역의 기압 차이가 작아서 북극 진동이 약하면 음의 값으로 표시한다.

북극의 기온이 평소보다 낮은 경우에 북극 진동 지수가 양으로 나타난다. 이 경우 북극과 중위도 사이에 기압 차이가 더 커지는데, 이때 북극과 중위도 사이에 강한 편서풍이 형성된다. 강한 편서풍은 제트 기류를 형성하며 차가운 북극 공기가 중위도로 흘러나오지 못하게 하는 방어막을 형성함으로써 북쪽으로 한랭한 북극 공기가 갇혀서 그린란드와 같은 고위도 지방의 겨울은 매우 추워지고, 중위도 지방은 따뜻한 겨울을 맞이한다.

반면 북극의 기온이 평소보다 높은 경우에는 북극 진동 지수가 음으로 나타난다. 이 경우 북극과 중위도 지역 사이의 기압 차이가 작아 상공에 상대적으로 약한 편서풍이 형성되고, 차가운 북극 공기가 약해진 제트 기류를 비집고 더욱 남쪽으로 진입하면서 중위도 지역의 겨울이 평소보다 더 추워진다. 찬 공기가 상층 기압골을 따라 동아시아, 미국, 동유럽 등에 도달하여 이들 지역은 추운 겨울을 맞이하고, 그린란드는 찬 공기가 중위도로 빠져나가므로 평상시보다 따뜻한 겨울을 맞이한다.

최근의 북극 진동 연구에 따르면 북극 부근 바다의 빙하가 생성되거나 줄어들면 북극 진동이 변화한다. 즉, 북극 진동은 대기와 해양의 상호 작용에 따라 변화하는 것이다. 바다의 얼음이 녹으면 얼음에 덮여 있던 해수에서 열과 수증기가 방출되고, 해수에 닿아 있는 대기층의 온도가 상승한다. 극의 기온이 올라가면 북극과 중위도 지역 사이의 기압 차이가 작아지면서 북극 진동 지수는 음의 값이 된다. 이때 기층 하부의 온도는 평소보다 높아졌지만 상공의 기온은 매우 낮은데, 이러한 기온 차이와 지구 자전 효과가 더해져 파동이 발생하고, 파동을 따라 지표면의 에너지가 성층권으로 전달되면 북극 상공 성층권에서 돌고 있는 극 소용돌이가 약화된다. 그 결과 북극 진동이 약화되고, 동아시아, 미국, 동유럽 등에는 이상 한파와 폭설 등의 현상이 나타날 수 있다.

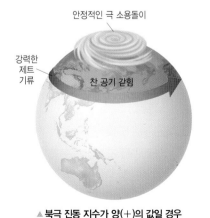

안정적인 극 소용돌이

강력한 제트 기류

찬 공기 갇힘

▲ 북극 진동 지수가 양(+)의 값일 경우

교란된 극 소용돌이

약한 제트 기류

찬 공기 남하

따뜻한 공기

▲ 북극 진동 지수가 음(−)의 값일 경우

□ **북극 진동 지수(Arctic Oscilla-tion Index)**
북극 진동 지수는 1998년 미국의 톰슨(Thomson, D. W. J.)과 월리스(Wallace, J. M.)가 제안한 것으로, 북반구 북위 60° 이상의 고위도 해면 기압과 중위도 해면 기압의 차이를 계산하여, −5~+5 사이의 값으로 나타낸다. 북극 진동 지수가 높으면 북극 진동이 강해진 것이고, 북극 진동 지수가 낮으면 북극 진동이 약해진 것이다.

01 대기와 해양의 상호 작용

2. 대기와 해양의 상호 작용

① 해수의 표층 순환

1. 대기 대순환 모형

• 지구 전체 규모로 일어나는 대기의 평균적인 순환을 대기 대순환이라고 한다.

• 해들리 순환: 적도에서 가열된 공기가 상승하여 고위도로 이동하다가 위도 30° 부근에서 하강하여 다시 적도로 되돌아오는 순환으로, 지표에서는 (❶   )이 분다.

• 페렐 순환: 위도 30°에서 하강한 공기가 고위도로 이동한 후 위도 60° 부근에서 상승하는 순환으로, 지표에서는 (❷   )이 분다.

2. 해수의 표층 순환

• 해류 중에서 바람에 의해 형성되는 해류를 표층 해류라고 하며, 표층 해류에 따른 순환을 (❸   )이라고 한다.

• 대기 대순환과 해수의 표층 순환은 모두 대체로 남반구와 북반구가 서로 대칭을 이루며, 북반구에서는 (❹   ) 방향으로 순환하고, 남반구에서는 (❺   ) 방향으로 순환한다.

• 실제 해양의 순환은 대기 대순환에 의한 영향뿐만 아니라 대륙의 영향도 크다.

3. 우리나라 주변 바다의 해류

• 난류: (❻   ) 해류로부터 갈라진 황해 난류, 대마(쓰시마) 난류, 동한 난류 등이 있다.

• 한류: 연해주 한류와 북한 한류가 우리나라 주변 해역에 영향을 미친다.

② 해수의 심층 순환

1. **밀도류** 해수의 밀도가 균일하게 분포하지 않을 경우, 밀도가 서로 다른 해수 사이에서 발생하는 해류이다.

2. **심층 순환** 수온이 낮아지거나 (❼   )이 증가하면 해수의 밀도가 높아지고 침강하여 수평 방향으로 이동하는 심층 순환이 일어난다.

• 겨울에 남극 대륙 주변의 웨델해에서 해수가 결빙될 때 해수에서 염류가 빠져나와 염분이 높아지면서 심층으로 가라앉아 (❽   ) 저층수가 형성되고, 북대서양의 그린란드 해역에서 냉각된 표층 해수가 가라앉아 (❾   )가 형성된다.

• 표층 순환과 심층 순환은 서로 연결되어 있으며, 남북 간의 열수지 불균형을 해소시키고 심해에 (❿   )를 공급하는 역할을 한다.

③ 대기와 해양의 상호 작용

1. 용승과 침강

• 용승: 표층에서 해수가 수평 방향으로 이동하면 이를 채우기 위해 심층의 찬 해수가 위로 올라오는 현상이다.

㉠ (⓫   ) 용승: 북반구 서(동)해안에서 북(남)풍이 계속 불면 표층 해수가 먼 바다로 이동하므로 연안의 해수면이 상대적으로 낮아지고, 이곳의 해수를 보충하기 위해 일어나는 용승이다.

㉡ 적도 용승: 적도 부근의 해역에서는 적도를 경계로 동에서 서로 부는 (⓬   )에 의해 해수가 발산하여 일어나는 용승이다.

㉢ 저기압(태풍)에 의한 용승: 저기압(태풍)에 의한 바람의 영향으로 중심부의 해수가 바깥쪽으로 발산하기 때문에 이곳의 해수를 보충하기 위해 찬 해수가 올라오는 용승이 나타난다.

• 침강: 바람에 의해 지속적으로 수렴하던 해수가 밑으로 가라앉는 현상이다.

㉠ 연안 침강: 북반구 서(동)해안에서 남(북)풍이 계속 불면 먼 바다의 해수가 연안으로 이동하여 쌓이므로 연안에서 침강이 일어난다.

㉡ 고기압에 의한 침강: 고기압에서는 바람의 오른쪽 직각 방향으로 해수가 흘러 고기압 중심을 향하여 수렴함으로써 침강이 일어난다.

2. 엘니뇨와 라니냐

• (⓭   ): 동태평양 적도 해역의 월평균 해수면 온도 편차의 5개월 이동 평균값이 약 6개월 이상 계속해서 0.5 ℃ 이상이 되는 현상이다.

• (⓮   ): 동태평양 적도 해역의 월평균 해수면 온도 편차의 5개월 이동 평균값이 약 6개월 이상 계속해서 −0.5 ℃ 이하가 되는 현상이다.

• 평상시에는 (⓯   )에 의해 적도 부근의 표층 해수가 태평양 서쪽으로 수송되어 동태평양에서는 용승이 일어난다.

• 엘니뇨 발생 시 무역풍의 약화로 적도 부근의 표층 해수가 태평양 서쪽에서 동쪽으로 수송되어 동태평양의 용승이 약해진다.

• 라니냐 발생 시: 무역풍의 강화로 적도 부근의 표층 해수가 태평양 서쪽으로 수송되어, 동태평양의 용승이 강해진다.

• 적도 태평양의 동서 방향의 기압 분포가 시소를 타는 것처럼 변동하는 것을 남방 진동이라고 하며, 엘니뇨와 남방 진동을 합쳐서 엘니뇨 남방 진동 또는 (⓰   )라고 한다.

01 그림은 북반구에서 대기 대순환을 나타낸 것이다.

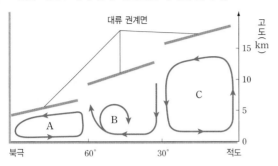

A~C에 해당하는 대기 대순환의 명칭을 쓰고, 이 순환에 따라 형성된 지상의 바람을 쓰시오.

구분	대기 대순환	지상의 바람
A	㉠	㉡
B	㉢	㉣
C	㉤	㉥

02 그림은 태평양에서 해수의 표층 순환을 나타낸 것이다.

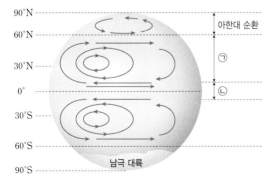

㉠과 ㉡의 순환의 명칭을 쓰시오.

03 그림은 북태평양에서 해수의 표층 순환을 나타낸 것이다.

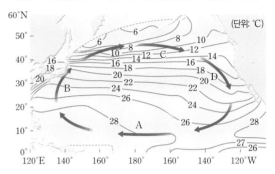

A~D에 해당하는 해류의 명칭을 각각 쓰시오.

04 그림은 겨울철에 우리나라 주변의 평균적인 해류 분포를 나타낸 것이다.

(1) A 해류의 명칭을 쓰시오.

(2) A 해류와 북한 한류가 만나서 좋은 어장을 형성하는 해역을 무엇이라고 하는지 쓰시오.

05 그림은 대서양 남북 단면에서의 수온 분포와 심층 순환을 나타낸 것이다.

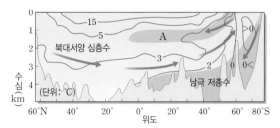

(1) A의 명칭을 쓰시오.

(2) 이에 대한 설명으로 옳은 것만을 보기에서 있는 대로 고르시오.

보기
ㄱ. 심층 순환은 밀도 차에 의해 발생한다.
ㄴ. 해수의 밀도는 남극 저층수가 가장 크다.
ㄷ. 북대서양 심층수는 남반구까지 이동한다.

06 그림은 북반구에서 연안 용승이 일어나는 과정을 나타낸 것이다.

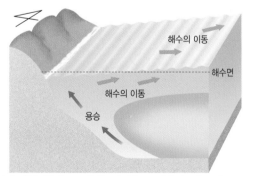

이에 대한 설명으로 옳은 것만을 보기에서 있는 대로 고르시오.

보기
ㄱ. 해안의 기온이 높아졌다.
ㄴ. 해안의 표층 수온이 낮아졌다.
ㄷ. 이날 해안에 남풍이 지속적으로 불었다.

07 그림은 북반구의 어느 해역에 저기압성 바람이 불 때의 모습을 나타낸 것이다.

이에 대한 설명으로 옳은 것만을 보기에서 있는 대로 고르시오.

보기
ㄱ. 저기압 바깥쪽으로 해수가 이동한다.
ㄴ. 저기압 중심부에서 용승이 일어난다.
ㄷ. 저기압 중심부의 표층 수온이 낮아진다.

08 그림은 엘니뇨 발생 시 열대 태평양에서 일어나는 대기와 해수의 상호 작용을 나타낸 것이다.

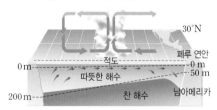

엘니뇨 발생 시 페루 연안에 나타나는 현상으로 옳은 것만을 보기에서 있는 대로 고르시오.

보기
ㄱ. 강수량이 증가한다.
ㄴ. 표층 수온이 낮아진다.
ㄷ. 좋은 어장이 형성된다.

01 ▶대기 대순환과 해수의 표층 순환

그림은 태평양에서 해수의 표층 순환과 지상에 부는 바람을 모식적으로 나타낸 것이다.

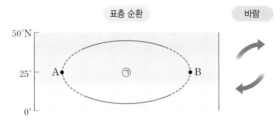

이에 대한 설명으로 옳은 것만을 보기에서 있는 대로 고른 것은?

보기
ㄱ. ㉠은 아열대 순환이다.
ㄴ. 해류 A는 한류, 해류 B는 난류이다.
ㄷ. ㉠ 순환은 무역풍과 편서풍의 영향을 받는다.

① ㄱ ② ㄴ ③ ㄱ, ㄷ ④ ㄴ, ㄷ ⑤ ㄱ, ㄴ, ㄷ

• 아열대 순환은 무역풍과 편서풍의 영향으로 생성된다.

02 ▶대기 대순환과 해수의 표층 순환

그림은 위도에 따른 지상의 바람과 표층 해류의 분포를 모식적으로 나타낸 것이다.
이에 대한 설명으로 옳은 것만을 보기에서 있는 대로 고른 것은?

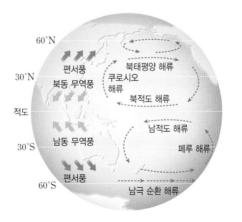

• 표층 순환은 서로 연결되어 있어서 남북간으로 이동함으로써 지구의 열적 평형에 기여한다.

보기
ㄱ. 북적도 해류와 남적도 해류는 무역풍의 영향을 받아 형성된다.
ㄴ. 표층 해류의 순환에 따라 저위도의 해수가 고위도로 이동할 수 있다.
ㄷ. 북반구와 남반구에서 아열대 순환은 적도를 중심으로 대칭적으로 나타난다.

① ㄴ ② ㄷ ③ ㄱ, ㄴ ④ ㄱ, ㄷ ⑤ ㄱ, ㄴ, ㄷ

03 ▶ 표층 해류
그림은 북태평양의 표층 해류 분포를 나타낸 것이다.

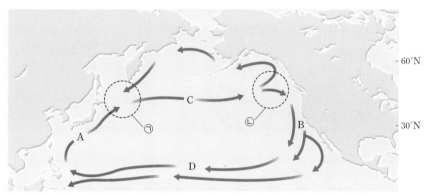

• ㉠과 ㉡ 해역에서는 각각 어떤 특성의 해류가 만나는지 비교해 본다.

해류 A ~ D에 대한 설명으로 옳은 것만을 보기에서 있는 대로 고른 것은?

> 보기
>
> ㄱ. A는 B보다 수온이 높지만 염분은 낮다.
>
> ㄴ. C는 편서풍의 영향을 받고, D는 무역풍의 영향을 받는다.
>
> ㄷ. 위도에 따른 수온 변화는 ㉠ 해역이 ㉡ 해역보다 크게 나타난다.

① ㄱ   ② ㄷ   ③ ㄱ, ㄴ   ④ ㄴ, ㄷ   ⑤ ㄱ, ㄴ, ㄷ

04 ▶ 우리나라 주변 해류
그림 (가)와 (나)는 각각 겨울철과 여름철에 우리나라 주변의 표층 해류 분포를 나타낸 것이다.

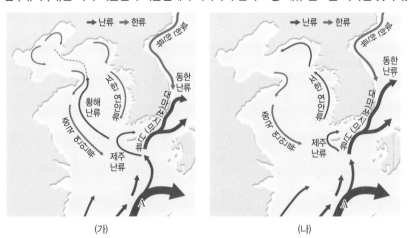

(가)   (나)

• 겨울철에는 한류가 발달하고, 여름철에는 난류가 발달하므로 계절에 따라 해류의 분포가 달라진다.

이에 대한 설명으로 옳은 것만을 보기에서 있는 대로 고른 것은?

> 보기
>
> ㄱ. 대마(쓰시마) 난류와 동한 난류의 수온과 염분은 A의 영향을 받는다.
>
> ㄴ. 동해에서 겨울철에 여름철보다 높은 위도에서 조경 수역이 형성된다.
>
> ㄷ. 동한 난류의 영향을 받는 해안은 기층이 안정되어 안개가 자주 발생한다.

① ㄱ   ② ㄷ   ③ ㄱ, ㄴ   ④ ㄴ, ㄷ   ⑤ ㄱ, ㄴ, ㄷ

05 ❯심층 순환
그림은 대서양에서의 수온과 염분 분포 및 심층 순환을 나타낸 것이다.

대서양의 수온 분포와
심층 순환

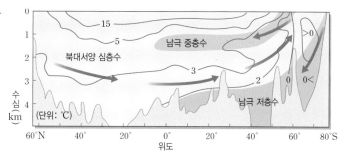

대서양의 염분 분포와
심층 순환

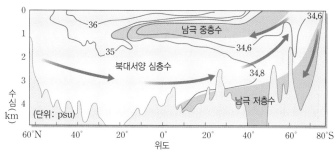

이에 대한 설명으로 옳은 것만을 보기에서 있는 대로 고른 것은?

보기
ㄱ. 북대서양 심층수는 남극 중층수보다 수온이 낮고 염분이 높다.
ㄴ. 남극 저층수는 남극 주변의 고염분에 의해 밀도가 커져 형성된다.
ㄷ. 심층 순환은 남북 간 에너지를 수송하여 지구의 열평형에 기여한다.

① ㄱ   ② ㄷ   ③ ㄱ, ㄴ   ④ ㄱ, ㄷ   ⑤ ㄱ, ㄴ, ㄷ

• 남극 주변에서 침강하는 심층수에는 중층수와 저층수가 있으며, 해수의 밀도에 따라 침강하는 깊이가 달라진다.

06 ❯심층 순환
그림은 전 세계 대양에서의 해수의 심층 순환과 표층 순환을 나타낸 것이다.
이에 대한 설명으로 옳은 것만을 보기에서 있는 대로 고른 것은?

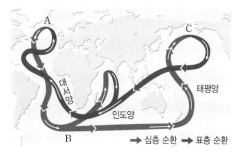

• 심층 순환은 표층 순환과 연결되어 있어서 상호 작용 한다.

보기
ㄱ. A에서 해수의 침강 속도가 느려지면 표층 순환의 흐름은 강해진다.
ㄴ. B에서는 심층 해수가 더 냉각되어 인도양과 태평양 해저로 흘러간다.
ㄷ. C에서는 해저를 따라 북상하던 심층수가 점차 상승하여 표층 순환과 연결된다.

① ㄱ   ② ㄴ   ③ ㄱ, ㄴ   ④ ㄴ, ㄷ   ⑤ ㄱ, ㄴ, ㄷ

07 › 연안 용승

그림은 어느 날 울산 앞바다의 표층 수온 분포를 나타낸 것이다.

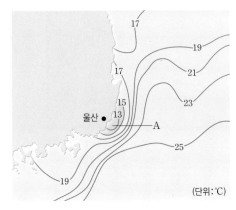

(단위:℃)

이날 **A** 해역에서 나타나는 현상으로 옳지 <u>않은</u> 것은?

① 안개가 자주 발생한다.

② 지속적으로 남풍이 불었다.

③ 해수의 침강 현상이 나타난다.

④ 해수 중의 영양 염류가 증가한다.

⑤ 표층 해수가 먼 바다 쪽으로 이동하였다.

• 해수의 용승이 일어나면 심층의 차가운 해수가 상승한다. 해수의 수온이 낮으면 기층이 안정되어 안개가 잘 나타난다.

08 › 적도 용승

그림은 저위도 해역에서 대기 대순환에 의해 지속적으로 부는 바람을 나타낸 것이다.
이에 대한 설명으로 옳은 것만을 보기에서 있는 대로 고른 것은?

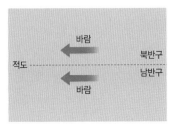

• 무역풍에 의해 표층 해수가 적도를 기준으로 반대 방향으로 이동하므로 표층 해수의 발산에 의해 적도 용승이 발생한다.

보기

ㄱ. 적도 부근 저위도 지방에 부는 바람은 무역풍이다.

ㄴ. 표층 해수가 적도를 기준으로 반대 방향으로 이동한다.

ㄷ. 적도 부근에서는 표층 해수의 침강 현상이 일어난다.

① ㄱ   ② ㄷ   ③ ㄱ, ㄴ   ④ ㄴ, ㄷ   ⑤ ㄱ, ㄴ, ㄷ

09 ❯ 용승 해역의 특징

그림은 태평양의 주요 용승 해역을 나타낸 것이다.

이에 대한 설명으로 옳은 것만을 보기에서 있는 대로 고른 것은?

보기
ㄱ. 용승 해역은 주위보다 표층 수온이 낮다.
ㄴ. A 해역은 무역풍과 편서풍의 작용으로 용승이 일어난다.
ㄷ. B 해역에서는 지속적으로 부는 남풍에 의해 용승이 일어난다.

① ㄱ   ② ㄷ   ③ ㄱ, ㄴ   ④ ㄴ, ㄷ   ⑤ ㄱ, ㄴ, ㄷ

● 용승 해역은 주변보다 해수의 온도가 낮아지며 대부분 지속적인 바람에 의해 일어난다.

10 ❯ 고기압에 의한 침강

그림은 북반구 어느 해역에서 바람이 지속적으로 부는 모습을 나타낸 것이다.
이에 대한 설명으로 옳은 것만을 보기에서 있는 대로 고른 것은?

바람

보기
ㄱ. 중심부에는 고기압이 분포한다.
ㄴ. 중심부 쪽으로 표층 해수가 이동한다.
ㄷ. 중심부 표층 해수의 수온은 낮아진다.

① ㄱ   ② ㄷ   ③ ㄱ, ㄴ   ④ ㄴ, ㄷ   ⑤ ㄱ, ㄴ, ㄷ

● 북반구의 고기압 중심부에서는 바람이 시계 방향으로 불어 나간다.

11 ❯ 엘니뇨의 발생 과정

그림은 열대 태평양에서 엘니뇨가 발생하는 과정을 나타낸 것이다.

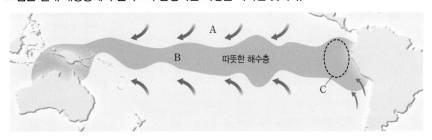

이에 대한 설명으로 옳은 것만을 보기에서 있는 대로 고른 것은?

보기

ㄱ. A는 무역풍으로, 평상시보다 강하게 분다.

ㄴ. B의 따뜻한 해수층은 평상시보다 동쪽으로 확장된다.

ㄷ. C에서는 용승 현상이 억제되고 표층 수온이 상승한다.

① ㄱ   ② ㄷ   ③ ㄱ, ㄴ   ④ ㄴ, ㄷ   ⑤ ㄱ, ㄴ, ㄷ

• 엘니뇨는 적도 부근에서 무역풍이 약화되면서 일어난다.

12 ❯ 엘니뇨와 날씨 변화

그림 (가)는 평상시 열대 태평양 상공의 워커 순환을, (나)는 엘니뇨 발생 시 표층 해수의 수온 분포를 나타낸 것이다. 평상시와 비교하여 엘니뇨 발생 시의 변화에 대한 설명으로 옳은 것만을 보기에서 있는 대로 고른 것은?

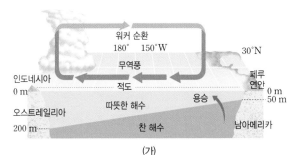

(가)

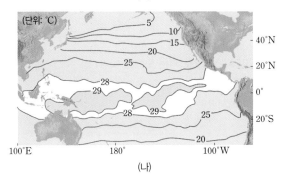

(나)

• 엘니뇨가 발생하면 수온의 변화에 따라 적도 부근의 기압 배치가 달라진다.

보기

ㄱ. 페루 연안의 강수량이 증가한다.

ㄴ. 오스트레일리아 일대에 분포하던 강수 구역이 평상시보다 발달한다.

ㄷ. 상승 기류가 발생하는 구역이 동쪽으로 이동하여 워커 순환의 모습이 달라진다.

① ㄴ   ② ㄷ   ③ ㄱ, ㄴ   ④ ㄱ, ㄷ   ⑤ ㄱ, ㄴ, ㄷ

13 ❯ 엘니뇨와 라니냐

그림 (가), (나)는 엘니뇨와 라니냐 발생 시 열대 태평양 해역의 수심에 따른 수온 분포를 순서 없이 나타낸 것이다.

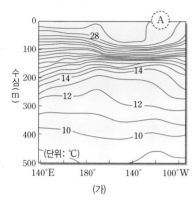
(가)

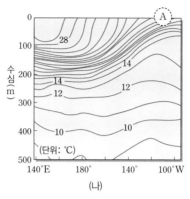
(나)

이에 대한 설명으로 옳은 것만을 보기에서 있는 대로 고른 것은?

보기
ㄱ. A 해역에서 표층 수온은 (가)가 (나)보다 높게 나타난다.
ㄴ. (가)는 엘니뇨 발생 시, (나)는 라니냐 발생 시의 수온 분포이다.
ㄷ. A 해역에서 (가) 시기에는 용승 현상이 활발하고, (나) 시기에는 침강 현상이 활발하다.

① ㄱ   ② ㄷ   ③ ㄱ, ㄴ   ④ ㄴ, ㄷ   ⑤ ㄱ, ㄴ, ㄷ

> 엘니뇨는 동태평양의 수온이 상승하는 경우이고, 라니냐는 동태평양의 수온이 평상시보다 낮아지는 경우이다.

14 ❯ 남방 진동
고난도

그림 (가)는 과거 약 60년 동안 적도 부근 동태평양 해역에서 관측한 남방 진동 지수(타히티의 기압−다윈의 기압)의 변화를, (나)는 다윈과 타히티의 위치를 나타낸 것이다.

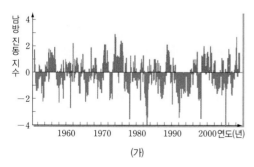
(가)

(나)

이에 대한 설명으로 옳은 것만을 보기에서 있는 대로 고른 것은?

보기
ㄱ. 남방 진동은 적도 해역의 기압 배치가 주기적으로 변하는 현상이다.
ㄴ. 남방 진동 지수는 엘니뇨 발생 시 (+), 라니냐 발생 시 (−)의 값으로 나타난다.
ㄷ. 엘니뇨 발생 시 표층 수온의 분포 변화에 따라 타히티 일대에 저기압이 형성된다.

① ㄴ   ② ㄷ   ③ ㄱ, ㄴ   ④ ㄱ, ㄷ   ⑤ ㄱ, ㄴ, ㄷ

> 엘니뇨가 발생하면 서태평양의 따뜻한 해수가 동쪽으로 이동하여 태평양의 중심부에 대규모의 저기압이 형성된다.

02 기후 변화

학습 Point 기후 변화의 원인 〉 지구의 복사 평형과 열수지 〉 지구 온난화와 기후 변화 〉 기후 변화의 전망과 대책

 기후 변화의 원인

지구 온난화가 진행되면 지구의 기온이 상승하여 여러 가지 지구 환경의 변화를 유발하게 된다. 이러한 환경의 변화는 상호 작용을 통해 전 지구적 변화를 일으킨다.

1. 기후

기상(날씨)은 그날그날의 비, 구름, 바람, 기온 상태를 나타내는 데 비해, 기후는 일정한 지역에서 해마다 평균적으로 되풀이되고 있는 대표할 만한 대기 상태를 일컫는다.

(1) 기후 요소와 기후 인자

① 기후 요소: 기후를 구성하는 요소로, 기온, 강수량, 풍향, 풍속, 습도, 구름의 양, 증발량, 일사량, 일조 시간, 기압 등이 있으며, 기후 인자의 영향을 강하게 받는다.

② 기후 인자: 특정 지역의 기후에 영향을 미치는 요인으로, 태양 복사 에너지의 강도와 위도 변화, 해양과 대륙의 분포, 해류, 산맥, 해발 고도 등이 있다.

(2) 기후의 구분: 지역이나 공간의 크기에 따라 대기후, 중기후, 소기후, 미기후로 구분한다.

① 대기후: 어느 한 나라와 같이 공간적으로 큰 지역의 기후로, 대기후의 특징을 결정하는 인자에는 위도, 큰 지형, 대륙과 해양의 분포 등이 있다.

② 중기후: 좁게는 수 km^2부터 넓게는 수천 km^2 면적에 나타나는 기후로, 마을이나 계곡, 산림 등을 포함한다.

③ 소기후: 좁은 범위 안에 나타나는 기후로, 수평적으로는 10 km, 수직적으로는 1 km의 범위 안에서 일어나는 기후 현상을 일컫는다.

④ 미기후: 지표면으로부터 지상 수 m 사이의 국소 지역의 기후를 뜻한다.

(3) 기후 시스템의 상호 작용

① 기후 시스템: 기후는 기권, 수권, 지권 등의 구성 요소의 상호 작용으로 결정되므로 일종의 시스템으로 볼 수 있어서 기후 시스템, 또는 기후계로 일컫는다.

② 기후 시스템의 상호 작용: 지구의 기후는 태양 복사 에너지에 의해 크게 좌우되지만 대기(기권), 해양과 빙하(수권), 식생(생물권), 토양과 암석(지권) 등 지구 시스템 각 영역의 모든 요소와 상호 작용하며 변화한다. 즉, 기후 변화는 어느 한 요소에 의하여 단독으로 일어나는 것이 아니라 상호 연관되어 있으므로 어느 한 요소가 변화하면 기후 시스템을 이루고 있는 요소 사이에 형성되어 있던 평형 관계가 무너져 기후 변화와 이상 기후 현상이 발생한다.

기상과 기후

기상은 특정한 시간, 특정한 장소에서의 대기 상태를 의미하고, 기후는 날마다의 기상 현상과 계절적인 기상 현상이 장시간 동안 축적된 것을 의미한다.

기후 요소 변화의 예

열대림과 같은 삼림 파괴가 계속될 경우 지표면의 반사율과 대기에 공급되던 증발산량이 변화하며, 식물의 광합성 작용이 감소하여 대기 중의 이산화 탄소의 양이 증가하므로 대기의 온도가 변화할 것이다. 그 결과 여러 가지 이상 기후 현상이 발생한다.

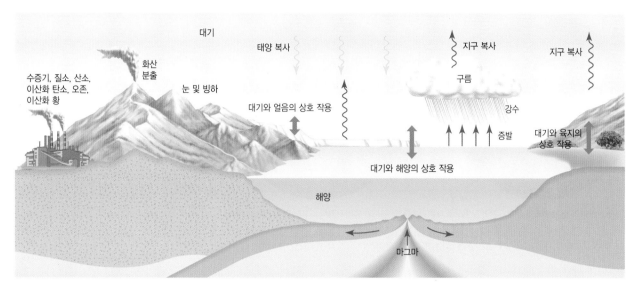

▲ 기후 시스템 구성 요소들의 상호 작용

2. 기후 변화의 원인

일정 지역에서 오랜 기간에 걸쳐 기후가 변화하는 현상을 기후 변화라고 한다. 유엔 기후 변화 협약(United Nations Framework Convention on Climate Change, UNFCCC)은 기후 변화를 '직접적 또는 간접적으로 전체 대기의 성분을 바꾸는 인간 활동에 의한, 그리고 비교할 수 있는 시간 동안 관찰된 자연적 기후 변동을 포함하는 변화'라고 정의하고 있다. 이러한 기후 변화의 원인에는 자연적 요인과 인간 활동에 의한 인위적인 요인이 있으며, 자연적 요인은 지구 내적 요인과 지구 외적 요인으로 구분할 수 있다.

⑴ **기후 변화의 자연적 요인:** 기후 변화의 자연적 요인은 인간의 활동이 아닌 지구의 구성 요소 및 지구에 영향을 주는 환경에 의한 자연적인 변화 요인들을 의미한다. 대기, 해양, 육지, 빙하, 생물권의 변화 등의 지구 내적 요인과, 지구의 자전과 공전 변화 등에 따른 지구 외적 요인으로 구분할 수 있다.

① **지구 내적 요인:** 기후 시스템 내의 상호 작용으로 발생하는 기후 변화 요인을 지구 내적 요인이라고 한다.

• **대륙과 해양의 분포 변화:** 대륙과 해양은 비열과 반사율이 다르므로, 대륙과 해양의 분포가 변하면 대기와 해수의 순환이 영향을 받아 기후가 변한다. 예를 들어, 대륙이 적도 지역에 주로 분포하면 태양 복사 에너지의 흡수량이 많아져 지구의 기온이 상승하고, 대륙이 극지방에 많이 분포하면 빙하의 면적과 눈이 쌓인 면적이 넓어져서 반사율이 증가하므로 지구의 기온이 하강한다. 대륙과 해양의 분포에 따라 해수의 순환이 달라져서 저위도에서 고위도로 수송되는 에너지양에도 변화가 생긴다. 초대륙의 형성 시기에는 해안 지역이었던 곳이 내륙으로 변하면서 건조한 기후가 되고, 판의 수렴으로 습곡 산맥이 형성되면서 지형의 고도가 상승하여 대기의 순환이 변화되어 기온이 상승하거나 하강하기도 한다. 이와 같이 대륙과 해양의 분포는 지구 표면을 구성하고 있는 판의 운동과 관계가 있으며, 판의 이동 속도가 매우 느리므로 오랜 시간에 걸쳐 천천히 기후 변화를 일으킨다.

대륙과 해양의 분포
고생대 말에 흩어져 있던 여러 대륙이 모여 판게아라는 초대륙을 형성하였고, 이는 중생대 초기부터 다시 갈라지기 시작하여 현재의 모습을 이루었다. 이 과정을 통해 지구의 기후는 끊임없이 변화해 왔다.

인도 대륙의 이동과 기후 변화
인도 대륙은 중생대 초까지 남극 대륙 근처에 위치하다가 북상하기 시작하여 신생대에는 북위 20° 부근까지 이동하였다. 그러므로 인도 대륙에는 빙하의 흔적과 열대 기후의 흔적이 동시에 나타나고 있다.

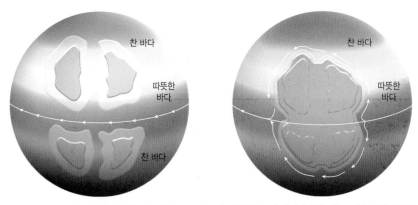

▲ **대륙과 해양의 분포 변화와 기후** 판의 운동으로 대륙과 해양의 분포가 달라지면서 기후도 계속 변화해 왔다.

• 지표면 상태의 변화: 지표면의 상태는 기후를 결정하는 매우 중요한 요인이다. 숲이 많은 지역은 사막 지역에 비하여 일교차가 작게 나타나며, 호수나 습지가 있는 지역은 그렇지 않은 지역에 비하여 습도가 높게 나타난다. 이와 같이 지표면의 상태는 기후에 영향을 주기 때문에 지표면 상태의 변화는 기후 변화의 원인으로 작용할 수 있다. 자연적 요인에 의한 지표면 상태의 변화는 대부분 긴 시간 동안 천천히 일어난다. 지구는 긴 지질 시대를 지나면서 지표면의 상태가 천천히 변화하였으며, 이에 따라 기후가 점진적으로 변화해 왔다. 최근에는 고위도의 대부분을 덮고 있던 빙하가 녹아 지표가 드러난 결과 태양 복사 에너지의 지표 반사율이 감소하여 기온 상승으로 이어졌는데, 이는 지표면 변화에 의한 기후 변화의 예이다.

• 대기 투과율의 변화: 대기 투과율이란 태양 복사 에너지가 대기를 통과하여 지표면에 도달하는 양의 비율을 의미하는 것으로, 대기 투과율은 대기의 상태에 따라 달라진다. 대기 투과율에 영향을 미치는 사례로 화산 폭발에 의해 방출되는 화산 분출물이 있다. 화산 분출물 중에서 입자가 작은 화산재는 성층권까지 올라가 넓은 지역으로 퍼져갈 수 있다. 이러한 화산재는 태양 복사 에너지의 투과를 방해하므로 지구의 반사율을 증가시키고 결과적으로 지구의 평균 기온을 낮춘다.

화산 분출물
화산에서 분출하는 화산 가스, 용암, 화산 쇄설물 등을 화산 분출물이라고 하며, 좁은 의미로는 화산 가스를 제외한 고형 분출물만을 화산 분출물이라고 하기도 한다.

피나투보 화산 폭발
필리핀 북쪽 루손 섬에 위치하는 피나투보 화산은 지난 1991년 6월 12일에 활동을 시작하여 2주에 걸쳐 수십 차례의 폭발을 일으켰다. 이때의 폭발로 이전에 있던 산봉우리가 사라지고, 그 자리에 지름 약 2 km의 칼데라가 생겼으며, 산의 높이도 약 1745 m에서 약 1485 m로 낮아지는 등 지형이 바뀌었다. 화산 주변의 많은 동식물이 죽거나 상처를 입었으며 생태계가 크게 변화하였다.

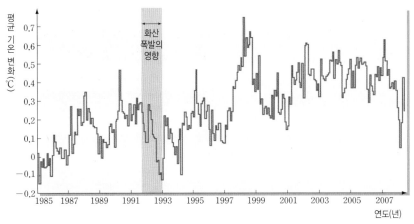

▲ **피나투보 화산 폭발에 의한 평균 기온 변화** 1991년 피나투보 화산 폭발로 분출한 화산재는 지상으로부터 약 40 km 높이의 성층권까지 치솟아 태양 복사 에너지가 지표에 도달하는 것을 방해하였는데, 이로 인해 지구 전체의 평균 기온이 약 0.5 ℃ 낮아졌다.

② 지구 외적 요인: 기후 변화를 일으키는 지구 외적 요인은 지구 시스템의 구조적 변화 또는 외부에서 영향을 주는 요인으로, 주로 지구의 자전과 공전 운동의 변화와 관련이 있으므로 천문학적 요인이라고도 한다.

• 지구 자전축의 세차 운동: 팽이가 돌다가 힘이 약해지면 팽이의 축이 회전 방향과 반대 방향으로 회전하는 것을 볼 수 있다. 이와 마찬가지로 지구도 자전축이 지구 공전 궤도의 축을 중심으로 약 26000년을 주기로 회전하면서 경사 방향이 바뀌는 운동을 하는데, 이를 지구 자전축의 세차 운동이라고 한다.

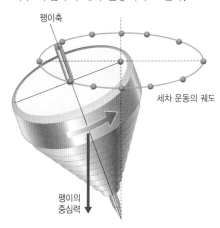

▲ **팽이의 세차 운동** 팽이를 돌릴 때 팽이의 회전 속도가 줄어들면 기울어진 팽이의 회전축이 돌면서 원뿔형의 운동을 한다.

▲ **지구 자전축의 세차 운동** 지구도 팽이와 마찬가지로 자전축이 원을 그리며 운동한다. 즉, 지구 공전 궤도의 축에 대하여 자전축이 일정한 주기로 원을 그리며 회전한다.

㉠ 세차 운동의 영향: 지구 자전축이 지구 공전 궤도의 축에 대하여 기울어진 채로 공전하는 현상은 계절 변화가 나타나게 하는 주요한 요인으로, 태양의 남중 고도 변화에 따라 계절 변화가 일어난다. 태양의 남중 고도가 높은 시기는 여름이고, 태양의 남중 고도가 낮은 시기는 겨울인데, 지구의 세차 운동으로 지구 자전축이 회전하여 지구 자전축의 경사 방향이 현재와 반대가 되면 여름과 겨울에 해당하는 위치가 반대가 된다.

㉡ 지구 자전축의 세차 운동과 계절 변화: 현재 지구의 북반구는 원일점에 위치할 때 여름이지만 약 13000년 후에는 근일점에 있을 때 여름이 된다. 따라서 약 13000년 후 북반구의 여름은 태양과 거리가 가까워지므로 여름의 평균 기온이 현재보다 상승할 것으로 예상할 수 있다.

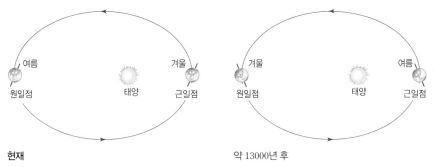

현재

약 13000년 후

▲ **지구 자전축의 세차 운동과 북반구의 계절 변화** 현재 지구의 북반구는 지구가 태양으로부터 가장 먼 원일점에 부근에 위치할 때 여름이지만 약 13000년 후에는 지구가 근일점에 있을 때가 여름이 된다.

지구 자전축의 세차 운동과 천구의 북극
현재 천구의 북극에 있는 별은 북극성이지만 지구 자전축의 세차 운동으로 약 13000년 후에는 직녀성이 천구의 북극에 위치하게 된다.

지구의 자전축과 계절 변화
지구는 자전축이 기울어진 상태로 태양 주위를 공전하기 때문에 계절 변화가 나타난다. 만약 지구의 자전축이 기울어지지 않았다면 계절 변화가 나타나지 않을 것이다.

원일점과 근일점
원일점은 태양의 둘레를 공전하는 행성이나 혜성이 태양으로부터 가장 멀리 떨어진 점이고, 근일점은 태양의 둘레를 공전하는 행성이나 혜성이 태양에 가장 가까이 위치하는 점이다.

• 지구 자전축의 기울기 변화: 지구 공전 궤도의 축에 대한 지구 자전축의 기울기는 약 41000년을 주기로 21.5°~24.5° 사이에서 변한다. 지구 자전축의 기울기가 변하면 위도에 따른 태양의 남중 고도가 달라지기 때문에 지표면에 도달하는 태양 복사 에너지양이 달라져 기후가 변한다. 현재 지구 자전축의 기울기는 약 23.5°인데, 지구 자전축의 기울기가 커지면 여름과 겨울에 태양의 남중 고도 차이가 더 커지므로 계절의 변화가 심해지며, 지구 자전축의 기울기가 작아지면 계절의 변화가 작아진다.

지구 자전축의 경사 변화

약 24.5°
약 23.5°
약 21.5°

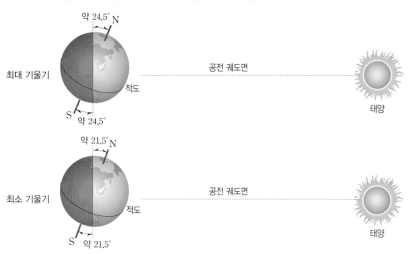

▲ **지구 자전축의 기울기 변화**

최대 기울기

약 24.5° N

적도

S 약 24.5°

공전 궤도면

태양

최소 기울기

약 21.5° N

적도

S 약 21.5°

공전 궤도면

태양

• 지구 공전 궤도 이심률 변화: 지구 공전 궤도는 태양을 하나의 초점으로 하는 타원 궤도이다. 이러한 타원 궤도의 납작한 정도를 이심률이라고 하는데, 지구 공전 궤도의 이심률은 약 10만 년을 주기로 0.005 ~ 0.058 사이에서 변하고 있다.

㉠ 지구 공전 궤도 이심률 변화와 태양 복사 에너지의 입사량 차이: 지구 공전 궤도 이심률이 달라지면 지구와 태양 사이의 거리가 달라져서 지구에 도달하는 태양 복사 에너지양이 달라진다. 현재 지구 공전 궤도 이심률은 약 0.017로, 북반구에서 근일점과 원일점의 태양 복사 에너지의 입사량은 약 7 % 차이가 난다. 그러나 이심률이 최대(0.058)가 되어 근일점과 원일점의 거리 차가 커지면 두 지점에서의 입사량은 약 20 % 차이 나게 된다.

㉡ 지구 공전 궤도 이심률 변화와 평균 기온 변화: 다른 조건의 변화가 없다고 가정할 경우 지구 공전 궤도 이심률이 현재보다 커지면 원일점에 위치할 때 지구는 태양으로부터의 거리가 더 멀어지므로 북반구 여름의 평균 기온이 내려가서 기온의 연교차가 작아지며, 반대로 이심률이 작아지면 기온의 연교차가 커진다.

이심률(e)

이심률이란 타원 궤도의 납작한 정도를 뜻한다. 태양을 돌고 있는 행성들의 공전 궤도는 타원으로, 이심률이 클수록 공전 궤도의 일그러진 정도가 심하다.

$$e = \sqrt{1 - \left(\frac{b^2}{a^2}\right)} \ (a: \text{장반경}, \ b: \text{단반경})$$

$e=0$일 경우: 완전한 원
$0<e<1$일 경우: 타원
$e=1$일 경우: 장반경이 무한인 납작한 타원 (포물선)

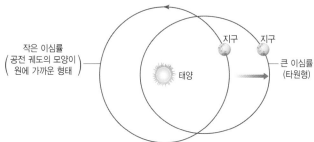

작은 이심률
(공전 궤도의 모양이 원에 가까운 형태)

지구 지구

큰 이심률
(타원형)

태양

▲ **지구 공전 궤도의 이심률 변화** 이심률이 커지면 태양으로부터 원일점까지는 멀어지고 근일점까지는 가까워진다.

• 태양 활동의 변화: 태양 표면의 흑점 수는 약 11년을 주기로 늘어나거나 줄어들기를 반복하는데, 흑점 수가 많을 때 태양 활동이 활발해진다. 그 예로 태양 활동이 활발해지면 태양의 대기인 코로나의 크기가 커지고 태양풍이 강해지는데, 이러한 현상이 일어날 때 흑점의 수가 증가한다. 역사적으로 흑점이 거의 관측되지 않는 시기에는 지구의 기온이 낮았으며, 흑점이 많은 시기에는 지구의 기후도 온난하였다는 상관 관계가 발견된다. 또 태양에서 방출하는 짧은 파장의 복사 에너지와 태양풍은 지구 상층 대기에 영향을 미치는데, 자외선의 양이 증가하면 열대 지방의 성층권 기온이 높아진다.

(2) **기후 변화의 인위적 요인:** 기후 변화의 인위적 요인에는 화석 연료 사용에 따른 이산화탄소 등의 온실 기체 배출, 인위적인 에어로졸 배출로 인한 태양 복사 에너지의 반사와 구름의 광학적 성질의 변화, 토지 이용 및 삼림의 변화 등에 의한 지표면의 상태 변화 등이 있다. 대기의 구성 성분과 지표면의 모습을 변화시키는 인간의 활동이 기후 시스템에 점점 큰 영향을 미치고 있다.

에어로졸(aerosol)
고체나 액체의 작은 방울이 기체 속에 흩어져 있는 것을 에어로졸이라고 하며, 지표에서 날아올라간 모래, 먼지, 해염 입자뿐만 아니라 공장이나 자동차로부터 배출된 입자들이 있다.

시야 확장 ⊕ 밀란코비치의 기후 변화 이론

세르비아의 밀란코비치는 지구 공전 궤도가 10만 년 주기로 원에서 타원으로 바뀌고, 지구 자전축의 기울기가 약 41000년의 주기로 $21.5°\sim24.5°$(현재는 $23.5°$) 사이에서 달라지며, 지구 자전축의 방향 또한 약 26000년 주기로 바뀌는데, 이러한 요인들이 통합적으로 작용하여 지구의 기후가 변화한다고 설명하였다.

밀란코비치는 이러한 세 가지 요인을 합성하여 변화의 주기 그래프를 만들었는데, 이를 밀란코비치 주기라고 한다. 밀란코비치는 계산을 통하여 과거 약 45만 년 동안의 기후 변동을 추정하였고, 1976년 심해 퇴적물의 연구를 통해 밀란코비치의 계산 결과가 실제 지구의 기후 변화 주기와 일치한다는 사실이 밝혀졌다.

밀란코비치(Milanković, M., 1879~1958)
세르비아(옛 유고슬라비아)의 지구 물리학자이자 수학자로, 기후 변화를 지구 궤도의 변화와 연관시키는 밀란코비치 주기로 잘 알려져 있다. 그의 학설은 기후학자인 쾨펜과 베게너 등에게도 영향을 미쳤다.

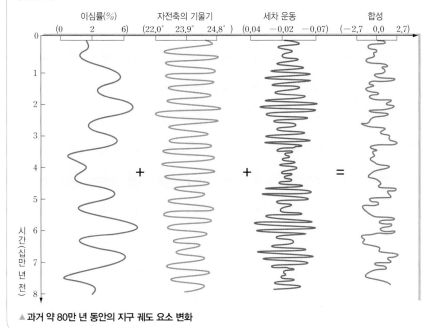

▲ 과거 약 80만 년 동안의 지구 궤도 요소 변화

지구의 복사 평형과 열수지

지구는 태양 복사 에너지를 받고 지구 복사 에너지를 방출하는데, 이 과정에서 지구 대기에 의한 온실 효과가 나타나며 생명체가 살기 적절한 환경이 만들어진다. 지구가 외부로부터 받은 에너지와 방출하는 에너지가 평형을 이루면서 지구의 기온은 일정하게 유지되어 왔다.

1. 온실 효과

지구의 대기는 외권으로부터 들어오는 태양 복사 에너지를 쉽게 통과시키고 지표에서 방출하는 지구 복사 에너지의 일부를 흡수하여 지표로 재방출하는 과정에서 열을 가두어 지구 표면의 온도를 높이는 역할을 한다. 이렇게 지구의 대기에 의해 지구 표면의 평균 온도가 높게 유지되는 현상을 온실 효과(Greenhouse Effect)라고 한다.

(1) 온실 효과의 원리

① 대기가 없는 경우: 태양 복사 에너지가 입사하는 낮에는 지표면의 온도가 급격히 상승하지만 일몰 후 밤이 되면 지구 복사 에너지가 방출되어 지표면의 온도가 급격히 하강한다.

② 대기가 있는 경우: 파장이 짧은 태양 복사 에너지는 대기를 통과하여 지표면에 도달하지만, 파장이 긴 지구 복사 에너지는 지구 대기에 의해 흡수되었다가 지표면과 우주 공간으로 재방출된다. 이것이 대기에 의한 온실 효과이며, 이 과정에서 대기의 재복사에 의해 지구의 평균 온도가 대기가 없는 경우보다 더 높게 유지된다.

대기가 없다고 가정할 경우   대기에 의한 온실 효과

▲ **지구 대기의 온실 효과**

(2) 온실 기체: 지표면이 방출하는 적외선을 흡수하여 온실 효과를 일으키는 기체를 온실 기체라고 한다.

① 이산화 탄소(CO_2): 동물이나 식물의 호흡을 통하여 배출되고 화석 연료가 연소할 때 발생한다.

② 수증기(H_2O): 온실 효과를 일으키며, 계절과 위도에 따라 농도가 다르다.

③ 메테인(CH_4): 유기물의 부패나 발효로 발생하며, 석유, 천연가스, 석탄의 주성분이다.

④ 기타: 공장과 자동차에서 주로 배출되는 이산화 질소(NO_2), 이산화 황(SO_2), 오존층의 파괴 물질로 알려진 염화 플루오린화 탄소(CFCs) 등도 온실 효과의 요인으로 작용한다.

(3) 온실 효과의 역할: 지구는 온실 효과를 통해 약 15 ℃의 일정한 평균 기온을 유지하면서 생명체가 살기 적절한 환경이 조성된다. 온실 효과가 없는 경우에는 평균 기온이 약 −18 ℃로 내려가고 표면 온도의 일교차가 매우 커지므로 지구 상에 생명체가 살기 어렵다.

단파 복사와 장파 복사

태양은 표면 온도가 약 5800 K에 이르므로 적외선뿐만 아니라 X선, 자외선, 가시광선 영역 등의 에너지를 방출하고(단파 복사), 지구는 표면 온도가 약 288 K밖에 되지 않으므로 적외선 영역의 에너지만 방출한다(장파 복사).

주요 온실 기체의 기여도

이산화 탄소는 1 ppm당 온실 효과의 기여도는 적지만 다른 온실 기체에 비하여 대기 중의 농도가 높으므로 온실 효과에 미치는 영향이 가장 크다. 수증기는 지역에 따라 강수와 증발을 통해 자연적으로 조절되므로 인위적인 온실 효과의 변화 요인에 해당하지 않는다.

온실 기체	온실 효과 기여도(%)
수증기(H_2O)	36~70
이산화 탄소(CO_2)	9~26
메테인(CH_4)	4~9
오존(O_3)	3~7

2. 지구의 복사 평형과 열수지

(1) **복사 평형:** 지구는 태양으로부터 에너지를 받으며, 이 에너지는 지구에서 여러 가지 기상 현상을 통하여 순환하면서 대기, 해양, 육지, 생물 등에 영향을 미친다. 순환을 마친 에너지는 다시 우주로 방출되어 지구의 에너지 출입이 열적 평형을 이루는데, 이를 지구의 복사 평형이라고 한다.

(2) **지구의 열수지:** 지구는 태양으로부터 에너지를 받은 만큼 우주로 방출하면서 에너지 평형을 이루고 있다. 이때 지구에서 출입하는 에너지의 관계를 지구의 열수지라고 한다.

① **태양 복사 에너지의 흡수:** 지구에 입사하는 태양 복사 에너지양을 100 %라고 한다면 이 중에서 50 %는 지표면에 흡수되고 20 %는 기권에서 흡수되며, 나머지 30 %는 지표면과 구름에서 반사되거나 대기 중에서 산란되어 우주 공간으로 방출된다. 따라서 실질적으로 지구가 흡수하는 태양 복사 에너지양은 70 %가 된다. 그런데 지구가 방출하는 복사 에너지는 모두 우주 공간으로 빠져나가지 못하고 대기 중의 온실 기체에 흡수되고, 대기는 흡수한 에너지를 우주 공간과 지표면으로 재방출한다.

② **지표면과 대기의 열수지:** 지구에 도달하는 태양 복사 에너지를 100 %라고 할 때 지표면은 태양으로부터 50 %를 받고 대기로부터 103 %를 받아 총 153 %의 에너지를 흡수하며, 지표면의 복사 에너지로 123 %, 잠열 20 %, 대류와 전도 10 %로 대기로 방출함으로써 에너지 평형을 이룬다. 대기는 태양으로부터 20 %, 지표면으로부터 147 %를 받아 총 167 %의 에너지를 흡수하고, 우주 공간으로 64 %, 지표면으로 103 %를 재방출함으로써 에너지 평형을 이룬다.

③ **지구 전체의 열수지:** 지구 전체로 볼 때는 태양으로부터 70 %의 에너지를 흡수하고, 다시 70 %(지표의 복사 6 %＋대기의 복사 64 %)의 에너지를 우주 공간으로 방출하여 에너지 출입이 열적 평형을 이룬다. 이를 통해 지구 평균 온도가 오랜 시간 동안 일정하게 유지되어 왔다.

반사율

지구에 입사하는 태양 복사 에너지의 일부는 대기와 구름, 지표면에서 반사 또는 산란되어 다시 우주 공간으로 방출된다. 이와 같이 지구에 흡수되지 않고 우주로 방출되는 에너지의 양을 반사율 또는 알베도(albedo)라고 하며, 지구의 경우는 반사율이 약 30 %이다.

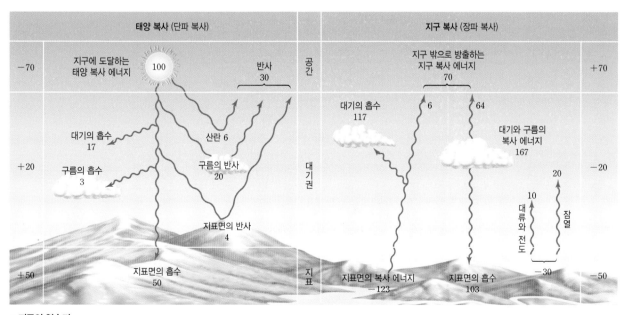

▲ **지구의 열수지**

③ 지구 온난화와 기후 변화

산업화 이후 자원의 소비가 늘면서 지구 시스템 구성 요소의 상호 작용이 인위적으로 파괴되고, 그 결과 지구 환경에 이상 기후 변화가 나타나고 있다. 그 중 가장 대표적인 것으로 지구 온난화 현상을 들 수 있다.

1. 지구 온난화

대기 중 온실 기체의 양이 증가하여 지구에서 방출하는 지구 복사 에너지가 대기에 갇히는 온실 효과가 강화된 결과로 지구의 평균 기온이 상승하는 현상을 지구 온난화라고 한다.

(1) **지구 온난화의 원인:** 지구 온난화의 원인은 여러 가지가 있지만 그 중 가장 큰 원인은 인위적인 요인에 의해 대기 중 온실 기체의 양이 급격히 증가하여 대기가 흡수하는 지구 복사 에너지양이 증가하기 때문인 것으로 추정한다.

(2) **지구 온난화의 과정**

① 대기 중 이산화 탄소의 증가와 지구 온난화: 온실 효과를 일으키는 온실 기체 가운데 대기 구성 비율이 가장 높은 것은 수증기이고, 이산화 탄소의 대기 구성 비율은 약 0.03 %에 불과하다. 그러나 이산화 탄소는 지구 온난화를 일으키는 데 큰 역할을 하고 있는 것으로 추정된다. 이산화 탄소는 대기 중에서 동식물의 호흡 등을 통하여 자연적으로도 발생하지만, 산업 혁명 이후 화석 연료의 과다한 사용으로 대기 중 농도가 크게 높아졌고 숲이나 습지, 갯벌의 무분별한 개발로 생물권에서 기권의 이산화 탄소를 이전만큼 저장하지 못하여 대기 중에서 이산화 탄소가 차지하는 비율이 크게 증가하였기 때문이다.

지구 온난화를 일으키는 초기 원인

지구는 온실 효과를 통해 일정한 온도를 유지해 오고 있는데, 인간의 활동으로 대기 조성이 변하면서 온실 효과가 강화되어 지구 온난화 현상이 나타나게 되었다. 화석 연료의 과다 사용과 삼림의 무분별한 벌채는 지구 온난화를 일으키는 대표적인 인간 활동이다.

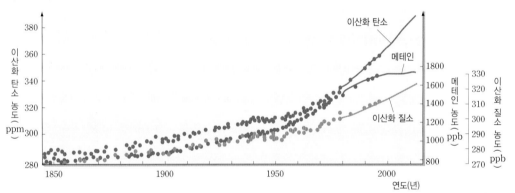

▲ **지구의 평균 온실 기체 농도 변화**

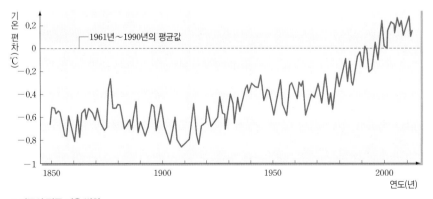

▲ **지구의 평균 기온 변화**

② 지구 온난화와 해수의 수온 및 해수면 높이 상승: 지구의 기온이 상승하면 해수의 수온이 상승하고, 그 결과 해수의 기체 용해도가 감소하므로 해수에 녹아 있던 이산화 탄소가 대기로 방출되어 지구 온난화가 더욱 가속화된다. 또한 해수의 수온이 상승하면 열팽창에 의해 해수의 부피가 증가하므로 해수면의 높이가 상승한다.

③ 지구 온난화와 빙하 면적의 변화: 지구의 기온이 상승하면 극지방과 고산 지대의 빙하가 녹아 해양으로 유입됨으로써 해수면이 상승한다. 그 결과 해안 지역의 저지대가 침수되고, 생태계에 큰 변화가 나타난다. 또 빙하 면적이 감소하면 지표면에서 태양 복사 에너지의 반사율이 낮아지고, 지표면은 태양 복사 에너지를 더욱 많이 흡수하여 지구 온난화가 더 빠르게 진행된다.

④ 지구 온난화와 이상 기상 현상: 지구의 기온이 상승하면 해수의 증발량이 증가하여 대기의 수증기량이 늘어나므로 이상 기상 현상이 빈발하게 된다.

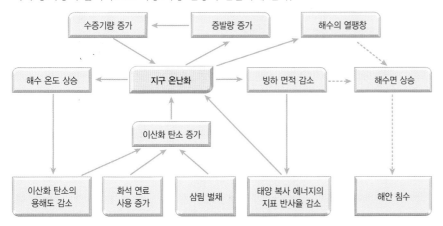

▲ **지구 온난화와 기후 요소의 변화** 대기 중 이산화 탄소의 농도는 화석 연료의 연소와 삼림 벌채 등으로 더욱 상승하고 있다. 대기 중 이산화 탄소의 농도 상승으로 지구의 기온이 상승하는 지구 온난화가 심화되고, 이는 빙하 감소를 통한 해수면 상승이나 여러 가지 기상 변화로 이어져 지구 기후 요소의 변화를 초래하고 있다.

시야확장 ➕ 지구 온난화의 되먹임 작용

되먹임(feedback)은 한 시스템에서 어떤 일로 인해 발생한 결과가 다시 원인에 영향을 미치는 작용을 의미한다. 이는 상황의 어느 한 변화가 더 큰 다른 변화를 부르는 양의 되먹임(positive feedbacks)과, 상황의 변화를 진정시키는 음의 되먹임(negative feedbacks)으로 나누어 생각할 수 있다.

기후 시스템에서의 지구 온난화 과정도 양의 되먹임 작용과 음의 되먹임 작용이 나타난다. 즉, 지구 평균 기온이 상승하면 극지방의 온도가 높아져 빙하의 면적이 감소하므로 지표의 반사율이 낮아지고, 그 결과 태양 복사 에너지의 흡수량이 증가하여 지구 온난화가 강화되는 양의 되먹임 작용이 일어난다. 한편, 지구의 평균 기온이 상승하면 해수 온도가 높아져 해수의 증발이 활발해지므로 구름이 많이 생성되고, 그 결과 알베도가 높아지므로 지구로 들어오는 태양 복사 에너지를 반사시켜 지구 온도를 낮추는 음의 되먹임 작용이 일어난다고도 볼 수 있다.

▲ **극지방 빙하의 용융** 기온 상승으로 극지방의 빙하 면적이 감소하면 지표의 반사율이 낮아지고 태양 복사 에너지의 흡수량이 증가하여 지구 온난화가 강화되는 양의 되먹임 작용이 일어난다.

2. 지구 온난화와 지구 환경 변화

지구 온난화가 진행되면 지구의 기온이 상승하여 여러 가지 지구 환경의 변화를 유발한다. 이러한 환경의 변화는 단지 하나의 결과에만 영향을 미치는 것이 아니라 지구 시스템의 각 권이 상호 작용하므로 지속적인 악순환을 통하여 전 지구적인 변화를 일으킨다.

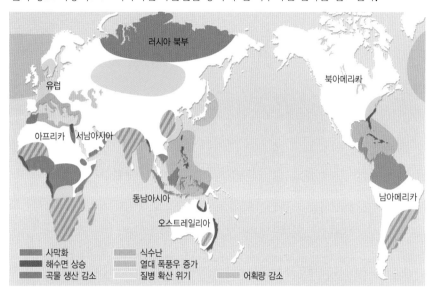

사막화	식수난
해수면 상승	열대 폭풍우 증가
곡물 생산 감소	질병 확산 위기	어획량 감소

▲ **2050년 지구 환경 변화** 지구의 기온이 현재와 같은 속도로 상승한다고 가정할 때 2050년의 지구 환경 변화를 나타낸 것이다. 러시아 북부 등지에서는 사막화가 증가하고, 동남아시아에서는 열대 폭풍우에 의한 피해가 증가할 것으로 예상된다.

3. 우리나라의 기후 변화

탐구 124쪽

(1) **평균 기온 변화와 강수량 변화:** 우리나라의 평균 기온은 지구 평균에 비하여 더욱 급격하게 상승하고 있으며, 강수량과 호우 일수도 증가하고 있다.

① 평균 기온의 변화: 기상청에서 발간한 최근의 한국 기후 변화 평가 보고서에 따르면 우리나라의 연평균 기온은 1954년~1999년에는 0.23 ℃/10년, 1981년~2010년에는 0.41 ℃/10년, 2001년~2010년에는 0.5 ℃/10년으로 점차 증가하고 있다.

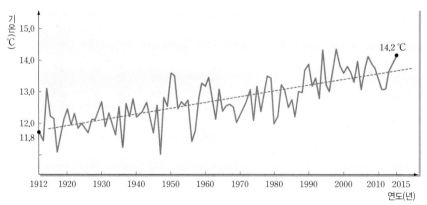

▲ **한반도의 연평균 기온 변화** 6개 지점(서울, 부산, 인천, 강릉, 목포, 대구)을 기준으로 하는 연평균 기온 변화를 나타낸 것으로, 해마다 평균 기온이 상승하는 추세임을 알 수 있다. 우리나라의 30년간 연평균 기온은 1.4 ℃ 상승하였는데, 전 세계는 0.8 ℃ 상승한 것에 비해 우리나라의 평균 기온 상승 폭이 더 크다.

② 연평균 강수량의 변화: 지난 1981년에 비하여 30년이 지난 2010년에는 한반도의 연평균 강수량이 77.6 mm 증가하였는데, 이는 연평균 강수량의 약 7 % 수준이다. 특히 호우 일수는 최근 10년 간 28일로 종전 20일보다 증가한 것으로 나타났다.

(2) **기후 변화의 영향**: 지구 온난화로 인한 우리나라의 기후 변화는 다양한 분야에 영향을 미친다.

① 각 계절의 길이 변화: 우리나라는 여름이 길어지고 겨울은 짧아지고 있으며, 남쪽 지역에서만 재배할 수 있던 농작물을 고위도 지역에서도 재배할 수 있게 되었다.

▲ 우리 나라의 계절 길이 변화 예상

② 해수의 수온과 해수면 높이 상승: 우리나라 주변 바다의 수온(동해)은 지난 100년 동안 약 1.2 ℃ ～ 1.6 ℃ 상승하였는데, 이는 지구 평균 수온 상승률(0.85 ℃)의 약 2배에 해당한다. 해수면(제주) 역시 지난 40년간 약 22 cm 상승하였는데, 이는 지구 평균 해수면 높이 상승률(1.4 mm/년)의 약 4배에 해당한다.

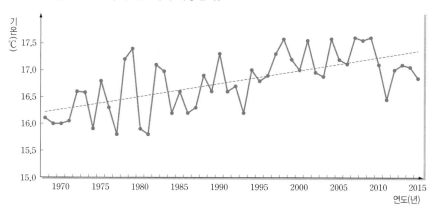

▲ **우리나라 부근 바다의 표층 수온 변화** 지난 1968년～2015년 동안 우리나라 부근 바다의 표층 수온은 황해 1.20 ℃, 남해 0.91 ℃, 동해 1.39 ℃, 전체 평균 약 1.11 ℃ 상승하였다. 우리나라 주변 바다의 표층 수온은 지속적으로 상승하고 있으며, 상승 추세는 전 세계 평균 수온 상승률의 약 2배에 이른다.

③ 악기상 발생 빈도 증가: 열대야(일 최저 기온 25 ℃ 이상)가 100년마다 4 ～ 10일씩 증가하고 있으며, 태풍의 중심 기압이 지난 10년 간 7 hPa 감소한 것으로 나타나 태풍의 강도가 증가하고 있는 추세이다. 또 태풍과 집중 호우 등으로 인한 피해액이 10년마다 3.2배씩 증가하는 것으로 나타나고 있다.

기후 변화가 우리나라 농업에 미치는 영향
농작물 재배지가 변화할 뿐만 아니라 집중 호우 일수 증가 등의 이상 기상으로 농업 기반 시설의 피해가 급증하고 있으며, 아열대성 병해충의 유입으로 농작물 피해가 증가하고 있다.

▲ **기후 변화에 따른 농작물 재배지의 변화**

▲ **우리나라 부근 바다의 해수면 높이 변화** 지난 1989년～2016년 동안 우리나라 부근 바다의 해수면을 관측한 결과 제주 부근에서 가장 높이 상승하였고, 동해안과 남해안, 서해안 순으로 나타났다.

기후 변화의 전망과 대책

대기 중 이산화 탄소의 증가는 어느 하나의 결과에만 영향을 미치는 것이 아니고 지구 시스템의 구성 요소 모두에 영향을 미친다. 그러므로 지구상의 모든 국가와 개인이 문제를 인식하고 이산화 탄소의 배출량을 줄이기 위해 노력해야 한다.

1. 기후 변화의 전망

(1) **미래 기후 전망:** 정부 간 기후 변화 협의체(IPCC)는 대기 중 이산화 탄소 농도 증가가 지구 온난화의 주요 원인이며, 산업화(1750년) 이후 인간 활동에 의해 대기 중 이산화 탄소의 농도가 약 40 % 증가하였다고 밝혔다. IPCC는 온실 기체 중 이산화 탄소를 현재와 같은 추세로 배출하여 대기 중 이산화 탄소의 농도가 2100년 936 ppm에 이를 경우(RCP 8.5) 2081년~2100년의 지구 평균 기온은 지난 1986년~2005년에 비해 약 3.7 ℃ 상승하고, 해수면은 약 63 cm 상승할 것으로 전망하고 있다. 그러나 만약 이산화 탄소 배출량을 감축하여 대기 중 농도가 2100년 538 ppm으로 낮출 수 있다면(RCP 4.5) 평균 기온은 약 1.8 ℃, 해수면은 약 47 cm 정도로 상승폭이 완화될 것으로 전망하고 있다.

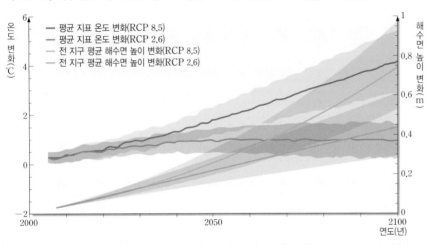

▲ 대표 농도 경로(RCP)에 따른 평균 지표 온도 변화와 평균 해수면 높이 변화 전망(1986년~2005년 대비)

(2) **한반도의 미래 기후 변화 전망:** 온실 기체 중 이산화 탄소를 현재와 같은 추세로 배출할 경우 2071년 ~ 2100년에 한반도는 지난 1981년 ~ 2010년보다 평균 기온이 약 5.7 ℃ 상승하고, 폭염 일수는 현재 한반도 전체 평균 7.3일에서 30.2일로 한 달 가량 늘어날 것으로 전망된다. 남한보다 북한에서 기온, 폭염, 열대야, 호우 일수가 더욱 증가할 것으로 예상되는데, 북한의 평균 기온 상승률이 더 높아서 평양은 현재 제주도 서귀포의 16.6 ℃와 평균 기온이 비슷해질 것으로 예상된다. 강원도 산간 등 일부 산간 지역을 제외한 남한 대부분의 지역과 황해도 연안까지 아열대 기후로 변화할 것이다.

2. 기후 변화 방지 대책

대기 중 이산화 탄소 등의 온실 기체의 농도 변화가 기후 변화를 일으키는 지구 온난화의 주요 원인이다. 최근에는 유엔 기후 변화 협약을 통해 지구 온난화 문제를 국제적으로 해결하기 위해 노력하고 있다.

정부 간 기후 변화 협의체(IPCC, Intergovernmental Panel on Climate Change)

1988년 세계기상기구(WMO)와 국제연합 환경프로그램(UNEP)이 공동으로 기후 변화 문제에 대처하고자 설립한 기구로, 1990년 1차 보고서를 시작으로 5년~6년 간격으로 지금까지 4차례의 기후 변화 평가 보고서를 발간했다. 2013년에는 약 6년간 130여 개국 약 2500명의 과학자가 참여하여 기후 변화의 과학적 근거를 제시한 5차 보고서를 발표하였다. 5차 보고서는 온실 기체 배출량을 기반으로 하는 기존의 기후 변화 시나리오 대신 새로운 온실 기체 시나리오인 대표 농도 경로(RCP 시나리오)를 도입하였다.

대표 농도 경로(RCP, Representative Concentration Pathway)

주로 온실 기체의 영향만을 고려하였던 기존 시나리오와는 달리 토지 이용 변화에 따른 영향까지 포함하는 기후 변화 대응 정책을 연계한 시나리오이다. 줄여서 RCP 시나리오라고도 한다. 온실 기체에 따른 지구 온난화를 전망하기 위해서는 대기 중 온실 기체의 농도에 따라 구분하여 미래 기후를 예측할 필요가 있다. 그러므로 IPCC 5차 평가보고서(2013년)에서는 온실 기체 감축 정책 이행에 따라 이산화 탄소의 농도를 4개로 구분 및 분석하여 RCP 시나리오를 작성하였다.

•RCP 2.6: 온실 기체 배출량을 당장 적극적으로 감축하는 경우
•RCP 4.5: 온실 기체 저감 정책이 상당히 실현되는 경우
•RCP 6.0: 온실 기체 저감 정책이 어느 정도 실현되는 경우
•RCP 8.5: 현재와 같은 추세로 온실 기체가 배출되는 경우

⑴ **기후 변화 방지를 위한 국제적 노력:** 지구 차원의 환경 보호를 위해 세계 각국은 환경 협약을 체결하고 환경 보호에 대한 국가별 의무와 노력을 규정하고 있다.

① 몬트리올 의정서(1987년): 오존층의 보호를 목적으로 오존층 파괴 물질인 염화 플루오린화 탄소(CFCs) 등의 사용을 규제하는 협정이다. 1974년부터 오존층 파괴 물질의 사용 규제에 관한 논의가 시작되었고 이후 약 10년에 걸쳐 환경 전문가와 정부 간 협의를 통하여 이어 1987년 9월 몬트리올 의정서가 정식으로 채택되었고, 1989년 1월부터 발효되었다. 1992년 11월 덴마크의 코펜하겐에서 열린 제4차 가입국 회의에서는 규제 대상 물질이 20종에서 95종으로 확대되었으며, 우리나라는 1992년 5월에 가입하였다.

② 기후 변화에 관한 유엔 기본 협약(1992년): 이산화 탄소, 메테인, 염화 플루오린화 탄소 등 온실 기체의 방출을 제한하여 지구 온난화를 방지하기 위한 국제 협약으로, 1992년 브라질 리우데자네이루에서 정식 체결되었기 때문에 리우 협약이라고도 한다. 이 협약은 그동안 온실 기체를 많이 방출해 온 선진국들의 우선적 감축을 정하고 있으나, 각국의 온실 기체 배출에 제약을 가하거나 구속력이 없는 선언적 성격이었다.

③ 교토 의정서(1997년): 리우 협약의 수정안으로, 이 의정서를 인준한 국가는 이산화 탄소를 포함한 여섯 종류의 온실 기체의 배출량을 감축하며, 배출량을 줄이지 않는 국가에 대하여 비관세 장벽을 적용한다. 1997년 12월 11일에 일본 교토에서 개최된 지구 온난화 방지 교토 회의(COP3) 제3차 당사국 총회에 채택되었으며, 2005년 2월 16일 발효되었다.

④ 파리 유엔 기후 변화 협약 당사국 총회(2015년): 지구 온난화를 대비하여 전 세계 195개국 정상들이 2015년 프랑스 파리에서 열린 기후 변화 국제 회의에 참석하여 채택한 협정으로, 이 협약의 주요 목적은 산업화 이전과 비교하여 지구 평균 온도의 상승폭을 2100년까지 2 ℃ 미만 수준으로 유지하고, 궁극적으로 1.5 ℃까지 제한하고자 하는 것이다. 파리 협약 역시 기존 협약과 마찬가지로 법적 구속력을 가지지 않으나, 주요 선진국을 대상으로 온실 기체 배출 감축 의무와 감축 목표량을 제시했던 기존 체제와 달리 참여 국가가 자율적으로 감축 목표량을 설정할 수 있도록 정하여 협약 이행의 공감대를 높이고자 하였다.

⑵ **기후 변화 방지를 위한 개인과 사회의 노력:** 지구 온난화를 방지하기 위해서는 화석 연료의 소비를 줄이는 것이 가장 중요하다. 이를 위해서는 각 개인은 에너지를 절약하고 자원을 소중하게 이용해야 한다. 나아가 농지 및 택지 개발을 위한 무분별한 삼림 벌채 및 삼림 파괴를 최소화하고, 가축 방목을 줄이며 가능한 한 나무를 많이 심어 숲을 조성하여 대기 중 이산화 탄소의 농도를 낮추기 위해 노력해야 한다.

① 전 세계 주요 국가의 기후 변화 대응: 미국은 태양광 발전 등을 통한 재생 에너지 보급 확대 등 2030년까지 3억 t의 이산화 탄소 배출 감축을 위한 주요 시책을 발표하였고, 독일은 바이오메테인의 활용 방안을 모색하고 있다. 중국은 이산화 탄소 배출이 적고 청정한 석탄 연소 방식인 지하 석탄 가스화 기술의 산업화를 시도하는 등 전 세계의 여러 나라는 재생 에너지 보급과 탄소 배출 저감을 위해 다양한 정책과 기술 개발을 시행하고 있다.

② 우리나라의 기후 변화 대응: 우리나라에서는 태양 전지, 연료 전지, 바이오 연료 등의 사용을 통해 온실 기체의 배출을 줄이고, 이미 배출된 온실 기체는 화학 연료 등으로 전환 또는 재활용하며, 기후 변화에 따른 시민의 생활과 산업을 보호하기 위해 기후 변화 대응 기술을 개발하는 노력을 국가적으로 기울이고 있다.

유엔 사막화 방지 협약(UNCSQ)
사막화는 자연적인 기후 변동이나 인간의 활동으로 기존의 사막이 확대되는 현상이다. 국제 연합 사막화 방지 협약은 이러한 사막화를 방지하기 위한 것으로, 공식 명칭은 '심각한 가뭄 또는 사막화를 겪고 있는 아프리카 지역 국가 등 일부 국가들의 사막화 방지를 위한 국제 연합 협약'이다. 기후 변화에 관한 유엔 기본 협약(UNFCCC), 생물 다양성 협약(UNCBD)과 더불어 유엔 3대 환경 협약에 속한다. 1994년 파리에서 채택되었으며, 사막화 피해 지역에 재정적·기술적 측면의 국제적 지원을 통한 사막화 방지 및 지구 환경 보호를 목표로 한다. 우리나라는 1999년에 회원국이 되었다.

바이오메테인(Biomethane)
유기물(Biomass)로부터 얻는 메테인으로, 화석 연료 대비 온실 기체 배출을 80 %까지 감축 가능하며, 기존 천연가스 배관망 사용이 가능하여 초기 투자비가 낮다는 장점이 있다.

관측 자료를 활용하여 한반도의 기후 변화 경향성 해석하기

지구의 과거 기온 변화 자료를 수집, 분석하여 지구 온난화의 진행 여부를 판단하고, 미래의 지구 환경 변화를 설명할 수 있다.

과정

1 한반도에서 현재까지의 기온 변화 자료를 조사하여 기온 변화 추이를 분석한다.

2 우리나라의 온실 기체 배출량이 현재와 같은 RCP 8.5일 때를 가정하여 미래의 기온 변화 경향성을 조사한다.

3 온대 기후와 아열대 기후의 특징을 조사하여 비교하고, 우리나라의 기후가 아열대 기후로 변하게 되면 주요 작물의 재배지와 어종에는 어떤 변화가 나타나는지 조사한다.

RCP 8.5
RCP 8.5는 온실 기체 배출량의 감축 없이 현재와 같은 추세로 온실 기체를 배출한다는 시나리오이다.

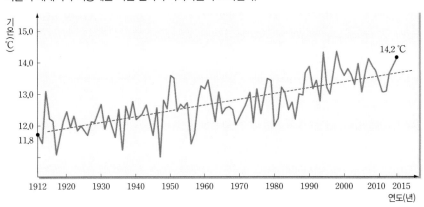

▲[자료1] 한반도의 연평균 기온 변화

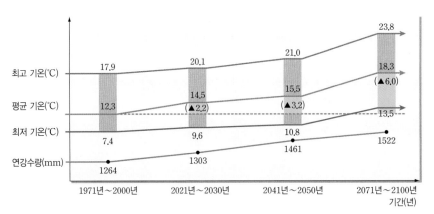

▲[자료2] 우리나라 온도와 강수량 변화 경향성(RCP 8.5일 때)

- 연평균 기온은 16 ℃~18 ℃, 연강수량이 1600 mm 이상이다.
- 온대 기후가 사계절이 뚜렷한 것에 비해 아열대 기후는 봄·가을이 짧고 우기와 건기로 나뉘는 특징이 있다.
- 여름철 장마 전선에 따른 소나기가 많은 온대 기후에 비해 강수량이 봄과 여름으로 분산된다.

▲[자료3] 아열대 기후의 특징

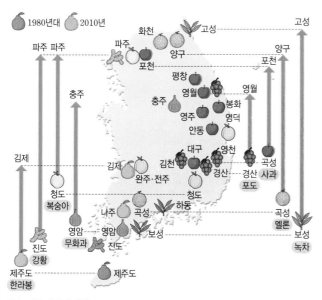

주요 작물 재배지 변화

황해				동해				남해		
1980년대(%)		2010년대(%)		1980년대(%)		2010년대(%)		1980년대(%)		2010년대(%)	

갈치	17.9	멸치류	14	노가리	22.2	오징어	52.6	쥐치	17.9	멸치류	25.9
동죽	6.3	굴류	9.2	오징어	14.5	붉은 대게	10.2	멸치류	13	고등어	17.9
꽃게	6	꽃게	8.2	명태	13.9	청어	5.1	정어리	11.5	오징어	11.4

주요 어획 어종 변화

▲ [자료4] 우리나라 주요 작물의 재배지와 어종의 변화

결과

• [자료 1], [자료 2]의 경향성으로부터 우리나라는 세계 평균보다 기온 상승 폭이 크고, 현재와 같은 추세로 갈 때 기온 상승 폭은 더 증가할 것으로 예상된다.
• [자료 3]과 [자료 4]로부터 이러한 기온 상승의 경향성이 유지되면 우리나라는 아열대 기후의 특성을 띠게 될 것이다.

정리

• 우리나라는 온대 기후에서 아열대 기후로 바뀌고 있다.
• 우리나라의 기후가 변화하면서 주요 작물의 재배지가 북상하고 어종이 변화하고 있다.

▶ **탐구 확인 문제**

〉 정답과 해설 **166**쪽

01 현재 추세대로 온실 기체가 배출될 경우 우리나라의 평균 기온과 연강수량은 어떻게 변화할지 서술하시오.

02 우리나라에서 최근 기후 변화에 의해 주요 작물 재배지가 어떻게 변하고 있는지 서술하시오.

02 기후 변화

① 기후 변화의 원인

1. 기후 변화의 자연적 요인   지구 내적 요인과 지구 외적 요인으로 구분할 수 있다.
- 지구 내적 요인: 기후 시스템 내의 상호 작용으로 발생하는 기후 변화 요인을 일컫는다.
  ㉠ 대륙과 해양의 분포 변화: (❶   )의 운동에 의하여 대륙과 해양의 분포가 변하면 대기와 해양의 순환에 영향을 미쳐 기후가 변한다.
  ㉡ 지표면 상태의 변화: 지표면의 상태는 기후에 영향을 주므로 오랜 기간에 걸쳐 지표면의 상태가 변하면 기후 상태도 변하게 된다.
  ㉢ 대기 투과율의 변화: 태양 복사 에너지가 대기를 통과하여 지표면에 도달하는 양의 비율을 대기 투과율이라고 하며, 대기 투과율은 (❷   )의 상태에 따라 달라지고 이는 기후의 변화에 영향을 미친다.
- 지구 외적 요인: 기후 변화를 일으키는 지구 외적 요인은 지구 외부에서 기후 변화에 영향을 주는 요인으로, 주로 지구의 자전과 공전 운동의 변화와 관련이 있으므로 (❸   ) 요인이라고도 한다.
  ㉠ 지구 자전축의 세차 운동: 지구의 자전축이 약 26000년을 주기로 기울어진 팽이처럼 회전하는 운동으로, 세차 운동의 결과 지구 자전축의 (❹   )이 바뀐다.
  ㉡ 지구 자전축의 기울기 변화: 지구 자전축의 기울기가 변하면 각 위도에서 받는 (❺   )이 변한다.
  ㉢ 지구 공전 궤도의 이심률 변화: 지구 공전 궤도의 이심률이 커지면 원일점과 근일점의 거리 차이가 커지므로 기후의 변화가 생긴다.

2. 기후 변화의 인위적 요인   화석 연료의 사용에 따른 이산화 탄소 배출 등 인간 활동이 기후 시스템에 영향을 미쳐 기후가 변화하고 있다.

② 지구의 복사 평형과 열수지

1. 온실 효과   지구의 대기는 파장이 짧은 (❻   ) 복사 에너지는 잘 통과시키지만 파장이 긴 (❼   ) 복사 에너지는 흡수했다가 방출함으로써 지표면의 온도를 상승시켜 일정하게 유지하는데, 이러한 작용을 온실 효과라고 한다.

2. 지구의 복사 평형과 열수지   지구는 태양으로부터 받은 에너지와 방출하는 지구 복사 에너지의 양이 같은 (❽   )을 이루고 있으며 이때 출입하는 에너지의 관계를 열수지라고 한다.

③ 지구 온난화와 기후 변화

1. 지구 온난화   대기 중 온실 기체의 양이 증가하여 지구에서 방출하는 지구 복사 에너지가 대기에 갇히는 (❾   )가 강화된 결과 지구의 평균 기온이 상승하는 현상을 지구 온난화라고 한다.

2. 지구 온난화와 지구 환경 변화   지구 온난화로 기온이 상승하면 전 지구적인 환경 변화가 일어난다.

3. 우리나라의 기후 변화   각 계절의 길이 변화, 태풍의 발생 증가, 평균 기온과 평균 수온 및 해수면 상승 등의 변화가 나타난다.

④ 기후 변화의 전망과 대책

1. 기후 변화의 전망
- 이산화 탄소를 현재와 같은 추세로 배출할 경우 지구 평균 기온이 크게 상승하고 해수면도 상승할 것이며, 이산화 탄소 배출량을 감축할 경우 평균 기온과 해수면의 상승폭을 다소 낮출 수 있을 것이다.
- 한반도의 미래 기후 변화 전망: 이산화 탄소를 현재와 같은 추세로 배출할 경우 남한 대부분과 북한의 일부 지역은 (❿   ) 기후로 변화할 것이다.

2. 지구 온난화 방지 대책   지구 온난화를 방지하기 위해서는 화석 연료의 소비를 줄여 (⓫   )의 배출량을 감축하는 것이 가장 중요하다. 또 농지 및 택지 개발을 위한 무분별한 삼림 벌채 및 삼림 파괴를 최소화하고, 가축 방목을 줄이며 나무를 많이 심어 숲을 조성하는 것이 좋다.

01 다음은 지구 기후 변화의 자연적 요인 중 지구 내적 요인의 한 가지에 대한 설명이다. 무엇에 대한 설명인지 쓰시오.

태양 복사 에너지가 대기를 통과하여 지표면에 도달하는 양의 비율을 의미하는 것으로, 대기의 상태에 따라 달라진다.

02 그림은 지구 공전 궤도를 나타낸 것이다.

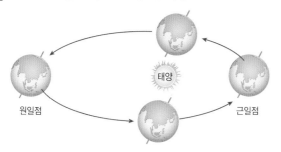

지구 공전 궤도의 이심률이 현재보다 2배 더 커질 때 우리나라에서 나타날 수 있는 변화로 옳은 것만을 보기에서 있는 대로 고르시오. (단, 공전 궤도 이심률 이외의 요인은 변하지 않는다고 가정한다.)

보기
ㄱ. 여름과 겨울의 시기가 바뀐다.
ㄴ. 낮과 밤의 길이가 달라진다.
ㄷ. 기온의 연교차가 작아진다.

03 다음은 지구의 온실 효과가 일어나는 과정을 나타낸 것이다.

태양 복사 에너지의 대부분을 차지하는 (㉠)은 파장이 짧아 지구 대기를 통과하지만, 주로 파장이 긴 (㉡)으로 구성된 지구 복사 에너지는 지구 대기에 잘 흡수됨으로써 온실 효과가 나타난다.

빈칸에 알맞은 내용을 각각 쓰시오.

04 그림은 복사 평형을 이루고 있는 지구의 열수지를 나타낸 것이다.

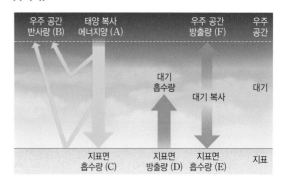

이에 대한 설명으로 옳은 것은 ○, 옳지 않은 것은 ×로 표시하시오.

(1) A는 F의 양과 같다. ································· ( )
(2) B는 반사율이라고 한다. ······················· ( )
(3) C와 D를 합한 값은 E와 같다. ·············· ( )

05 그림은 지구 온난화가 진행되는 과정을 나타낸 것이다.

A와 B에 알맞은 내용을 각각 쓰시오.

06 지구 온난화를 방지하기 위한 대책으로 적절한 것만을 보기에서 있는 대로 고르시오.

보기
ㄱ. 가축 사육의 방목화
ㄴ. 삼림 훼손 방지 및 삼림 조성
ㄷ. 화석 연료의 대체 에너지 개발
ㄹ. 매연 감소 장치 및 탈황 장치 설치

01 ▶기후 시스템의 상호 작용

다음은 필리핀 피나투보 화산 분출 당시의 특징과 화산 분출 전후의 지구 평균 기온 변화를 나타낸 것이다.

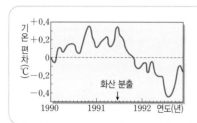

- 1991년 6월 12일에 피나투보 화산은 화산 분출물을 격렬하게 뿜어내기 시작했고, 주변에는 화산재가 섞인 강한 비가 내렸다.
- 많은 양의 화산재가 성층권까지 도달하여 지구 전체로 확산되었다.

이에 대한 설명으로 옳은 것만을 보기에서 있는 대로 고른 것은?

┌─ 보기 ──────────────────────────────
ㄱ. 화산 분출은 지권과 기권의 상호 작용이다.
ㄴ. 화산 분출의 결과로 대기의 투과율이 높아졌다.
ㄷ. 화산 분출은 지권, 기권, 수권 및 생물권에 모두 영향을 준다.
└────────────────────────────────────

① ㄴ   ② ㄷ   ③ ㄱ, ㄴ   ④ ㄱ, ㄷ   ⑤ ㄱ, ㄴ, ㄷ

- 대기 투과율은 태양 복사 에너지가 지구의 대기를 투과하는 비율이다.

02 ▶지구 자전축의 기울기 변화

그림 (가)는 현재의 지구 자전축의 기울기를, (나)는 현재를 기준으로 과거와 미래의 지구 자전축의 기울기 변화를 나타낸 것이다.

(가)

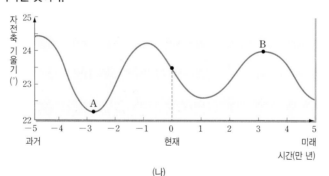

(나)

이에 대한 설명으로 옳은 것만을 보기에서 있는 대로 고른 것은? (단, 지구 자전축 기울기 이외의 요인은 변하지 않는다고 가정한다.)

┌─ 보기 ──────────────────────────────
ㄱ. A 시기에 우리나라는 현재보다 여름이 더 더웠을 것이다.
ㄴ. B 시기에 우리나라는 기온의 연교차가 현재보다 커질 것이다.
ㄷ. A 시기보다 B 시기에 지구에 도달하는 태양 복사 에너지양이 많다.
└────────────────────────────────────

① ㄱ   ② ㄴ   ③ ㄱ, ㄷ   ④ ㄴ, ㄷ   ⑤ ㄱ, ㄴ, ㄷ

- 지구 자전축 경사의 변화는 위도에 따른 태양의 남중 고도를 변하게 한다.

03 ❯ 지구 공전 궤도의 변화

그림은 지구 공전 궤도의 이심률 변화를 나타낸 것이다.

지구의 공전 궤도가 원에서 타원으로 변할 때 나타날 수 있는 현상에 대한 설명으로 옳은 것만을 보기에서 있는 대로 고른 것은? (단, 지구 공전 궤도 이심률 이외의 요인은 변하지 않는다고 가정한다.)

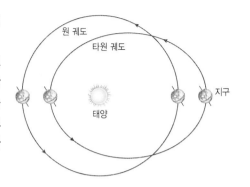

• 지구 공전 궤도가 변하면 지구와 태양 사이의 거리가 변하게 된다.

┌─ 보기 ─────────────────────────────────┐
ㄱ. 북반구의 여름은 겨울보다 짧아진다.
ㄴ. 북반구의 여름은 평균 기온이 낮아진다.
ㄷ. 우리나라에서는 밤이 길어지고 낮이 짧아진다.
└──┘

① ㄱ   ② ㄴ   ③ ㄱ, ㄷ   ④ ㄴ, ㄷ   ⑤ ㄱ, ㄴ, ㄷ

04 ❯ 기후 변화의 천문학적 요인

그림 (가)~(다)는 지구 자전축의 변화를 예상하여 현재와 비교하여 나타낸 것이다.

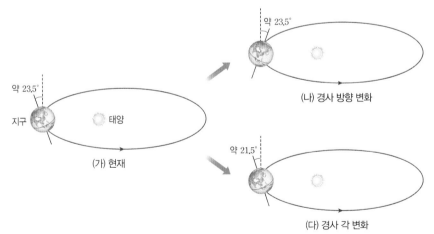

• 세차 운동은 지구 자전축의 방향 변화를 일으키며, 자전축의 경사 변화는 태양의 남중 고도의 변화를 일으킨다.

이에 대한 설명으로 옳은 것만을 보기에서 있는 대로 고른 것은? (단, 자전축 변화 이외의 요인은 변하지 않는다고 가정한다.)

┌─ 보기 ─────────────────────────────────┐
ㄱ. (나)는 세차 운동의 결과이다.
ㄴ. (나)일 때 북반구의 여름은 (가)일 때보다 더워진다.
ㄷ. (다)일 때 우리나라에서 기온의 연교차는 (가)일 때보다 작아진다.
└──┘

① ㄱ   ② ㄷ   ③ ㄱ, ㄴ   ④ ㄱ, ㄷ   ⑤ ㄱ, ㄴ, ㄷ

05 ⟩ 지구의 열수지
그림은 복사 평형을 이루고 있는 지구의 열수지를 나타낸 것이다.

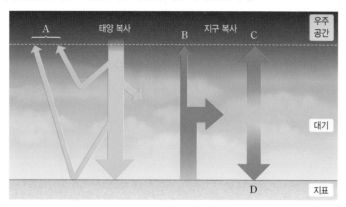

• 지구는 흡수하는 에너지양과 방출하는 에너지 양이 같은 복사 평형 상태이며, 지구 온난화가 진행되면 대기와 지표에서 흡수·방출하는 에너지양이 증가한다.

이에 대한 설명으로 옳은 것만을 보기에서 있는 대로 고른 것은?

보기
ㄱ. A는 지구에 흡수되지 못하는 태양 복사 에너지이다.
ㄴ. (B+C)의 값은 지구가 흡수한 태양 복사 에너지양과 같다.
ㄷ. 지구 온난화가 진행되면 B와 C의 양이 모두 증가한다.
ㄹ. 지구 온난화가 진행되어도 (C+D)의 값은 변함이 없다.

① ㄱ, ㄴ　　　② ㄱ, ㄷ　　　③ ㄴ, ㄷ　　　④ ㄴ, ㄹ　　　⑤ ㄷ, ㄹ

06 ⟩ 지구 온난화의 진행 과정
그림은 지구 온난화가 일어나는 과정의 일부를 나타낸 것이다.

• 지구 온난화는 대기 중 이산화 탄소의 증가에 의해 발생하며, 이로 인해 2차적으로 이산화 탄소가 발생하여 지구 온난화가 가속화된다.

이에 대한 설명으로 옳은 것만을 보기에서 있는 대로 고른 것은?

보기
ㄱ. A에는 화석 연료의 과다한 사용이 포함될 수 있다.
ㄴ. B에는 수온 상승에 따른 기체의 용해도 증가가 포함될 수 있다.
ㄷ. C에는 극지방이나 고산 지대의 빙하가 녹는 현상이 포함될 수 있다.

① ㄴ　　　② ㄷ　　　③ ㄱ, ㄴ　　　④ ㄱ, ㄷ　　　⑤ ㄱ, ㄴ, ㄷ

▶지구 온난화

07 그림은 빙하에 포함된 기체 성분 분석과 실제 관측을 통해 구한 대기 중 이산화 탄소의 농도를 나타낸 것이다.

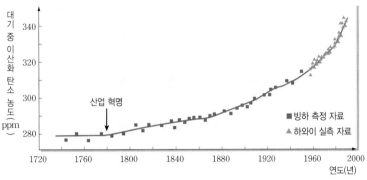

• 지구 온난화가 진행되면 해수의 수온이 높아져서 기체의 용해도가 감소한다.

이에 대한 설명으로 옳은 것만을 보기에서 있는 대로 고른 것은?

보기
ㄱ. 산업 혁명 이후 화석 연료의 사용이 꾸준히 증가하였다.
ㄴ. 지구 온난화의 진행 속도는 최근 가속화되고 있다.
ㄷ. 대기 중 이산화 탄소 농도가 높아지면 해수에서 방출되는 이산화 탄소양이 감소한다.

① ㄴ   ② ㄷ   ③ ㄱ, ㄴ   ④ ㄱ, ㄷ   ⑤ ㄱ, ㄴ, ㄷ

08 ▶지구 온난화와 계절의 변화
그림은 1920년부터 2000년대까지 측정한 기온 자료를 바탕으로 미래 우리나라의 계절 변화를 예측한 것이다.

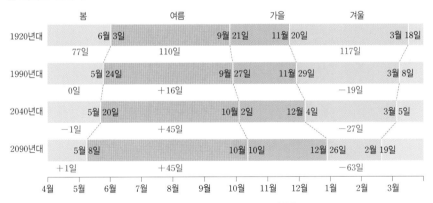

• 지구 온난화가 진행되면 우리나라의 기후는 아열대 기후로 변화할 것이다.

이에 대한 설명으로 옳은 것만을 보기에서 있는 대로 고른 것은?

보기
ㄱ. 지구 자전축 기울기 감소의 결과이다.
ㄴ. 우리나라의 연평균 기온이 계속 상승할 것이다.
ㄷ. 앞으로 우리나라의 겨울이 점점 더 짧아질 것이다.

① ㄱ   ② ㄷ   ③ ㄱ, ㄴ   ④ ㄴ, ㄷ   ⑤ ㄱ, ㄴ, ㄷ

09 > 지구 온난화

그림은 IPCC 5차 보고서에 수록된 전 지구적인 해수면 변화와 예측 값의 범위를 나타낸 것이다.
이에 대한 설명으로 옳은 것만을 보기에서 있는 대로 고른 것은?

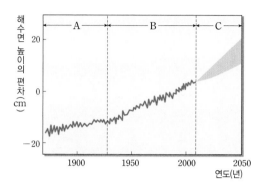

• 해수면의 높이 변동은 지구 온난화에 의한 해수의 수온 상승에 따른 부피 팽창 및 해빙과 관련이 있다. 강수량과 증발량은 물의 순환에 의해 조절되므로 해수면의 높이 변화와 관련이 없다.

보기
ㄱ. A 시기보다 B 시기에 해수면이 상승한 것은 강수량 증가 때문이다.
ㄴ. A → B 시기를 지나면서 극지방에 분포하는 빙하의 면적이 감소하였다.
ㄷ. 화석 연료의 사용량을 현재와 같이 유지하면 해수면의 상승은 멈출 것이다.

① ㄱ   ② ㄴ   ③ ㄱ, ㄴ   ④ ㄴ, ㄷ   ⑤ ㄱ, ㄴ, ㄷ

고난도
10 > 온실 기체와 배출원

표는 온실 기체의 배출원과 온실 기체별 지구 온난화 지수를 나타낸 것이다.

배출원	발생하는 온실 기체	온실 기체	지구 온난화 지수
농업 폐기물, 축산 폐기물	메테인	이산화 탄소(CO_2)	1
비료 사용	이산화 질소	메테인(CH_4)	21
에너지 사용	이산화 탄소	이산화 질소(N_2O)	310
산업 공정	이산화 탄소, 이산화 질소	수소 플루오린화 탄소 (HFCs)	150~11700
가정용, 산업용 에어컨 냉매, 자동차 에어컨 냉매	과플루오린화 탄소, 수소 플루오린화 탄소, 육플루오린화 황	과플루오린화 탄소 (PFCs)	6500~9200
		육플루오린화 황(SF6)	23900

• 지구 온난화에 영향을 주는 정도는 지구 온난화 지수에 대기 중 온실 기체의 양을 고려해야 한다.

이에 대한 설명으로 옳은 것만을 보기에서 있는 대로 고른 것은?

보기
ㄱ. 같은 양일 경우 지구 온난화에 가장 큰 위험 물질은 화석 연료에서 나온다.
ㄴ. 지구 온난화를 방지하기 위해서는 지구 온난화 지수가 큰 물질을 우선적으로 감축해야 한다.
ㄷ. 온실 기체 배출량 감축을 위해서는 대체 에너지 개발과 화학 비료 및 에어컨 냉매의 대체 물질 개발이 시급하다.

① ㄱ   ② ㄷ   ③ ㄱ, ㄴ   ④ ㄱ, ㄷ   ⑤ ㄴ, ㄷ

쿠로시오 해류

　해수의 성질을 좌우하는 것은 수온과 염분이며, 이 2가지 물리량의 변화에 영향을 주는 가장 큰 요인이 해류이다. 표층 해수가 일정한 방향으로 흐르는 큰 흐름을 해류라고 하며, 우리나라에 가장 많은 영향을 주는 해류는 쿠로시오(黑潮, Kuroshio) 해류이다.

　역사적으로 쿠로시오 해류의 존재가 알려진 것은 상당히 오래되었는데, 문헌상에는 1782년 일본에서 간행된 『해도풍토기(海島風土記)』에 처음 나타난다. 해양 관측이 본격화 된 20세기에 들어와 1925년경부터 일본 해군과 기상청에서 관측을 실시하였으나 제2차 세계대전의 영향으로 충분한 연구가 이루어지지 못하였다. 쿠로시오 해류에 관한 본격적인 조사는 1950년 이후부터 이루어졌으며, 현재 대서양의 멕시코 만류 다음으로 규모가 큰 해류로서 세계의 해류 가운데 가장 많이 관측되고 있는 해류 중 하나이다.

　쿠로시오라는 이름은 검은 해류라는 뜻으로서, 연안수가 황색 띠를 띠며 외양의 흐름이 암흑색으로 보이는 것에서 유래한 것이다. 쿠로시오 해류는 저위도에서 고위도로 북상하는 난류로서 수온이 높아 용존 산소량이 적고, 이에 따라 식물성 플랑크톤이 적기 때문에 해수의 투명도가 높다. 해수의 투명도가 높으면 빛의 산란이나 반사가 적어지고 빛의 투과성이 높아지기 때문에 쿠로시오 해류는 다른 해류에 비해 검푸른색을 띤다.

　쿠로시오 해류는 폭이 약 100 km이고 해류의 깊이는 약 3000 m로, 북태평양에서 시계 방향으로 순환하는 아열대 순환의 일부를 이룬다. 쿠로시오 해류의 원천인 필리핀 동쪽 해상에서 북쪽으로 이동하며 타이완을 지나 동중국해로 들어와서 일본 오키나와 서쪽의 대륙붕 외연을 따라 북상하다가 다시 태평양으로 나오는데, 그 중 일부가 오키나와 서쪽에서 갈라져

대마(쓰시마) 난류와 제주 난류를 형성하여 동해와 황해로 북상하면서 우리나라에 영향을 미친다.

　쿠로시오 해류의 세기는 계절에 따라 차이를 보이는데 5월~8월에 가장 강하고 늦여름과 가을에 약화되며, 1월~2월에 강해지다가 이른 봄에 다시 약해진다. 해수면의 온도는 여름에 약 30 ℃, 겨울에 20 ℃ 이하이며, 해수면의 염분은 여름에 약 34.8 psu, 겨울에 34 psu 이하이다.

　쿠로시오 해류는 때로는 뱀이 기어가는 것처럼 꾸불꾸불한 모양의 흐름을 보이는데, 이를 '사행(蛇行)한다'라고 한다. 사행의 안쪽은 북쪽의 해수로 구성되므로 주위의 쿠로시오 해류에 비해 온도가 낮은 지역이 형성되는데, 이를 '냉수괴(冷水塊)'라고 한다. 이 냉수괴의 지름은 200 km나 되므로 연안의 수온을 떨어뜨리고 어장을 변화시키기도 한다.

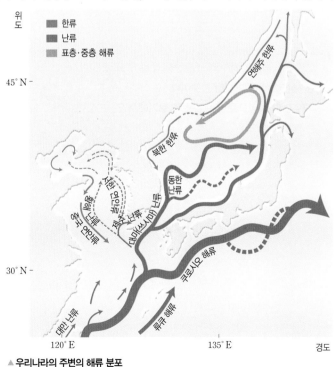

▲ 우리나라의 주변의 해류 분포

01 ▷ 대기의 대순환과 해류
그림은 북반구의 대기 대순환을 나타낸 것이다.

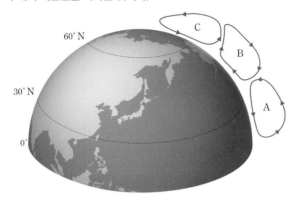

• 대기는 열적 순환과 지구의 자전에 의해 3개의 순환 세포로 나누어진다.

이에 대한 설명으로 옳은 것만을 보기에서 있는 대로 고른 것은?

보기
ㄱ. A와 B 순환으로 인해 지상에는 각각 무역풍과 편서풍이 나타난다.
ㄴ. A와 B 순환은 북태평양 해수의 아열대 순환을 일으키는 원동력이 된다.
ㄷ. A~C 순환은 위도별 태양 복사 에너지의 입사량 차이와 지구 자전에 의해 형성된다.

① ㄱ　　　② ㄷ　　　③ ㄱ, ㄴ　　　④ ㄴ, ㄷ　　　⑤ ㄱ, ㄴ, ㄷ

02 ▷ 세계의 표층 순환
그림은 태평양의 해수의 표층 순환과 주요 표층 해류 A ~ C를 나타낸 것이다.
이에 대한 설명으로 옳은 것만을 보기에서 있는 대로 고른 것은?

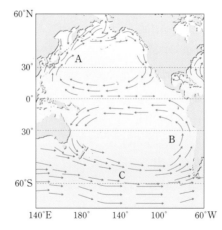

• 남극 순환 해류는 남극 주변에서 서쪽에서 동쪽으로 이동하는 해류이다.

보기
ㄱ. A는 난류이고, B는 한류이다.
ㄴ. 해류 A ~ C는 아열대 순환에 포함된다.
ㄷ. C는 극동풍에 의해 형성된 남극 순환 해류이다.

① ㄱ　　　② ㄷ　　　③ ㄱ, ㄴ　　　④ ㄴ, ㄷ　　　⑤ ㄱ, ㄴ, ㄷ

03 > 우리나라 주변의 해류

그림은 우리나라 주변의 해류를 나타낸 것이다. 이에 대한 설명으로 옳은 것만을 보기에서 있는 대로 고른 것은?

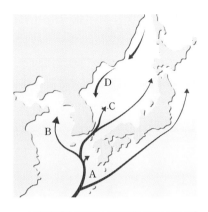

• 우리나라 주변 해역은 쿠로시오 해류와 연해주 한류 등의 영향을 받는다.

> **보기**
>
> ㄱ. 해류 A는 수온이 높은 난류이다.
>
> ㄴ. 해류 B와 C의 특성은 해류 A의 영향을 받는다.
>
> ㄷ. 해류 C와 D가 만나는 해역은 겨울보다 여름에 고위도에서 나타난다.

① ㄱ   ② ㄷ   ③ ㄱ, ㄴ   ④ ㄴ, ㄷ   ⑤ ㄱ, ㄴ, ㄷ

04 > 심층 순환

그림은 해수의 표층 순환과 심층 순환을 나타낸 것이다.

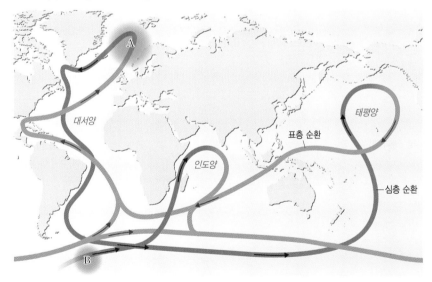

• 해수가 침강하는 곳은 수온이 낮거나 염분이 높아서 해수의 밀도가 높은 곳이다.

이에 대한 설명으로 옳지 <u>않은</u> 것은?

① A는 북대서양 심층수가 형성되는 곳이다.

② B는 남극 주변에서 차가워진 해수가 침강하는 곳이다.

③ A와 B에서 해수의 침강 속도가 느려지면 표층 순환도 느려진다.

④ A와 B에서 해수 침강의 주된 요인은 높은 염분으로 인한 해수의 밀도 증가이다.

⑤ A와 B에서 침강한 해수는 인도양과 북태평양에서 상승하여 표층 순환과 연결된다.

05 › 밀도류
그림 (가)는 지중해와 북대서양 사이에 위치한 지브롤터 해협의 위치를, (나)는 지브롤터 해협에서 해수 흐름과 염분을 나타낸 것이다.

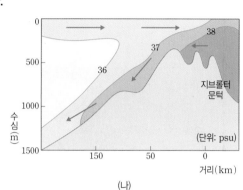

(가)   (나)

• 심층수 중에서 가장 밀도가 큰 것은 남극 대륙 주변에서 침강한 남극 저층수이다.

이에 대한 설명으로 옳은 것만을 보기에서 있는 대로 고른 것은?

보기
ㄱ. 지중해는 북대서양에 비해 해수의 밀도가 높다.
ㄴ. 북대서양의 해수는 표층을 따라 지중해로 유입된다.
ㄷ. 지중해의 해수는 북대서양의 밑으로 침강하여 저층수를 형성한다.
---

① ㄴ   ② ㄷ   ③ ㄱ, ㄴ   ④ ㄱ, ㄷ   ⑤ ㄱ, ㄴ, ㄷ

06 › 용승
그림은 북반구 어느 지역의 동쪽 해안에서 남풍이 지속적으로 불고 있는 모습을 나타낸 것이다.
이 해안 지역에 나타날 수 있는 현상으로 적절한 것만을 보기에서 있는 대로 고른 것은?

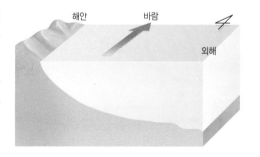

• 북반구에서는 바람이 부는 방향의 오른쪽 직각 방향으로 표층 해수가 이동한다.

보기
ㄱ. 표층 해수는 외해로 이동한다.
ㄴ. 안개가 자주 끼고 날씨가 서늘하다.
ㄷ. 수온이 상승하여 적조 현상이 나타난다.
---

① ㄱ   ② ㄷ   ③ ㄱ, ㄴ   ④ ㄱ, ㄷ   ⑤ ㄴ, ㄷ

07 › 적도 용승

그림은 적도 해역에서 무역풍이 나란하게 불고 있는 모습을 나타낸 것이다.

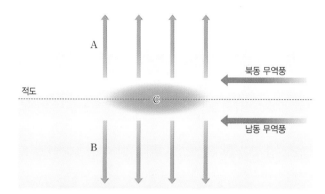

• 적도 부근에서는 무역풍에 의한 표층 해수의 이동 방향이 서로 반대 방향이다.

이에 대한 설명으로 옳은 것만을 보기에서 있는 대로 고른 것은?

보기
ㄱ. A는 북반구에서 무역풍에 의한 표층 해수의 이동 방향이다.
ㄴ. A와 B의 방향이 다른 것은 전향력이 작용하는 방향이 다르기 때문이다
ㄷ. C에서는 표층 해수의 발산에 따른 용승 현상이 일어나 수온이 낮아진다.

① ㄴ   ② ㄷ   ③ ㄱ, ㄴ   ④ ㄱ, ㄷ   ⑤ ㄱ, ㄴ, ㄷ

08 › 엘니뇨

그림 (가)와 (나)는 평상시와 엘니뇨 발생 시 태평양의 표층 수온 분포를 순서 없이 나타낸 것이다.

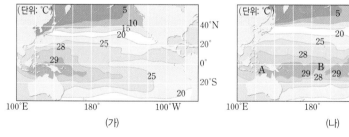

(가)   (나)

• 엘니뇨는 무역풍의 세기가 변하여 적도를 따라 태평양의 표층 수온 분포가 변하는 현상이다.

이에 대한 설명으로 옳은 것만을 보기에서 있는 대로 고른 것은?

보기
ㄱ. (가) 시기보다 (나) 시기에 무역풍이 강해진다.
ㄴ. (가) 시기보다 (나) 시기에 적도 동태평양의 수온 약층 경사가 완만해진다.
ㄷ. (나) 시기에 A 해역에는 저기압이 발달하고, B 해역에는 고기압이 발달한다.

① ㄱ   ② ㄴ   ③ ㄱ, ㄷ   ④ ㄴ, ㄷ   ⑤ ㄱ, ㄴ, ㄷ

09 > 엘니뇨와 라니냐

그림은 동태평양 적도 해역에서 해수면 온도의 편차(관측 수온−평년 수온)를 나타낸 것이다.

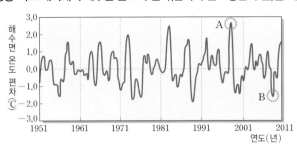

이에 대한 설명으로 옳은 것만을 보기에서 있는 대로 고른 것은?

보기 ─────────────────────

ㄱ. A는 엘니뇨, B는 라니냐가 발생했을 때이다.

ㄴ. A 시기에 동태평양에는 연안 용승이 활발하게 일어났다.

ㄷ. B 시기에 동태평양에는 대규모의 저기압이 형성되었다.

① ㄱ   ② ㄴ   ③ ㄱ, ㄷ   ④ ㄴ, ㄷ   ⑤ ㄱ, ㄴ, ㄷ

• 엘니뇨는 동태평양의 수온이 높아지는 현상으로, 이로 인해 기압 배치가 달라진다.

10 > 기후 변화의 지구 외적 요인

그림 (가)는 현재 지구 공전 궤도와 자전축의 경사 및 방향을, (나)는 지구의 세차 운동으로 지구 자전축의 경사 방향이 반대가 되었을 때를 나타낸 것이다.

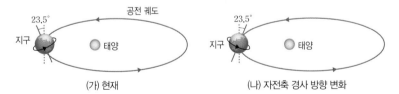

(가) 현재   (나) 자전축 경사 방향 변화

(가)에서 (나)로 변할 때 우리나라에 나타날 수 있는 환경 변화로 적절한 것만을 보기에서 있는 대로 고른 것은? (단, (나)에서 자전축 경사 방향 변화 이외의 요인은 변하지 않는다고 가정한다.)

보기 ─────────────────────

ㄱ. 기온의 연교차가 작아져서 계절 구분이 약해진다.

ㄴ. 여름일 때 태양과의 거리가 현재보다 가까워진다.

ㄷ. 공전 궤도의 같은 위치에서 나타나는 계절이 달라진다.

① ㄱ   ② ㄴ   ③ ㄱ, ㄴ   ④ ㄱ, ㄷ   ⑤ ㄴ, ㄷ

• 지구 자전축의 경사 변화는 태양의 남중 고도를 변하게 하여 지역에 따른 일사량의 차이가 나타난다.

다음은 기후 변화에 관한 정부간 협의체(IPCC)에서 2007년에 발표한 제4차 평가 보고서 내용의 일부이다.

> 산업 혁명 이래 화석 연료의 연소 등 ㉠인간 활동으로 방출된 온실 기체로 지구 온난화가 계속되어 지난 100년 동안(1906년~2005년) 지구의 평균 기온은 약 0.74 ℃ 상승하였으며, 지구 온난화에 따라 강수 유형도 변하여 집중 호우 형태를 띠고 있다. 극심한 가뭄과 홍수를 유발하는 ㉡엘니뇨 현상도 그 크기나 발생 빈도 및 지속성이 1970년대 중반 이후 증가한 것으로 나타나고 있다. 현재와 같이 화석 연료의 대량 소비가 이어진다면 금세기 말에는 지구의 평균 기온이 최대 약 6 ℃ 상승하고, ㉢해수면은 약 60 mm 상승할 것으로 전망된다. 특히 고온, 열파, 호우의 발생 빈도가 증가하고, 열대 해수면 온도 상승과 더불어 태풍과 허리케인의 강도가 세질 것으로 전망된다.

이에 대한 설명으로 옳은 것만을 보기에서 있는 대로 고른 것은?

보기
ㄱ. ㉠의 대부분은 화석 연료의 사용과 관련이 있다.
ㄴ. ㉡은 해수의 수온이 상승할수록 세력이 강화된다.
ㄷ. ㉢의 주된 원인은 해빙과 해수의 열팽창이다.

① ㄱ　　② ㄷ　　③ ㄱ, ㄴ　　④ ㄴ, ㄷ　　⑤ ㄱ, ㄴ, ㄷ

> 대기 중 온실 기체 증가는 인류의 에너지 사용과 관련이 크며, 대기 중 온실 기체 증가 결과 여러 가지 기상 이변이 발생한다.

그림은 대표적인 온실 기체 6가지의 배출량 비율과 각 기체의 발생원을 나타낸 것이다.

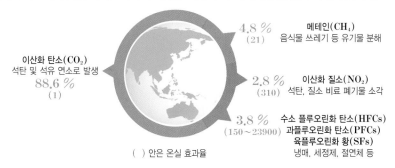

이산화 탄소(CO_2)
석탄 및 석유 연소로 발생
88.6 %
(1)

4.8 %　메테인(CH_4)
(21)　음식물 쓰레기 등 유기물 분해

2.8 %　이산화 질소(NO_2)
(310)　석탄, 질소 비료 폐기물 소각

3.8 %　수소 플루오린화 탄소(HFCs)
(150~23900)　과플루오린화 탄소(PFCs)
육플루오린화 황(SFs)
냉매, 세정제, 절연체 등

( ) 안은 온실 효과율

온실 기체의 특징 및 감소 대책에 대한 설명으로 옳은 것만을 보기에서 있는 대로 고른 것은?

보기
ㄱ. 이산화 탄소는 온실 효과율이 작지만 절대적인 양이 많아 온실 효과 기여도가 크다.
ㄴ. 메테인과 이산화 질소의 배출량 감축을 위해서는 농업 분야 선진화 및 쓰레기 분리 수거가 필요하다.
ㄷ. 수소 플루오린화 탄소(HFCs), 과플루오린화 탄소(PFCs), 육플루오린화 황(SFs) 등은 대기 중의 양은 적지만 온난화 지수가 높으므로 대체 물질의 개발이 시급하다.

① ㄴ　　② ㄷ　　③ ㄱ, ㄴ　　④ ㄱ, ㄷ　　⑤ ㄱ, ㄴ, ㄷ

> 지구 온난화를 방지하기 위해서는 온실 기체의 배출량을 감소시키거나 대체 물질을 개발하는 노력이 필요하다.

01 그림 (가)는 지구에 대륙이 없을 때의 대기의 순환과 해수의 표층 순환을, (나)는 실제 해수의 표층 순환을 나타낸 것이다.

KEY WORDS
• 대기 대순환과 해수의 표층 순환
• 해류와 대륙 분포

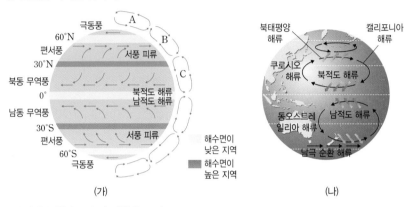

(가)   (나)

(1) 대기의 순환 A~C의 명칭을 쓰시오.

_____

(2) 대륙이 없을 때와 실제 해양에서의 표층 순환의 차이점을 아열대 순환의 구성을 중심으로 서술하시오.

_____

02 그림 (가)와 (나)는 각각 우리나라 주변 해역에서 겨울철과 여름철의 표층 해류 분포를 나타낸 것이다.

KEY WORDS
• 우리나라 주변 해류
• 조경 수역

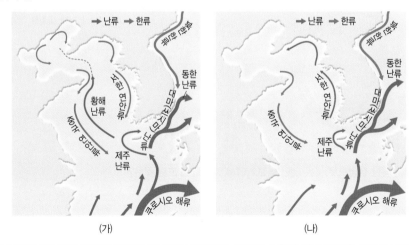

(가)   (나)

(1) 우리나라 주변 해류의 경로를 참고하여 쿠로시오 해류의 수온과 염분 특징을 서술하시오.

_____

(2) 계절에 따라 동해에서 조경 수역의 위치가 변하는 까닭을 서술하시오.

_____

03 그림은 대서양의 남북 단면에서 수온과 염분의 분포를 나타낸 것이다.

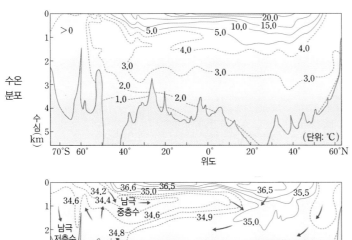

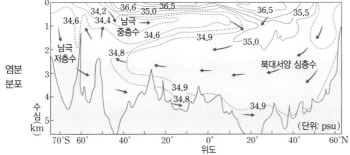

⑴ 표층 해수의 염분이 가장 높게 나타나는 위도대를 쓰고, 염분이 높게 나타나는 까닭은 무엇인지 서술하시오.

⑵ 표층 해수가 침강하는 위도대를 쓰고, 북대서양 심층수보다 남극 저층수가 더 아래쪽에 위치하는 까닭이 무엇인지 수온과 염분 및 밀도의 관계를 바탕으로 서술하시오.

04 그림은 전 세계 해양의 표층 순환과 심층 순환을 모식적으로 나타낸 것이다.

심층 순환의 역할을 에너지와 물질 수송의 두 가지 측면에서 서술하시오.

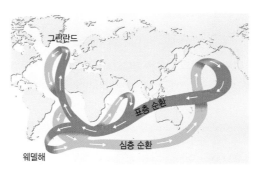

05 그림 (가)는 평상시, (나)는 엘니뇨 발생 시 열대 태평양의 해수면 온도 분포와 워커 순환을 나타낸 것이다.

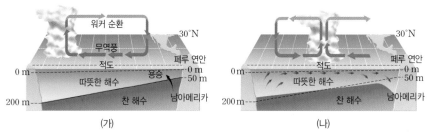

(가)   (나)

엘니뇨 발생 시 워커 순환의 변화 과정을 4단계로 나누어 서술하시오.

KEY WORDS
• 워커 순환
• 엘니뇨
• 무역풍 약화
• 표층 수온의 변화

06 그림은 과거 5만 년 동안과 미래 5만 년 동안의 지구 자전축의 기울기 변화를 나타낸 것이다. (단, 지구 자전축의 기울기 이외의 요인은 변하지 않는다고 가정한다.)

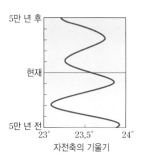

KEY WORDS
(1) • 지구 자전축의 기울기 변화
    • 계절에 따른 태양의 남중 고도 변화
(2) • 태양과 지구 사이의 거리
    • 계절에 따라 입사하는 태양 복사 에너지양

(1) 약 3만 년 전 우리나라의 여름과 겨울의 기온은 현재와 어떻게 다른지 지구 자전축의 기울기 변화와 관련지어 서술하시오.

(2) 앞으로 약 3만 년 후 우리나라의 여름과 겨울의 기온은 현재와 어떻게 달라질 것인지 지구 자전축의 기울기 변화와 관련지어 서술하시오.

07 그림은 복사 평형을 이루고 있는 지구의 열수지를 나타낸 것이다.

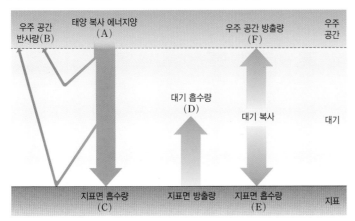

(1) 지구가 전체적으로 복사 평형을 이루고 있을 조건을 A, B, F의 관계식으로 나타내시오.

(2) 대기 중의 온실 기체 증가로 지구 온난화가 진행될 때 증가하는 요소만을 A ~ F에서 모두 고르고, 이를 바탕으로 지구 온난화의 과정을 설명하시오.

KEY WORDS
(1) • 입사하는 태양 복사 에너지
• 방출하는 지구 복사 에너지
(2) • 지구 온난화
• 대기가 흡수하는 지구 복사 에너지

08 그림은 지구 온난화가 진행되는 과정의 일부를 나타낸 것이다.

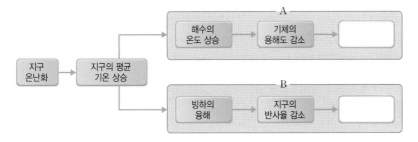

지구 온난화를 가속화 하는 작용을 양의 되먹임이라고 하고, 지구 온난화를 감속화 하는 작용을 음의 되먹임이라고 할 때, 지구 온난화 과정 중 A, B는 어느 것에 해당하는지 쓰고, 그 까닭을 서술하시오.

KEY WORDS
• 지구 온난화의 되먹임 작용
• 양의 되먹임
• 음의 되먹임

예시 문제

다음은 2012년 8월에 우리나라 황해를 통과하면서 많은 피해를 주었던 태풍 볼라벤에 대한 자료이다.

● **출제 의도**
태풍이 동반하는 바람의 영향으로 일시적으로 해수가 이동하고, 그 결과 해수의 표면 온도 및 성층 구조가 변화함을 자료를 통해 해석할 수 있는지 평가한다. 태풍에 의한 해일의 규모를 수치로 해석하여 판단할 수 있는지를 함께 평가한다.

（제시문 1） 과거 10년(1990년~1999년) 동안 서부 태평양에서 발생한 346개 태풍 중 한반도 연근해를 통과한 22개의 태풍과 관련된 표면 수온 변동 연구 결과에 따르면, 태풍이 우리나라 부근 바다를 통과할 때 연안 수온은 평균 0.9 ℃ 급하강하였다. 태풍 통과 시보다 태풍 통과 후에 수온의 급하강이 일어나는 해역은 우리나라 동해 남부를 중심으로 하는 동해 연안 해역이었으며, 해마다 여름철에 발생하는 용승 냉수의 발생 기작과 관련된 이들 해역에서 풍향 풍속 변화에 태풍이 간접적 영향을 미치는 것으로 나타났다.

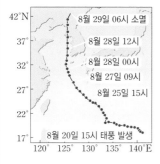

▲ 태풍 볼라벤의 이동 경로

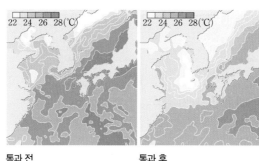

통과 전   통과 후

▲ 볼라벤 통과 전후 우리나라 부근 바다의 수온 분포

（제시문 2） 강한 태풍이 해안으로 이동할 경우, 해수면이 급격하게 높아지는 폭풍 해일이 나타날 수 있다. 해일은 바닷물이 해안을 덮쳐 피해를 발생시키는데, 해일의 파고(波高)에 영향을 미치는 요인에는 태풍의 중심 기압, 풍속, 해안의 지형 등이 있다. 기압은 공기의 무게에 비례하여 아래로 향하는 압력이므로 기압이 높으면 해수면 고도는 낮아지고, 기압이 낮으면 고도는 높아진다. 기압에 따른 고도 상승은 다음과 같이 나타낼 수 있다.

$$h = 43.3 - 0.0433 P_0$$

h: 해수면의 고도 상승(m), P_0: 중심 기압(hPa)

1 제시문 1의 자료에서 태풍이 통과하기 전보다 통과한 후에 동해 연안의 수온이 낮아졌음을 알 수 있다. 그 까닭은 무엇인지 태풍의 풍향과 저기압에 의한 용승의 과정을 근거로 서술하시오.

2 제시문 1의 자료에서 황해에서도 태풍이 통과하기 전보다 후에 수온이 낮아졌다. 그 까닭은 무엇인지 혼합층의 두께 변화를 바탕으로 서술하시오.

3 태풍 볼라벤은 우리나라 근해에서 중심 기압이 960 hPa, 반지름 약 400 km이었다. 제시문 2의 관계식을 이용하여 볼라벤의 영향으로 상승한 해수면 고도를 구하고, 상승한 해수의 위치 에너지를 계산하고, 이를 바탕으로 해안가에 해일이 발생하는 까닭은 무엇인지 서술하시오. (단, 태풍이 영향을 미치는 곳의 평균 기압은 960 hPa, 해수의 밀도는 1000 kg/m³, 중력 가속도는 9.8 m/s² 으로 계산한다.)

문제 해결 과정

1 태풍이 우리나라에 접근할 때 동해에 나타나는 바람의 방향을 판단하고, 표층 해수 위에 부는 바람에 의해 표층 해수가 이동하는 방향과 그 결과로 나타나는 용승 현상을 설명한다.

2 태풍이 지나면서 강한 바람에 의해 해수가 연직 방향으로 섞이게 됨을 이해하고, 이러한 해수의 연직 혼합에 따라 나타나는 수온의 변화를 설명한다.

3 태풍은 중심 기압이 주변보다 낮은 저기압이므로 태풍이 위치한 곳의 해수면은 주변보다 높아진다. 높아진 해수는 위치 에너지를 가지게 되며, 태풍이 육지에 상륙하거나 소멸하면 높아진 해수가 다시 내려가면서 위치 에너지가 변하여 해일이 발생하는 과정을 설명한다.

문제 해결을 위한 배경 지식

1 북반구에서 바람에 의한 표층 해수의 이동 방향은 바람의 방향에 대하여 오른쪽 직각 방향으로 나타난다.

2 해수의 혼합층의 두께는 바람의 세기에 비례한다.

3 위치 에너지
= 질량×중력 가속도×높이

예시 답안

1 태풍 볼라벤은 황해를 남북으로 관통하여 북상하였기 때문에 태풍 진행 방향에 오른쪽에 위치한 동해에는 태풍이 지나가는 동안 남풍이 강하게 불었을 것이다. 그 결과 동해 연안에서는 바람이 부는 방향의 오른쪽 직각 방향인 동해 먼 바다 쪽으로 표층 해수가 이동하므로 동해 연안을 따라 용승이 일어나서 연안 냉수대가 나타난 것이다.

2 황해는 수심이 낮기 때문에 태풍이 지나가는 동안 강풍에 의해 해수가 연직으로 잘 혼합된다. 따라서 8월에 강하게 내리쬐는 햇빛으로 가열된 황해 표층의 해수가 바람의 혼합 작용으로 아래쪽의 찬 해수와 섞여서 혼합층이 두꺼워지고, 표층의 수온이 낮아진 것이다.

3 해수면의 고도 상승은 제시문 2의 주어진 식에 대입하면 다음과 같다.

$$43.3 - 0.0433 \times 960 = 1.732 \, (\text{m})$$

따라서 태풍에 의해 상승한 해수는 반지름이 400 km이고, 높이가 1.732 m인 원기둥과 같으므로 질량 m은 다음과 같이 계산할 수 있다.

$$m = \text{물의 밀도} \times \pi \times (\text{반지름})^2 \times \text{높이}$$
$$= 1000 \, \text{kg/m}^3 \times \pi \times (4 \times 10^5 \, \text{m})^2 \times 1.732 \, \text{m}$$
$$\fallingdotseq 8.7 \times 10^{14} \, \text{kg}$$

한편, 상승한 물의 무게 중심을 상승한 높이의 $\frac{1}{2}$인 0.866으로 하면, 상승한 물이 가지는 위치 에너지 E_h는 질량×중력 가속도×0.866이므로 다음과 같이 계산할 수 있다.

$$E_h = 8.7 \times 10^{14} \, \text{kg} \times 9.8 \, \text{m/s}^2 \times 0.866 \, \text{m}$$
$$\fallingdotseq 7.3 \times 10^{14} \, \text{kg} \cdot \text{m}^2/\text{s}^2 = 7.3 \times 10^{14} \, \text{J}$$

태풍이 육지로 상륙하면 태풍에 의해 상승한 해수가 다시 하강하여 원상태로 돌아가면서 위치 에너지가 다른 에너지로 전환된다. 이렇게 전환된 에너지의 일부는 파도가 된다. 파도가 해안에 도착하게 되면 더 이상 파도가 진행할 수 없으므로 파고가 높아져 육지로 쏟아지는데, 이를 태풍에 의한 폭풍 해일이라고 한다.

실전 문제

> 정답과 해설 **172**쪽

1 **다음 제시문을 읽고 물음에 답하시오.**

> (가) 황사는 주로 중국 북부나 몽골의 건조한 황토 지대에서 바람에 날려 올라간 미세한
> 모래 먼지가 대기 중에 퍼져서 하늘을 덮었다가 서서히 강하하는 현상 또는 강하하는
> 흙먼지를 말한다. 보통 3월~5월에 많이 발생하며, 때로는 상공의 강한 서풍을 타고
> 우리나라를 거쳐 일본, 태평양, 북아메리카까지 날아간다. 황사 현상이 나타나면 태
> 양빛이 가려져 황갈색으로 보이거나, 흙먼지가 내려 쌓이는 경우가 많이 있다. 황사
> 의 주성분인 황토나 모래의 크기는 약 $0.2\ \mu m$~약 $20\ \mu m$로, 우리나라까지 날아오
> 는 것은 약 $1\ \mu m$~약 $10\ \mu m$의 크기이다. '흙비가 내렸다'라고 하는 내용이 신라의
> 삼국유사에 기록되어 있을 정도로 황사는 과거부터 존재하였던 현상인데, 최근에 황
> 사에 더욱 민감하게 반응하는 까닭은 황사 속에 포함된 규소, 납, 카드뮴, 니켈, 크로
> 뮴 등과 같은 중금속 물질의 농도가 증가했기 때문이다.
>
> (나) 미세먼지는 우리 눈에 보이지 않는 아주 작은 물질로, 대기 중에 오랫동안 떠다니거
> 나 흩날려 내려오는 지름 $10\ \mu m$ 이하의 입자이다. 미세먼지는 석탄, 석유 등의 화석
> 연료가 연소될 때 발생하거나 공장과 자동차 등의 배기가스, 담배 연기 등에 포함되
> 어 있으며, 기관지를 거쳐 폐에 흡착되어 각종 폐질환을 유발하는 대기 오염 물질이
> 다. 지름이 $10\ \mu m$보다 작은 입자를 미세먼지(PM10)라고 하며, 그 중에서도 지름이
> $2.5\ \mu m$보다 작은 입자를 초미세먼지(PM2.5)라고 한다. 미세먼지에 포함된 중금속,
> 유기 탄화 수소, 질소 화합물, 황 화합물 등은 크기가 매우 작아 호흡기의 깊숙한 곳
> 까지 도달할 수 있으며 혈액을 통해 전신으로 순환하면서 우리 신체에 영향을 줄 수
> 있다.
>
> (국가건강정보포털 질병관리본부)

(1) 황사가 발원지에서 우리나라에 도달하기까지의 과정을 황사 발원지의 특징, 황사 이동의 기
상학적 조건과 우리나라에서 침강하는 기상학적 조건의 3단계로 나누어 서술하시오.

(2) 최근의 황사에 포함된 중금속 물질의 농도가 증가한 까닭은 무엇인지 황사가 이동하는 경로
를 바탕으로 서술하시오.

(3) 최근에는 황사보다 미세먼지가 더 유해하다고 알려져 있다. 그 까닭은 무엇인지 황사와 비교
하여 서술하시오. (단, 황사의 발생 시기, 발생원과 성분, 입자의 크기 등의 요소를 포함하시오.)

답안

---

* **출제 의도**
황사의 발생과 이동 과정을 기상
현상으로 설명할 수 있으며, 황사
와 미세먼지의 차이점과 미세먼지
가 황사보다 더 유해한지를 설명
할 수 있는지 평가한다.

* **문제 해결을 위한 배경 지식**
  * 황사는 건조한 지역에서 발생하
  며, 발원지에서 상승하여 동쪽으
  로 이동하다가 우리나라에서 침
  강하여 영향을 미친다.
  * 미세먼지는 발원지가 특정되어
  있지 않으며, 주로 자동차가 많
  거나 매연을 배출하는 공장 지대
  에서 발생한다. 미세먼지는 입자
  크기가 황사보다 작고, 중금속이
  많이 포함된 것이 특징이다.

2 다음 제시문을 읽고 물음에 답하시오.

● 출제 의도
적도에서는 남북 대칭으로 부는 무역풍에 의한 표층 해수의 이동으로 용승 현상이 나타남을 설명하고, 이를 통해 엘니뇨가 발생할 때 동태평양의 수온이 높아지는 과정을 설명할 수 있는지 평가한다.

(가) 그림은 적도 부근 저위도 해역에서 적도 용승이 일어나는 원리를 나타낸 것이다.

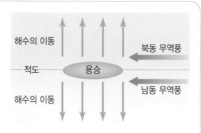

(나) 열대 태평양에서는 주로 동태평양의 용승 현상으로 해수면 온도가 서태평양보다 낮게 나타난다. 수온이 높은 해수가 넓게 분포한 서태평양 영역을 온난 수역이라고 하고, 한랭한 수온이 혀처럼 분포해 있는 동태평양 지역을 좁은 한랭 수역이라고 한다.

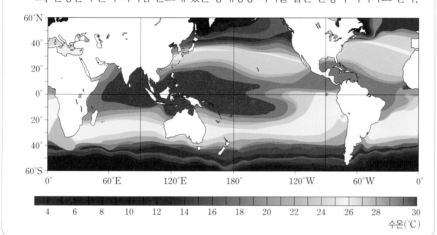

● 문제 해결을 위한 배경 지식
● 무역풍에 의한 표층 해수의 이동
: 북반구에서는 풍향에 대하여 오른쪽 직각 방향으로 표층 해수가 이동하고, 남반구에서는 풍향에 대하여 왼쪽 직각 방향으로 표층 해수가 이동한다.
● 엘니뇨: 무역풍이 약해졌을 때 동태평양의 해수면 온도가 상승하는 현상

⑴ (가)의 그림에서 적도 해역에서 용승이 발생하는 원리를 무역풍과 표층 해수의 이동과의 관계를 바탕으로 서술하시오.

⑵ 그림에서 서태평양에 분포하는 온난 수역이 엘니뇨가 발생하면 동쪽으로 이동한다. 그 까닭이 무엇인지 무역풍의 세기와 페루 연안의 용승과의 관계를 바탕으로 서술하시오.

답안

3 다음 제시문을 읽고 물음에 답하시오.

> (가) 태양 전체가 방출하는 총 복사 에너지양에 비하면 멀리 떨어진 지구가 받는 에너지양은 매우 적다. 그렇지만 이 적은 양의 태양 복사 에너지를 받아 지구는 따뜻해지며, 따뜻해진 지구는 다시 자신의 복사 에너지를 방출한다. 물론 태양과 지구 표면의 온도차가 크기 때문에 태양 복사 에너지는 약 $0.5 \ \mu$m인 가시광선 영역에서 최댓값을 보여 주며, 지구 복사 에너지는 약 $10 \ \mu$m인 적외선 영역에서 최댓값을 보여 주어 파장별로 보면 큰 차이가 있다. 그러나 태양으로부터 지구로 유입되는 총 태양 복사 에너지와 지구가 방출하는 총 지구 복사 에너지 사이에는 에너지 평형이 이루어지면서 지구의 평균 온도가 결정되며, 이러한 에너지 평형에 따라 지구의 평균 온도가 일정하게 유지되고 있는 것이다. 그러나 이런 단순한 모형에는 문제가 있다. 지구를 흑체로 간주하고 흑체의 복사 에너지를 기술하는 슈테판·볼츠만 법칙을 이용하면, 지구가 단위 시간 동안 단위 표면적에서 방출하는 적외선 영역의 복사 에너지를 계산할 수 있다. 여기에 구름이나 빙하 얼음과 같은 지표면에서 태양 복사 에너지의 일부를 그대로 다시 우주 공간으로 반사해 내보내는 반사율 0.3을 적용하여 지구 온도를 추정한다면 지구는 절대 온도 255 K(-18 ℃)의 꽁꽁 얼어붙은 행성이 될 수밖에 없다.
>
> (나) 실제로 지구의 평균 온도는 약 288 K(15 ℃)로 따뜻하게 유지되고 있다. 지구 표면을 둘러싸고 있는 수십 km 두께의 대기가 따뜻한 담요 역할을 하여 지구를 보온하기 때문이다. 프랑스의 푸리에(Fourier, J. B. J., 1768~1830)는 이를 '온실 효과'라고 명명하였다.
>
> 지구가 단위 시간 동안 단위 면적에서 받는 복사 에너지를 100이라고 하면 지구의 열수지는 다음과 같다.
>
> • 우주로부터 유입: 100(반사 30＋지구 복사 70)
> • 우주로 방출: 100
> • 지표면으로 유입: 153(태양 복사 50＋대기 복사 103)
> • 지표면에서 방출: 153(숨은열 20＋대류와 전도 10＋지구 복사 123)
> • 대기로 유입: 167(대기 흡수 20＋숨은열 20＋대류와 전도 10＋지구 복사 117)
> • 대기에서 방출: 167(우주로 방출 64＋대기 복사 103)
>
> (김경렬, 월간 과학과 기술)

(1) (가)와 같은 지구 환경에서 생명체가 존재할 수 없는 까닭은 무엇인지 서술하시오.

(2) (나)의 지구의 열수지에서 온실 효과를 일으키는 에너지양은 얼마인지 구하시오.

답안 _____

_____

_____

• **출제 의도**
대기의 온실 효과가 일어나는 과정을 우주, 대기, 지표면으로 나누어 열수지를 해석하여 설명할 수 있는지 평가한다.

• **문제 해결을 위한 배경 지식**
• 지표면에서 방출하는 지구 복사 에너지 중에서 우주로 방출하는 복사 에너지를 제외한 나머지는 대기에 남아 온실 효과를 일으킨다.
• 절대 온도 T의 흑체가 단위 시간 동안 단위 면적에 방출하는 복사 에너지는 T^4에 비례한다.)

4 다음 제시문을 읽고 물음에 답하시오.

● **출제 의도**
기후 변화의 요인을 자연적 요인
과 인위적 요인으로 나누어 설명
할 수 있는지 평가하고, 인위적 요
인을 해소할 수 있는 방안을 제시
할 수 있는지 평가한다.

(가) 기후 변화의 주요 원인은 자연적 요인과 인위적 요인의 2가지로 나눌 수 있다. 기후 변화의 자연적 요인 중 지구 외적 요인은 지구 공전 궤도의 변화와 태양 활동의 변화 등이 있다. 또 기후 변화의 자연적 요인 중 지구 내적 요인으로는 화산 분출에 따라 성층권으로 진입한 화산재가 태양 복사 에너지의 투과율을 변화시키는 현상 등이 있는데, 이는 약 2년~약 3년 동안 영향을 미칠 수 있다. 지구의 기후는 다양한 요소를 포함하고 있으며, 이들 요소는 다양한 시간 규모 속에서 상호 작용을 하고 있다. 엘니뇨 현상과 같은 경우는 대체로 자연적인 기후 시스템의 과정 속에서 일어나는 것이지만 짧은 기간에 급격한 변화가 일어나기도 한다. 이러한 자연적인 기후 변화는 기후 시스템 내의 상호 작용으로 다양한 형태로 나타나며, 예측 불가능한 특성이 있다.

(나) 기후 변화의 인위적인 요인으로는 대기 중 온실 기체 농도 증가에 따른 지구 온난화를 들 수 있다. 산업 혁명(1750년) 이후 대기 중 온실 기체 농도가 급격히 증가하고 있는데, 인간의 활동으로 석탄·석유 등의 화석 연료 사용량이 크게 늘고, 삼림 면적의 축소·삼림 황폐화·비료 사용 등으로 온실 기체가 배출되는 것이 원인이다. 이 때문에 온실 효과가 증대되어 지구의 평균 기온이 점차 상승하고 있다.

(다) 기후 변화에 관한 정부간협의체(IPCC)에서는 지구 온난화의 주요 원인으로 온실 기체의 증가를 들고, 이에 대한 대책을 마련하고 있다. 그러나 온실 기체 배출량을 지금 당장 줄인다고 하더라도 온난화가 발생하지 않는 것은 아니므로 그 대응에 어려움이 있으며, 산업 선진국과 개발 도상국의 이해 관계에 따라 온실 기체 배출량의 감축이 쉽지 않을 것이라는 예측이 나오고 있다.

● **문제 해결을 위한 배경 지식**
● 지구는 시간에 따라 자전축의 방
향과 기울기가 변함으로써 계절
및 기후의 변화가 나타난다.
● 온실 기체는 주로 산업화의 과정
에서 많이 배출되며, 대기 중 온
실 기체의 농도를 감소시키기 위
해서는 온실 기체를 배출하지 않
는 에너지원을 개발해야 한다.

(1) (가)에서 제시한 지구 공전 궤도의 변화와 태양 활동의 변화 이외에 기후 변화의 자연적 요인 중 지구 외적 요인 2가지를 서술하시오.

(2) (나)에서 온실 기체 배출량을 감축하기 위한 대책을 제시하시오.

(3) (다)에서 온실 기체 배출량을 감축하기 위해 국가 간 협력이 필요한 까닭은 무엇인지 서술하시오.

답안

부록

II 유체 지구의 변화

1. 대기와 해양의 변화

01 기압과 날씨 변화

탐구 확인 문제   024쪽

01 ㄱ, ㄴ   02 ㄷ

01 ㄱ. 9월 3일에 한반도 북부 지역은 한랭 전선 후면에 위치하므로 이 지역에는 비가 내렸다.
ㄴ. 한반도는 온대 저기압의 중심으로부터 벗어나 맑은 날씨가 나타난다.
바로 알기 ㄷ. 태풍은 9월 5일에 온대 저기압으로 변화하여 소멸하였다.

02 ㄷ. 밝은 부분일수록 온도가 낮으며 고도가 높은 구름이다.
바로 알기 ㄱ. 눈에 보이는 구름의 분포를 나타내는 것은 가시 영상이다.
ㄴ. 적외선은 열로 측정하기 때문에 적외 영상을 통해 야간에도 구름을 관측할 수 있다.
ㄹ. 레이더 영상은 레이더가 수증기나 눈송이 등에 반사되는 것을 나타내며, 실제 강수 지역과 강수량을 정확하게 예측하는 데 유용하다.

개념 모아 정리하기   026쪽

❶하강 ❷상승 ❸전선 ❹시베리아 ❺북태평양 ❻정체
❼폐색 ❽편서풍 ❾적외 ❿레이더 ⓫전선 ⓬숨은열
⓭눈 ⓮오른 ⓯왼

개념 기본 문제   027쪽

01 (1)㉠ 시베리아 기단 ㉡ 오호츠크해 기단 ㉢ 여름 ㉣ 양쯔강
기단 (2) 오호츠크해 기단, 북태평양 기단   02 ㄱ, ㄴ   03 ㄱ, ㄷ
04 ㉠: 양쯔강, ㉡: 북태평양   05 (라) → (가) → (다) → (나)
06 ㄱ   07 A: 풍향, B: 풍속, C: 운량(구름의 양)   08 ㄱ, ㄷ
09 ㄱ, ㄷ, ㅁ   10 P: 기압 Q: 풍속   11 ㄱ, ㄴ

01 (1) 우리나라를 지배하는 기단의 종류와, 영향을 주는 계절, 그 성질과 특징은 표와 같다.

기단의 종류	계절	성질과 특징
시베리아 기단	겨울	한랭 건조, 적은 강수량, 한파
오호츠크해 기단	초여름, 가을	한랭 다습, 장맛비
북태평양 기단	여름	고온 다습, 많은 강수량, 무더위
양쯔강 기단	봄, 가을	온난 건조, 잦은 날씨 변화

(2) 우리나라 주변에서는 초여름에 한랭 다습한 오호츠크해 기단과 고온 다습한 북태평양 기단이 만나 정체 전선인 장마 전선을 형성한다.

02 ㄱ. (가)는 한랭 전선의 단면이고, (나)는 온난 전선의 단면이다. 찬 공기가 따뜻한 공기를 파고드는 경우에는 한랭 전선이 형성되고, 따뜻한 공기가 찬 공기 위로 올라가는 경우에는 온난 전선이 형성된다.
ㄴ. 한랭 전선은 온난 전선보다 이동 속도가 빠르다.
바로 알기 ㄷ. 비가 오는 면적은 한랭 전선보다 전선면의 경사가 완만한 온난 전선에서 더 넓게 나타난다.
ㄹ. 한랭 전선의 후면에는 소나기성 비가 내리고, 온난 전선의 전면에는 지속적인 비가 내린다.

03 정체성 고기압은 바람이 약하여 큰 규모의 기단이 발달할 수 있다. 우리나라 주변의 정체성 고기압에는 시베리아 고기압과 북태평양 고기압이 있다.

04 우리나라는 봄철에 이동성 고기압인 양쯔강 고기압의 영향을 받는다. 정체성 고기압에는 시베리아 고기압과 북태평양 고기압이 있는데, 우리나라의 여름철에 영향을 주는 것은 북태평양 고기압이다.

05 북반구의 중위도에서는 북쪽의 찬 공기와 남쪽의 따뜻한 공기가 만나 정체 전선을 형성하는데[(라) 단계], 파동이 발생하여 파동의 마루에 온대 저기압의 중심이 형성되고, 그 남서쪽에 한랭 전선이 형성되고 남동쪽에 온난 전선이 형성된다[(가) 단계]. 이후 전선은 편서풍의 영향으로 동쪽으로 이동하는데, 한랭 전선이 온난 전선보다 이동 속도가 빨라서 전선 사이의 간격이 좁아지다가[(다) 단계], 두 전선이 겹쳐져 폐색 전선이 형성되면서 온대 저기압이 약해져 소멸한다[(나) 단계].

06 ㄱ. A 지점은 한랭 전선의 후면으로, 한랭 전선 통과 전보다 기온이 낮아진다. B 지점은 온난 전선이 통과한 후 기온이 높아지는 곳이다.

바로 알기 ㄴ. C 지점은 온난 전선의 앞쪽 구역으로, 남동풍이 부는 곳이다. 온난 전선이 통과한 후에는 남동풍이 남서풍으로 바뀐다.

ㄷ. 한랭 전선의 후면인 A 지점에는 좁은 지역에 소나기성 비가 내리고, 온난 전선의 전면인 C 지점에는 넓은 구역에 지속적인 비가 내린다.

07 A는 풍향, B는 풍속이며, C는 구름의 양을 표시한 것이다.

08 ㄱ. 가시 영상에서 구름의 두께가 두꺼울수록 밝게 보이고, 구름의 두께가 얇을수록 어둡게 보인다.

ㄷ. 적외 영상은 물체가 방출하는 적외선을 관측하여 나타낸다.

바로 알기 ㄴ. 가시 영상은 구름과 지표면에서 반사된 햇빛의 강약을 나타내며, 반사되는 빛이 강할수록 영상에서 밝게 보인다.

ㄹ. 밤에는 지구가 햇빛을 받지 못하므로 가시 영상을 이용할 수 없다. 그러나 적외 영상은 물체가 방출하는 적외선 에너지양에 의해 영상을 표출하므로 밤낮에 관계없이 24시간 관측이 가능하다.

09 ㄱ, ㄷ, ㅁ 열대 저기압 중에서 중심 부근 최대 풍속이 17 m/s 이상인 것을 태풍이라고 한다. 열대 해상에서 증발된 수증기가 응결할 때 방출하는 숨은열이 태풍의 주된 에너지원이다.

바로 알기 ㄴ. 태풍은 회전에 의해 나타나는 강한 바람이 특징인데, 초기에 회전을 일으키는 힘은 지구 자전에 따른 전향력이다. 적도에는 전향력이 없기 때문에 적도에서는 태풍이 발생하지 않는다.

ㄹ. 열대 저기압의 일종인 태풍은 온대 저기압과는 달리 전선을 동반하지 않는다.

10 태풍은 중심 기압이 낮은 저기압에 속하므로, 중심으로 갈수록 기압이 낮다. 풍속은 중심으로부터 약 30 km∼약 50 km에서 가장 크고, 이곳에서 멀어질수록 풍속이 약해진다.

11 ㄱ, ㄴ 북반구에서 태풍의 진행 방향에 대하여 오른쪽은 풍속이 강한 위험 반원에 해당하고, 왼쪽은 상대적으로 풍속이 약한 안전 반원에 해당한다.

바로 알기 ㄷ. 태풍은 저기압의 일종이므로 바람이 시계 반대 방향으로 불어 들어가기 때문에 태풍의 진행 방향에 대하여 오른쪽에 위치한 지역에서는 풍향이 시계 방향으로 변하게 된다.

개념 적용 문제

029쪽

01 ④	**02** ④	**03** ③	**04** ⑤	**05** ⑤	**06** ③
07 ①	**08** ②	**09** ⑤	**10** ③	**11** ③	**12** ⑤
13 ②	**14** ①				

01 ㄴ. A는 저기압으로, 상승 기류에 의해 단열 팽창이 일어나 구름이 형성된다.

ㄷ. 지상에서는 기압이 높은 곳(B)에서 기압이 낮은 곳(A)을 향하여 바람이 분다.

바로 알기 ㄱ. 저기압과 고기압은 1기압을 기준으로 하는 것이 아니라 주변의 기압을 비교하여 결정된다. 즉, 저기압은 중심으로 갈수록 기압이 낮아지는 곳이고, 고기압은 중심으로 갈수록 기압이 높아지는 곳이다.

02 ㄴ. 한랭 전선은 밀도가 큰 찬 공기가 상대적으로 밀도가 작은 따뜻한 공기를 파고들면서 형성된 전선이므로 온난 전선보다 이동 속도가 더 빠르다.

ㄷ. 한랭 전선에서는 찬 공기가 따뜻한 공기를 파고들면서 따뜻한 공기를 밀어 올리기 때문에 전선면의 경사가 급하게 형성되고, 이에 따라 전선면에서는 공기의 연직 운동이 활발하게 일어나면서 적운형 구름이 형성된다.

바로 알기 ㄱ. (가)는 따뜻한 공기가 찬 공기를 타고 올라가면서 만들어지는 온난 전선이고, (나)는 찬 공기가 따뜻한 공기를 파고들면서 형성되는 한랭 전선이다.

03 ㄱ. 일기도에 나타난 전선은 찬 공기가 따뜻한 공기를 파고들면서 형성된 한랭 전선이다.

ㄴ. A 지역은 한랭 전선의 뒤쪽 구역에 속하므로 현재 적운형 구름과 함께 소나기가 내릴 가능성이 높다.

바로 알기 ㄷ. 북반구에서 전선은 편서풍의 영향으로 서쪽에서 동쪽으로 이동하므로 B 지역은 점차 한랭 전선의 영향을 받게 된다.

04 ㄱ. (가)는 이동 속도가 빠른 한랭 전선이 이동 속도가 느린 온난 전선과 만나서 형성된 폐색 전선이고, (나)는 세력이 비슷한 두 기단이 만나서 일정한 곳에 오래 머물러 있는 정체 전선이다.

ㄴ. (가)는 온난 전선과 한랭 전선이 합쳐진 폐색 전선으로, 전선의 양쪽 공기의 성질이 비슷해지기 때문에 얼마 후 전선이 소멸한다. (나)는 온도가 다른 두 기단이 만나서 이루는 정체 전선이다. 따라서 전선을 경계로 양쪽의 온도 차이는 (가)보다 (나)가 더 크다.

ㄷ. (나)에서 A는 B보다 온도가 낮은 찬 기단으로, A가 B를 파고드는 형태가 되므로 찬 공기가 있는 A 지역 쪽이 B 지역보다 구름과 강수 현상이 많이 나타난다.

05 ㄱ. (가)의 고기압은 차가운 지면의 영향으로 공기가 침강하여 형성되는 시베리아 고기압이다.

ㄴ. (나)의 고기압은 중위도 해역에서 대기 대순환의 하강 기류에 의해 형성된 북태평양 고기압이다.

ㄷ. 시베리아 고기압은 겨울철에 발달하고, 북태평양 고기압은 여름철에 발달한다.

06 ① 온대 저기압은 중위도 지역에서 찬 기단과 따뜻한 기단이 만나 형성되며, 한랭 전선이 온난 전선보다 이동 속도가 빠르므로 저기압의 중심에서부터 두 전선이 겹쳐진다. 따라서 발달하는 순서는 (나) → (다) → (가)의 순이다.

② (가) 단계의 폐색 전선은 한랭 전선의 이동 속도가 빠르기 때문에 나타난다.

④ (다) 단계에서 파동의 마루 부분에 상승 기류가 생기면서 온대 저기압의 중심이 만들어지고, 한랭 전선과 온난 전선을 동반한 전형적인 온대 저기압이 발달한다.

⑤ 전선의 형성과 소멸 과정을 통해 찬 공기와 따뜻한 공기가 섞이면서 에너지가 이동하고 교환된다.

바로 알기 ③ (나) 단계는 정체 전선의 남쪽과 북쪽의 기온 차이에 따라 파동이 발생하고, 한랭 전선과 온난 전선으로 분리되기 시작하는 과정이다.

07 ㄱ. 전선이 통과할 때는 기온과 기압, 풍향 등과 같은 일기 요소가 급하게 변한다. 그러므로 6시~9시 사이와 15시~18시 사이에는 전선이 통과하였음을 알 수 있다. 6시~9시 사이에 기온이 상승하고 기압이 하강하였으므로 온난 전선이 통과하였고, 15시~18시 사이에 기온이 하강하고 기압이 상승하였으므로 한랭 전선이 통과하였다.

바로 알기 ㄴ. 오전(6시~9시)에는 온난 전선이 통과하면서 넓은 지역에 걸쳐 강수 현상이 있었을 것이다.

ㄷ. 낮에는 온난 전선이 통과하고 비가 그치지만, 습도가 계속 높아진 것으로 보아 습한 날씨였을 것이다.

08 ① (나)에서 북서풍이 불고 소나기가 내리는 것으로 보아 한랭 전선의 후면에 속하는 A 지역의 날씨를 나타낸다.

③ 구름의 양이 가장 적은 지역은 온난 전선과 한랭 전선 사이인 B이다.

④ 이 시간 이후로 C 지역은 온난 전선이 다가오면서 점차 구름이 낮아진다.

⑤ A~C 중에서 바람이 가장 강한 지역은 등압선의 간격이 가장 좁게 나타나는 A 지역이다. A 지역의 현재 풍속은 (나)에서 7 m/s이므로 B와 C 지역의 풍속은 7 m/s보다 약하게 불고 있다.

바로 알기 ② 기압은 등압선으로 판단한다. A~C 중에서 A는 현재 기압이 가장 낮은 지역이다.

09 ㄱ. 가시 영상은 구름이 두꺼울수록 빛의 반사량이 많아 밝게 보이는 원리를 이용한다. 따라서 (가)로부터 우리나라를 덮고 있는 구름의 두꺼운 정도를 알 수 있다.

ㄴ. 적외 영상은 높은 구름일수록 밝게 나타나는데, 높은 구름은 온도가 낮다. 따라서 (나)에서 북한 쪽의 구름이 밝은 것으로 보아 남한 쪽보다 고도가 높다는 것을 알 수 있다.

ㄷ. 레이더 영상은 구름 속 강수 입자의 분포와 양을 알려준다. 따라서 (다)로부터 강수 구역과 강수량을 알 수 있다.

10 ㄱ. 우리나라에 걸쳐 있는 전선은 정체 전선의 일종인 장마 전선이다.

ㄷ. 정체 전선에서 구름은 찬 공기가 있는 쪽(정체 전선의 위쪽)이 따뜻한 공기가 있는 쪽(정체 전선의 아래쪽)보다 많이 나타난다.

바로 알기 ㄴ. 바람은 기압이 높은 곳에서 낮은 곳으로 불기 때문에 A 지점에는 남풍 계열의 바람이 분다.

11 ㄱ. 태풍은 저기압이므로 북반구에서 시계 반대 방향으로 회전한다. 주어진 자료에서 풍향은 동 → 남 → 서로 바뀌었으므로 관측소에서 풍향은 시계 방향으로 변하였다.

ㄴ. 28일 약 10시에 기압이 가장 낮아지고 풍속이 가장 강했다는 것은 이때 관측소에 태풍의 중심이 가장 근접했음을 의미한다. 따라서 10시를 기준으로 태풍의 중심이 접근했다가 멀어졌음을 알 수 있다.

바로 알기 ㄷ. 태풍은 저기압이므로 북반구에서 시계 반대 방향으로 회전한다. 주어진 자료에서 관측소에서 풍향이 시계 방향으로 변하였다는 것은 관측소가 태풍의 진행 방향에 대하여 오른쪽인 위험 반원에 위치했다는 것을 의미한다.

12 ㄱ. 태풍이 발생하기 위해서는 수증기의 공급이 활발해야 하므로 대부분의 태풍은 위도 5°~25°의 열대 해상에서 발생한다.

ㄴ. 7월 이전이나 8월 이후에 발생한 태풍은 대부분 우리나라를 벗어나고, 대부분 7월~8월에 발생한 태풍이 우리나라에 영향을 미친다.

ㄷ. 겨울에는 열대 해상에서도 수온이 낮아 태풍이 거의 발생하지 않으며, 발생하더라도 세력이 약해 북상하지 못하고 금방 소멸한다.

13 ① 태풍의 진로는 북위 약 25°를 기준으로 북서에서 북동으로 바뀐다. 이는 북위 약 25° 이하에서는 무역풍의 영향을 받고, 그 이상에서는 편서풍의 영향을 받기 때문이다.

③ 태풍의 이동 속도는 같은 시간 동안 이동 거리로 판단할 수 있으므로 무역풍대보다 중위도의 편서풍대에서 더 빨랐음을 알 수 있다.

④ 이 태풍이 통과하면서 우리나라는 태풍의 진로 방향에 대하여 왼쪽에 위치하였으므로 우리나라에서의 풍향은 시계 반대 방향으로 바뀌었다.

⑤ 태풍의 진로에 대하여 우리나라는 안전 반원에 속하고, 일본은 위험 반원에 속하는 위치에 있었으므로 태풍에 의한 피해는 우리나라보다 일본이 더 컸을 것이다.

바로 알기 ② a에서 b를 통과하는 동안 태풍의 중심 기압이 높아진 것으로 보아 태풍의 세력이 약해졌음을 알 수 있다.

14 ㄱ. 태풍은 저기압이므로 중심 기압이 낮을수록 세력이 강해짐을 의미한다. 따라서 중심 기압이 낮을수록 최대 풍속이 강하게 나타난다.

바로 알기 ㄴ. 태풍의 이동 속도는 태풍의 강도와는 관련이 없고, 태풍이 북서 방향에서 북동 방향으로 진로가 바뀌면서 이동 속도가 빨라졌음을 알 수 있다. 즉, 태풍은 무역풍보다 편서풍의 영향을 받으면서 이동 속도가 빨라짐을 알 수 있다.

ㄷ. 서울의 위도와 경도로 볼 때 태풍 난마돌은 서울의 오른쪽을 통과했음을 알 수 있다. 따라서 서울은 난마돌이 지날 때 안전 반원에 위치했다.

02 우리나라의 주요 악기상

개념 모아 정리하기　　　　044쪽

❶번개　❷한랭　❸상승　❹적란운　❺가을　❻30
❼적란운　❽폭설　❾몽골　❿편서풍

---

01 ㄱ, ㄴ, ㄷ　**02** ㄴ　**03** ㄱ, ㄴ, ㄹ　**04** 적란운　**05** (1) 국지성 호우(집중 호우)　(2) 열대야　**06** ㄱ, ㄴ　**07** 황사

01 뇌우는 연직 방향으로 발달하는 적란운에서 나타나며, 구름 안에 강한 상승 기류와 하강 기류가 나타나면서 세력이 커진다. 뇌우의 하단부와 지표면 사이에 대전 현상이 나타나고 이들의 방전에 의해 번개와 천둥이 발생한다.

02 ㄴ. 우박은 연직 방향으로 강하게 발달하는 적란운에서 상승 기류와 하강 기류에 따라 상승과 하강을 반복하면서 크게 성장한다.

바로 알기 ㄱ. 우박은 대기가 불안정한 날에 수직으로 발달한 적란운에서 만들어진다.

ㄷ. 우박은 겨울과 한여름에는 거의 발생하지 않는데, 겨울에는 기온이 낮고 대기가 건조하여 적란운이 생기지 않으며, 한여름에는 기온이 너무 높아서 우박이 생겨도 금방 녹아 비로 되어 버리기 때문이다.

03 국지성 호우는 태풍, 장마 전선, 저기압과 고기압의 가장자리에서 대기가 불안정할 때 강한 상승 기류에 의해 형성되는 적란운에서 주로 발생한다.

04 우박은 구름 내부에서 과냉각 물방울로부터 증발한 수증기가 빙정에 달라붙어 상승과 하강을 반복하면서 형성되므로 주로 적란운에서 만들어진다. 뇌우는 천둥과 번개를 동반한 강한 비를 발생시키는 기상 현상으로, 적란운이 발생할 때 잘 나타난다. 국지성 호우는 대기가 불안정할 때 강한 상승 기류에 의해 형성되는 적란운에서 주로 발생한다.

05 (1) 국지성 호우는 일반적으로 1시간에 30 mm 이상의 비가 내리거나 하루에 80 mm 이상의 비가 내릴 때, 또는 연강수량의 10 %에 상당하는 비가 하루에 내릴 때를 일컫는다.

(2) 열대야는 해가 진 후 다음날 아침 해가 뜰 때까지 기온이 25 °C 이하로 내려가지 않을 때를 일컫는다.

06 ㄱ, ㄴ. 차가운 대륙 고기압이 황해를 지나면서 열과 수증기를 공급 받아 눈구름으로 발달하고, 이 눈구름이 북서풍을 따라 이동해 와서 우리나라 서해안에 폭설을 내린다.

바로 알기 ㄷ. 우리나라 상층의 찬 공기가 동해에서 수증기를 공급받아 눈구름이 만들어지고, 이것이 태백산맥에 부딪쳐 더욱 발달하여 내리는 폭설은 동해안 폭설이다.

07 몽골이나 중국 북부의 황토 지대에서 강한 바람이 불면 미세한 토양 입자가 솟아오르고, 이것이 상승 기류와 함께 상층 대기까지 올라가 편서풍을 타고 이동하면서 황사가 시작된다.

01 ① (가)는 뇌우의 발달 단계 중 소멸 단계이다.

③ (나) 단계는 뇌우 발달 단계 중 초기 단계인 적운 단계에 해당한다.

④ 낙뢰는 벼락이라고도 하며, 성숙 단계의 뇌우에서 발생하는 방전(妨電) 현상이다.

⑤ 뇌우는 적운 단계(나) → 성숙 단계(다) → 소멸 단계(가)를 거쳐 발달한다.

바로 알기 ② 우박이 가장 많이 발생하는 단계는 성숙 단계에 해당하는 (다)이다.

02 ㄱ. 구름은 주로 저기압의 중심과 전선 부근에서 생기며, 한랭 전선의 뒤쪽 구역(A 지역)과 온난 전선의 앞쪽 구역(C 지역)에 많이 생긴다.

ㄴ. 번개는 연직으로 발달한 적란운의 하부와 지표면 사이에서 방전이 일어나 발생한다.

바로 알기 ㄷ. 번개와 우박은 연직으로 발달한 적란운에서 많이 나타난다. 적란운이 형성될 수 있는 곳은 한랭 전선의 뒤쪽 구역(A 지역)이다.

03 ㄱ. 시간과 공간의 규모에 관계없이 많은 비가 연속적으로 내리는 것을 호우라고 하고, 짧은 시간 동안 좁은 영역에 일정량 이상의 많은 양의 비가 집중적으로 내리는 것을 국지성 호우 또는 집중 호우라고 한다. 국지성 호우가 발생하면 1시간에 30 mm 이상 또는 하루에 80 mm 이상의 비가 내린다.

ㄴ. 국지성 호우는 대기가 불안정할 때 강한 상승 기류에 의해 만들어지는 적란운에서 주로 발생하며, 천둥과 번개를 동반하기도 한다.

바로 알기 ㄷ. 국지성 호우의 지속 시간은 대체로 수십 분~수 시간 정도이고, 보통 반지름 약 10 km ~약 20 km의 비교적 좁은 지역에서 집중적으로 내린다.

04 ㄱ. A는 저위도 해상에서 형성되어 이동해 오는 따뜻하고 습윤한 공기이다.

ㄴ. B 지역의 공기는 북쪽에 위치한 차고 건조한 공기와 만난다. 이때 기층이 불안정해지면서 적란운이 형성되고, 이 지역에 집중 호우가 발생한다.

ㄷ. 저지 고기압이란 세력이 강해서 이동하는 공기를 막는 역할을 하는 고기압을 말한다. 따라서 북동진하는 A가 북동쪽에 위치한 저지 고기압에 가로막히면서 우리나라에 오래 머물러 국지성 호우가 나타난 것이다.

05 ㄱ. 등압선의 배치로 보아 현재 우리나라는 시베리아 고기압 확장의 영향을 받고 있음을 알 수 있다.

ㄷ. 시베리아 고기압의 확장으로 이동하는 찬 기단이 황해를 지나면서 수증기를 공급 받아 눈구름이 만들어지고 있으므로 우리나라 서해안 일부 지역에서는 폭설의 가능성이 있다.

바로 알기 ㄴ. 황해의 구름은 시베리아 고기압의 확장에 의해 내려오는 찬 기단이 황해를 지나면서 수증기를 공급 받아 만들어진 것이다.

06 ① 겨울철 우리나라에 한파를 발생시키는 고기압은 시베리아 고기압으로, 이는 한 지역에 오랫동안 머물러서 형성된 정체성 고기압이다.

② 겨울철에는 서쪽에 고기압이 형성되고, 동쪽에 저기압이 형성되어 서고 동저형의 기압 배치가 나타난다.

④ 찬 대륙에서 형성된 기단이 서해상의 따뜻한 해수면을 지나는 동안 수증기가 공급되어 습도가 높아지고, 기단의 하층부터 가열되어 불안정해지므로 적운이나 적란운이 형성된다.

⑤ 공기가 산맥을 넘기 전에는 공기가 상승하면서 단열 팽창하고, 산맥을 넘으며 공기가 하강하면서 단열 압축되는 과정을 통해 건조해진다.

바로 알기 ③ 찬 기단이 따뜻한 해상을 지나면 기단의 하층이 가열되어 상승 기류가 나타나면서 불안정해진다.

07 ㄱ. 폭염 주의보는 하루 최고 기온이 33 ℃ 이상인 상태가 2일 이상 지속될 것으로 예상될 때 발령된다. 따라서 8월 13일과 8월 14일에 서울에는 폭염 주의보가 내려졌다.

ㄴ. 열대야는 해가 진 후부터 다음 날 해가 뜰 때까지 기온이 25 ℃ 이상으로 나타나는 현상이다. 8월 13일과 14일에 열대야가 나타났으며, 15일에 사라졌다.

ㄷ. (나)에서 북태평양 고기압이 발달하고 있음을 알 수 있다. 북태평양 고기압은 온도와 습도가 높기 때문에 8월 13일부터 14일까지 서울에 고온 다습한 일기 현상이 나타났다.

08 ① 황사는 주로 모래와 같은 작은 입자가 공기 중에 유입되면서 발생하므로 황사의 발원지는 주로 사막이나 고원과 같은 건조한 지역이다.

③ 황사의 모래 먼지가 구름에 섞이면 중간에 떨어지지 않고 구름과 함께 먼 곳으로 이동할 수 있다.

④ 우리나라에 영향을 주는 황사는 편서풍의 영향으로 서쪽에서 동쪽으로 이동하면서 유입된다.

⑤ 황사가 대기 오염이 심한 지역을 통과하면 그 지역에 있는 미세 먼지도 함께 유입될 수 있으므로 더 큰 피해가 나타난다.

바로 알기 ② 흙먼지나 모래가 공중으로 올라가 바람을 타고 이동하는 황사가 되기 위해서는 상승 기류가 발달해야 한다. 따라서 황사 발원지에 저기압이 형성될 때 황사가 더 쉽게 발생할 수 있다.

03 해수의 성질

집중 분석 058쪽

유제 ①

ㄱ. 혼합층은 표층에서 수심에 따라 수온의 변화가 없는 층으로, 두께는 약 150 m에 이른다.

바로 알기 ㄴ. 수온 약층은 수심에 따라 수온이 급격히 감소하는 층으로, 150 m∼800 m 구간에 해당한다.

ㄷ. 2000 m∼5000 m 구간에서는 수괴의 밀도가 등밀도선과 거의 평행하게 나타나므로 밀도의 변화는 없다.

개념 모아 정리하기 059쪽

❶ psu ❷ 염화 나트륨 ❸ 증발량 ❹ 중 ❺ 수온 ❻ 대기
❼ 이산화 탄소 ❽ 바람 ❾ 수온 약층 ❿ 심해층 ⓫ 염분
⓬ 밀도 ⓭ 황해 ⓮ 동해 ⓯ 강수량 ⓰ 황해 ⓱ 동해

개념 기본 문제 060쪽

01 (1) 염분 (2) psu (3) 염화 나트륨 **02** (1) ㄱ, ㄷ (2) ㄴ, ㄹ, ㅁ
03 ㄱ, ㄷ, ㄹ **04** (1) A: (표층) 염분, B: 증발량−강수량 (2) 중위도 지역의 바다는 고기압대이므로 증발량이 강수량보다 많아서 염분이 높다. **05** (1) 표층 해수에는 대기 중의 산소가 녹아 들어가고, 광합성을 하는 생물이 많이 분포하기 때문이다. (2) 수온 (3) 이산화 탄소 **06** (1) A: 혼합층, B: 수온 약층, C: 심해층 (2) 바람의 세기 (3) 낮아, 안정 **07** (1) A: 수온, B: 밀도 (2) 수온 약층 (3) 수압, 염분 **08** (1) C＞A＞B (2) 염분 (3) 수온 **09** ㄱ, ㄷ

01 (1) 염분은 해수 1 kg에 들어 있는 염류의 총량을 나타낸다.
(2) 염분의 단위는 실용 염분 단위인 psu를 사용한다.
(3) 해수에 녹아 있는 물질들을 염류라고 하며, 이 중에는 염화 나트륨이 가장 많이 포함되어 있다.

02 (1) 염분을 증가시키는 요인에는 증발량 증가와 해수의 결빙이 있다.
(2) 염분을 감소시키는 요인에는 강수량 증가와 해빙, 하천수의 유입 등이 있다.

03 염분은 강수량이 적을수록, 증발량이 많을수록 높게 나타난다. 육지와 맞닿아 있는 연안은 육지로부터 하천수가 유입되어 염분이 낮게 나타나고, 중위도 고압대는 증발량이 강수량보다 많아서 염분이 높다. 수온과 염분은 직접적인 관계가 없다.

04 (1) A는 실제로 측정한 염분(표층 염분)이고, B는 (증발량−강수량)의 값이다. 극 해역에서 실제로 측정한 염분이 (증발량−강수량)의 값보다 낮게 나타나는 것은 해빙과 관련이 있다.
(2) 중위도 해역은 대기 대순환에 따른 하강 기류에 의해 고기압이 우세하게 나타나 증발량이 강수량보다 많기 때문에 염분이 높게 나타난다.

05 (1) 표층 해수에는 대기 중의 산소가 녹아 들어가고, 광합성을 하는 생물이 많이 분포하기 때문에 광합성의 결과물인 산소가 많이 녹아 있다.
(2) 해수 중 기체의 용해도에 영향을 미치는 것은 수온, 수압, 염분이다. 이 중에서 영향을 가장 많이 미치는 것은 수온으로, 수온과 기체의 용해도는 반비례한다.
(3) 지구 온난화가 지속되면 해수의 온도가 상승하여 기체의 용해도가 감소하기 때문에 해수에 녹아 있던 이산화 탄소가 대기 중으로 방출하게 된다. 온실 기체인 이산화 탄소의 대기 중 농도가 높아지면 지구 온난화는 더욱 가속화된다.

06 (1) A는 바람의 영향으로 수온이 균일해진 혼합층이고, B는 바람의 영향과 태양 복사 에너지양이 급격히 감소하여 수온이 급격히 낮아지는 수온 약층이며, C는 바람의 영향이 없고 태양 복사 에너지가 거의 도달하지 않아 수온의 변화가 거의 나타나지 않는 심해층이다.
(2) 혼합층은 바람의 혼합 작용으로 형성되므로, 혼합층의 두께는 바람이 강할수록 두꺼워진다.

(3) 수온 약층은 수심에 따라 수온이 낮아지므로 연직 방향으로 매우 안정한 특징을 나타낸다.

07 (1) A는 수온이고, B는 밀도이다. 해수의 밀도는 수온이 높을수록 낮게 나타난다.

(2) 해수의 밀도의 변화에 가장 큰 영향을 미치는 것은 수온이다. 따라서 수심에 따른 수온 변화가 가장 큰 수온 약층에서 밀도 변화가 가장 크게 나타난다.

(3) 수심에 따른 해수의 밀도 변화에 가장 큰 영향을 미치는 것은 수온이고, 수온 이외에 다른 요인으로 수압과 염분이 있다. 수압이 높거나 염분이 높으면 해수의 밀도가 높게 나타난다.

08 (1) 해수의 밀도는 염분이 높아질수록, 수온이 낮아질수록 크게 나타나므로 C>A>B의 순서이다.

(2) A와 C는 수온이 같지만 A보다 C의 염분이 더 높아 C의 밀도가 더 크다.

(3) B와 C는 염분은 같지만 B보다 C의 수온이 더 낮아 C의 밀도가 더 크다.

09 ㄱ. 여름철에는 강수량이 많기 때문에 전 해역의 염분이 겨울철보다 낮게 나타난다.

ㄷ. 쿠로시오 해류는 수온과 염분이 높은 해류로, 남해는 쿠로시오 해류의 영향을 받아 염분이 높게 나타난다. 여름철에는 강수량의 증가로 하천수의 유입량이 많으므로 겨울철보다 염분이 훨씬 낮다. 따라서 남해는 표층 염분의 연교차가 가장 크다.

바로 알기 ㄴ. 황해는 지형적으로 대륙으로 둘러싸여 있기 때문에 하천수의 유입이 많아 동해에 비해 염분이 낮게 나타난다.

01 ㄱ. 동일 위도에서 표층 염분은 대서양이 태평양보다 높게 나타난다.

ㄴ. 위도 약 20°~약 30°에서는 두 대양 모두 염분이 높게 나타나는데, 이는 중위도 고기압대에서 증발량이 강수량보다 많기 때문이다.

바로 알기 ㄷ. 해수의 염분은 다르더라도 구성하는 각 염류 사이의 비율은 일정하다.

02 ㄱ. 기체의 용해도는 수온에 반비례한다. 고위도의 해수는 저위도의 해수보다 수온이 낮기 때문에 용존 산소량이 많다.

ㄴ. 해수의 표층에는 광합성 생물이 많이 분포하기 때문에 표층에서 산소의 농도가 높게 나타난다.

바로 알기 ㄷ. 수심 1 km 이하에서 이산화 탄소의 농도가 높은 것은 이산화 탄소를 많이 포함하는 표층수가 침강하기 때문이다. 수심 1 km 이하에서는 생물이 거의 서식하지 않는다.

03 ㄱ. 혼합층은 수심에 따라 수온이 일정한 해수의 표층으로, 바람이 약한 8월~9월 사이에 가장 얇게 형성된다.

ㄷ. 해저면 부근은 바람의 영향이 없고 태양 복사 에너지가 거의 도달하지 않아 계절에 관계없이 수온이 거의 일정하다.

바로 알기 ㄴ. 수온 약층은 수심에 따라 수온이 급격히 낮아지는 층으로 등수온선이 조밀하게 나타난다. 수온 약층은 표층의 온도가 높고 바람이 약한 여름에 강하게 발달한다.

04 ㄱ. 수온 약층은 등수온선이 조밀한 곳이고, 표층에서 수온 약층이 시작되는 수심까지가 혼합층이다. 자료에서 혼합층의 두께는 연안에서 멀어질수록 두껍게 나타난다.

ㄴ. 수온 약층은 수심이 깊어질수록 수온이 급격히 낮아지는 층이기 때문에 연직 방향으로 등수온선의 간격이 조밀하게 나타난다.

바로 알기 ㄷ. 수심이 낮은 연안에서 먼바다로 갈수록 심해층이 나타나는 수심이 조금씩 깊어지는 경향을 보이고 있다.

05 ㄱ. 해수의 밀도는 등밀도선으로 판단한다. 해수의 밀도는 C=D>B>A의 순서이다.

ㄴ. D는 B와 수온이 비슷하지만 염분이 B보다 높기 때문에 밀도가 더 크다.

바로 알기 ㄷ. C와 D는 수온과 염분이 다르지만 밀도가 같기 때문에 두 수괴가 만나면 C와 D 모두 수심을 그대로 유지할 것이다.

06 ㄱ. 혼합층은 수온이 일정한 해수의 표층으로, 주어진 자료에서는 수심 약 100 m까지 혼합층이다. 따라서 혼합층에서는 수온보다 염분의 변화가 크다.

ㄷ. 등밀도선의 연직 방향으로 변화가 큰 수온 약층(수심 100 m~300 m)에서 수심에 따른 밀도의 변화가 가장 크게 나타난다.

바로 알기 ㄴ. 수심 100 m~300 m 사이에는 수심에 따라 수온이 낮아지는 수온 약층이 나타나므로 해수층이 안정하여 대류가 잘 일어나지 않는다.

07 ㄱ. A 해역은 양쯔강의 하구로, 대륙으로부터 하천수가 유입되어 염분이 낮게 나타난다.

ㄴ. B 해역은 염분이 높은 쿠로시오 해류의 영향으로 주변보다 염분이 높게 나타난다.

바로 알기 ㄷ. C와 D는 인접한 곳이므로 증발량과 강수량도 비슷할 것이다. 그런데 연안에 가까운 D 해역이 하천수의 영향을 크게 받으므로 C 해역의 염분이 D 해역보다 높게 나타난 것으로 볼 수 있다.

08 ㄱ. (나)에서 A 해역은 B 해역에 비해 수온과 염분이 낮음을 알 수 있다.

ㄴ. B 해역은 C 해역에 비해 염분이 높지만 수온도 높아 밀도가 낮게 나타난다.

ㄷ. C 해역은 A 해역보다 수온이 다소 높지만 염분이 높기 때문에 밀도가 높게 나타난다.

09 ㄱ. 수온 약층은 수심에 따라 수온이 급격하게 감소하는 층으로, 같은 해역에서는 표층의 수온이 높을수록 수온 약층이 강하게 발달한다. 주어진 자료에서 수온 약층은 봄보다 가을에 더 강하게 발달하였다.

ㄷ. 해수의 밀도는 수온이 높을수록 감소하고, 염분이 높을수록 증가한다. 따라서 표층 해수의 밀도는 가을보다 봄에 더 높다.

바로 알기 ㄴ. 표층 해수의 염분 변화에 영향을 주는 요인은 수온과는 관련이 없고 증발량, 강수량 또는 하천수의 유입 등과 관련이 있다. 주어진 자료를 측정한 시기에는 봄보다 가을에 강수량이 더 많았다고 판단할 수 있다.

10 ㄱ. 수온의 연교차는 황해가 동해보다 크다. 이는 황해의 수심이 낮아서 대류의 영향을 많이 받기 때문이다.

ㄴ. 대한해협의 수온이 높게 나타나는 것은 저위도에서 북상하는 난류의 영향을 받기 때문이다.

ㄷ. 조경 수역은 난류와 한류가 만나는 해역으로, 난류가 강해지는 여름에는 동해의 조경 수역이 겨울보다 고위도에서 형성된다.

통합 실전 문제 · · · · · · · · 068쪽

01 ①	02 ①	03 ④	04 ②	05 ④	06 ④
07 ①	08 ⑤	09 ③	10 ③	11 ④	12 ③
13 ②	14 ③	15 ③	16 ④		

01 ㄱ. 현재 우리나라는 이동성 고기압의 전면에 위치하여 맑은 날씨가 나타난다.

바로 알기 ㄴ. 현재 우리나라에 영향을 주는 고기압은 양쯔강 유역에서 발달한 이동성 고기압이 편서풍을 타고 이동해 온 것이다.

ㄷ. 우리나라는 편서풍의 영향을 받기 때문에 기압 배치가 서에서 동으로 이동한다. 따라서 현재 우리나라 서쪽에 위치한 고기압의 영향으로 당분간 맑은 날씨가 나타날 것이다.

02 ㄱ. (가)는 온대 저기압이 성숙된 상태이고, (나)는 중심부에 폐색 전선이 생긴 것으로 보아 온대 저기압이 소멸하는 단계이다. 따라서 온대 저기압은 (가)에서 (나)의 형태로 바뀐다.

바로 알기 ㄴ. (가)의 A와 B에는 모두 찬 기단이 위치하고, 두 전선 사이에 따뜻한 기단이 위치한다.

ㄷ. (나)에서는 한랭 전선과 온난 전선이 겹쳐져서 형성되는 폐색 전선이 나타난다. 따라서 얼마 후 두 기단의 온도 차가 사라지면서 전선은 소멸한다.

03 ㄱ. 북반구 저기압 주변에서는 바람이 저기압 중심으로 시계 반대 방향으로 불어 들어가므로 A에서는 남동풍이 분다. (나)에서 남동풍은 c일 때이므로 풍속은 5 m/s보다 약하게 불고 있음을 알 수 있다.

ㄷ. (나)에서 온난 전선이 통과할 때는 c → b이고, 한랭 전선이 통과할 때는 b → a이다. 따라서 풍속의 변화는 온난 전선보다 한랭 전선이 통과할 때 크게 나타났다.

바로 알기 ㄴ. 관측소 A에서는 현재 남동풍이 불고 있으며, 시간이 지나 온난 전선이 통과한 후 남서풍으로 바뀌고, 한랭 전선이 통과하면 북서풍으로 바뀐다. 따라서 (나)에서 시간에 따라 풍향과 풍속을 측정한 순서는 c → b → a의 순이다.

04 ㄴ. 태풍은 시계 반대 방향으로 회전하기 때문에 태풍의 진행 방향에 대하여 오른쪽에 위치한 지역에서는 태풍의 이동에 따라 풍향이 시계 방향으로 바뀐다. 따라서 곤파스의 이동 경로에 대하여 오른쪽에 위치한 대전에서는 태풍이 통과하면서 풍향이 시계 방향으로 바뀐다.

바로 알기 ㄱ. 태풍은 발생 후 이동하면서 수증기를 공급 받아 세력이 강해지다가, 수온이 낮아지거나 수증기의 공급이 감소하면 세력이 약해진다.

태풍의 세기는 중심 기압으로 알 수 있는데, 9월 1일 오전까지 중심 기압이 낮아지는 것으로 보아 그때까지 곤파스의 세력이 강해지다가 그 이후로 중심 기압이 높아지면서 세력이 약해졌음을 알 수 있다.

ㄷ. 태풍이 육지에 상륙하면 수증기의 공급이 끊기므로 세력이 약해져서 중심 기압이 상승한다.

05 ㄱ. 태풍은 저기압의 일종이기 때문에 중심으로 갈수록 기압이 낮아지고, 풍속은 태풍의 눈을 제외한 중심부에서 가장 강하게 나타난다. 따라서 ㉠은 기압이고, ㉡은 풍속이다.

ㄷ. B 지역은 태풍의 눈으로, 약한 하강 기류에 의해 날씨가 맑고 바람이 약하게 불 것이다.

바로 알기 ㄴ. 북반구에서 태풍은 시계 반대 방향으로 회전하므로 북상하는 태풍의 서쪽인 A 지역에는 북풍 계열, 동쪽인 C 지역에는 남풍 계열의 바람이 분다.

06 ㄴ. 레이더 영상은 가시광선을 이용하지 않는 방법이므로 빛이 없는 밤에도 촬영이 가능하다.

ㄷ. 현재 중부 지방과 동해안 일대에는 비구름이 분포하고 있으며, 특히 서울은 게릴라성 호우의 가능성이 있다.

바로 알기 ㄱ. 레이더 영상은 전파를 보내 구름 속에 있는 빗방울이나 눈송이에 부딪혀 돌아오는 반사파를 분석하여 영상으로 나타낸 것이다. 레이더 영상을 통해 구름 속에 강수 입자가 얼마나 있는지 알 수 있다. 구름의 두께는 가시 영상으로 알 수 있고, 구름의 고도는 적외 영상으로 알 수 있다.

07 ㄱ. 빙정이 구름 내에서 상승과 하강을 반복하면서 성장하여 무거워지면 우박이 되어 떨어진다.

바로 알기 ㄴ. 우박은 중심부를 투명한 얼음층과 불투명한 얼음층이 번갈아 둘러싸는 층상 구조를 가진다. 불투명한 층은 빙정이 적란운 내에서 강한 상승 기류를 타고 상승과 하강을 반복하여 성장하는 과정에서 기포가 포함되어 나타나는 것이다.

ㄷ. 우박은 겨울과 한여름에는 거의 발생하지 않는데, 기온이 너무 낮으면 적란운이 형성되지 않으며, 기온이 너무 높으면 우박이 떨어지는 동안에 녹아 버리기 때문이다.

08 ① A는 고위도에 위치한 시베리아 지역의 상공에서 형성된 차고 건조한 공기이다.

② 차고 건조한 기단인 A가 동해의 따뜻한 해수면을 통과하면서 해수면 위의 습한 공기를 냉각시켜 눈구름대가 형성되었다.

③ 우리나라 남쪽의 저기압이 찬 공기의 남하를 저지하는 역할을 함으로써 눈구름대가 동해로 유입되어 이 일대에 폭설을 내렸다.

④ 북동쪽에서 부는 바람이 동해에 형성된 눈구름을 강원도 지역으로 이동시키는 역할을 하였다.

바로 알기 ⑤ 문제의 폭설은 상공의 찬 공기가 습한 해수 위의 공기를 냉각시켜서 눈구름을 만들기 때문에 나타난다. 따라서 동해의 수온이 높을수록 공기 중에 수증기를 더 많이 공급하므로 폭설이 더 잘 발생할 수 있다.

09 ㄱ. 황사의 발원지는 대부분 중위도의 사막이나 고원 지역과 같이 건조하여 모래나 먼지가 많은 지역이다.

ㄴ. 황사의 발원지는 대부분 중위도에 위치하고 있기 때문에 편서풍의 영향을 받아 황사가 서에서 동으로 이동한다.

바로 알기 ㄷ. 황사 유입의 빈도는 황사 발원지의 거리가 가까울수록 높은 것이 아니라 황사의 종류와 규모 및 발원지의 성격과 관련이 있다. 즉, 발원지가 가깝더라도 황사의 규모가 작거나 황사를 구성하는 입자의 크기가 클 경우에는 멀리까지 이동하기 어렵다.

10 ㄱ. 중위도는 대기 대순환에 의해 고기압대가 나타나는 곳으로, 증발량이 강수량보다 많아서 염분이 높게 나타난다.

ㄴ. 적도 해역은 대기 대순환에 의해 저기압대가 나타나는 곳으로 증발량보다 강수량이 더 많아서 중위도 해역에 비해 염분이 상대적으로 낮게 나타난다.

바로 알기 ㄷ. 고위도 해역은 (증발량−강수량)의 값보다 실측한 염분이 대체로 더 낮게 나타나는데, 이는 증발량과 강수량 이외의 요인이 더 작용하기 때문이다. 즉, 고위도 해역에서는 빙하가 녹은 물에 의해 해수가 희석되어 염분이 낮게 나타난다. 결빙이 나타날 경우에는 염분이 증가한다.

11 ㄱ. 산소는 해수의 표층에 많이 분포하고, 이산화 탄소는 수심이 깊어질수록 증가한다. 해수 중에 포함되어 있는 양은 산소보다 이산화 탄소가 더 많다. 따라서 A는 산소, B는 이산화 탄소이다.

ㄷ. 해수의 표층에는 광합성 생물이 많이 분포하기 때문에 산소의 농도가 높다. 이산화 탄소의 경우에 해수 표층에서 광합성으로 유기물이 생성되는 과정에서 이산화 탄소가 쓰이므로 표층에서의 농도가 낮다.

바로 알기 ㄴ. 산소는 표층에 많이 분포하지만 절대적인 양은 이산화 탄소가 약 10배 이상 많다. 그래프의 x축에서 위에 있는 값이 산소의 양이고, 아래에 있는 값이 이산화 탄소의 양임에 주의해야 한다.

12 ㄱ. 혼합층의 두께는 바람의 세기에 비례한다. 저위도보다 중위도에서 혼합층이 두껍게 나타나는 것은 바람이 강하게 불고 있음을 의미한다.

ㄴ. 수온 약층에서 수온 변화의 폭은 중위도보다 저위도에서 더 크게 나타난다. 따라서 수온 약층은 저위도에서 더 강하게 발달함을 알 수 있다.

바로 알기 ㄷ. 고위도 해역은 해수에 도달하는 태양 복사 에너지양이 적기 때문에 표층과 심층 사이의 수온 차이가 거의 나타나지 않는다. 따라서 고위도 해역에서는 해수의 층상 구조가 잘 나타나지 않는다.

13 ㄷ. 심해층에서는 태양 복사 에너지의 영향이 거의 없고 물의 이동도 거의 나타나지 않으므로 수심에 따른 수온 변화와 염분 변화가 작다.

바로 알기 ㄱ. A 부분의 표층에는 난류가 유입되어 수온이 상승하였고, 염분의 연직 분포를 나타낸 그림에서 이 난류는 염분이 낮다는 것을 알 수 있다.

ㄴ. A 부분은 표층이기 때문에 계절에 따라 수온의 변화가 크게 나타나지만 B 부분은 계절에 따른 영향을 상대적으로 적게 받으므로 표층보다 수온의 변화가 작게 나타난다.

14 ㄱ. 수심이 깊어질수록 수온이 낮아지고, 밀도가 증가한다. 즉, 수심에 따른 수온과 밀도는 반비례하여 나타난다.

ㄴ. 수온 약층에서는 수심에 따라 수온이 급격히 낮아지므로 밀도는 급격히 증가한다.

바로 알기 ㄷ. 하천수는 해수보다 염분이 낮으므로 밀도가 작다. 따라서 바다로 유입된 하천수는 밀도 차에 의해 해수 표층을 따라 흐르게 된다.

15 ㄱ. 증발량이 많을수록 염분이 높고, 강수량이 많을수록 염분이 낮다. 즉, 염분은 증발량에 비례하고, 강수량에 반비례한다.

ㄴ. 적도를 포함한 저위도 해역에서는 증발량도 많지만 대기 대순환에 의한 저압대의 형성으로 강수량이 더 많아 염분이 상대적으로 낮게 나타난다. 반면, 중위도 해역에서는 대기 대순환에 의한 하강 기류에 의해 고압대가 형성되어 증발량이 강수량보다 많으므로 염분이 높게 나타난다.

바로 알기 ㄷ. 염분은 기온과 직접적인 관련이 없다. 기온이 높다고 해서 증발량이나 강수량이 반드시 많다고 할 수 없기 때문이다.

16 ㄴ. 해수의 밀도는 수온이 낮을수록, 염분이 높을수록 높다. b 구간에서는 수온이 낮아지고 염분이 높아지므로 밀도가 증가한다.

ㄷ. c 구간과 d 구간에서는 수온이 급격히 변화하지만 염분의 변화는 작다. 따라서 c 구간과 d 구간의 밀도 변화는 염분보다 수온의 영향을 많이 받았다.

바로 알기 ㄱ. a 구간은 수심에 따라 수온이 급격히 감소하므로 수온 약층에 해당한다.

01 (1) 저기압은 중심으로 갈수록 기압이 낮으므로 바람이 바깥에서 중심을 향하여 불어 들어오고, 고기압은 중심으로 갈수록 기압이 높으므로 바람이 중심에서 바깥을 향하여 불어 나간다.

(2) 공기가 상승을 하면 단열 팽창하여 온도가 내려가고, 공기가 하강을 하면 단열 압축되어 온도가 높아진다.

모범 답안 (1) 북반구의 저기압에서는 시계 반대 방향으로 바람이 불어 들어가고, 고기압에서는 시계 방향으로 불어 나온다.

(2) 저기압에서는 상승 기류가 발생하므로 공기가 단열 팽창하여 기온이 하강하면서 구름이 만들어지고, 고기압에서는 하강 기류가 발생하므로 공기가 단열 압축되어 기온이 높아져서 구름이 소멸하므로 맑은 날씨가 된다.

	채점 기준	배점(%)
(1)	저기압, 고기압에서 바람의 방향을 모두 옳게 서술한 경우	40
	저기압과 고기압에서의 바람 방향 중 한 가지만 옳게 서술한 경우	20
(2)	공기의 상승과 하강에 따른 단열 변화와 기온 변화를 모두 옳게 서술한 경우	60
	공기의 상승과 하강에 따른 단열 변화와 기온 변화 중 일부만 옳게 서술한 경우	30

02 (1) 한랭 전선은 찬 공기가 따뜻한 공기를 파고들면서 형성된다.

(2) 전선의 경계에서는 두 기단의 밀도 차에 의해 공기가 상승하는데, 이때 에너지의 변화가 발생한다.

모범 답안 (1) 한랭 전선이며, 전선의 후면에서 적운형 구름이 발달하여 전선 후면의 좁은 구역에 소나기성 비가 내린다.

(2) 찬 기단이 따뜻한 기단을 파고들면서 따뜻한 기단이 상승하게 된다. 이때 두 기단의 무게 중심 변화에 따라 위치 에너지가 감소하게 되고, 감소한 위치 에너지가 운동 에너지로 바뀌어 전선의 에너지원으로 쓰인다.

채점 기준		배점(%)
(1)	전선의 명칭, 구름의 종류, 강수 구역의 특징을 모두 옳게 서술한 경우	50
	전선의 명칭, 구름의 종류, 강수 구역의 특징 중 일부만 옳게 서술한 경우	20
(2)	기단의 상승에 따른 위치 에너지의 변화를 옳게 서술한 경우	50
	위치 에너지라는 표현을 포함하지 않은 경우	10

03 (1) 정체성 고기압은 그 중심이 대륙이나 해양의 특정 지역에 오랫동안 머무르며 주위 지역에 영향을 미치는 고기압이다.

(2) 한랭 고기압은 지표면의 냉각에 의해 생기고, 온난 고기압은 대기 대순환의 하강 기류에 의해 생긴다.

모범 답안 (1) 한랭 고기압의 예로는 시베리아 고기압이 있고, 온난 고기압의 예로는 북태평양 고기압이 있다.

(2) 한랭 고기압은 지표면의 냉각에 의한 하강 기류로 나타나는 고기압이고, 온난 고기압은 대기 대순환의 하강 기류에 의해 나타나는 고기압이기 때문에 온난 고기압이 한랭 고기압보다 연직 높이가 높다.

채점 기준		배점(%)
(1)	고기압의 예를 각각 옳게 답한 경우	50
	고기압의 예를 한 가지만 옳게 답한 경우	20
(2)	고기압의 형성 원인을 모두 옳게 답한 경우	50
	고기압의 형성 원인 중 한 가지만 옳게 답한 경우	20

04 (1) 온대 저기압이 동반하는 온난 전선이 통과하면 기온이 상승하고 기압은 하강하며, 한랭 전선이 통과하면 기온이 하강하고 기압은 상승한다. 그림에서 15시경에 기온이 급격히 하강하고 기압은 급격히 상승하였으므로, 15시경에 한랭 전선이 통과하였음을 알 수 있다.

(2) 한랭 전선이 통과할 때는 적운형 구름이 만들어지므로 소나기가 내릴 확률이 높다.

모범 답안 (1) 15시경에 한랭 전선이 통과하였다.

(2) 오후에는 한랭 전선이 통과하면서 바람이 남서풍에서 북서풍으로 바뀌며 한차례 소나기가 내릴 것이다.

채점 기준		배점(%)
(1)	전선 통과 시각과 전선의 종류를 옳게 답한 경우	50
	전선 통과 시각과 전선의 종류 중 한 가지만 옳게 답한 경우	30
(2)	풍향의 변화, 강수 형태를 모두 옳게 서술한 경우	50
	풍향의 변화, 강수 형태 중 일부만 옳게 서술한 경우	30

05 (1) 가시 영상에서는 두꺼운 구름일수록 밝게 보이고, 적외 영상에서는 고도가 높은 구름일수록 밝게 보인다.

(2) 레이더 영상에 나타나는 것은 물이나 얼음 입자에서 산란 또는 반사된 것으로, 비나 눈 입자의 양을 알 수 있다.

(3) 우리나라의 서쪽에 기압골이 길게 형성되어 있다.

모범 답안 (1) (가)의 가시 영상에서 밝게 보이는 구름은 두꺼운 구름이고, (나)의 적외 영상에서 밝게 보이는 구름은 온도가 낮으며 고도가 높은 구름이다.

(2) 레이더 영상에서 여러 가지 색으로 나타나는 것은 강수 입자로, 이를 통해 실제 강수량과 비나 눈이 오는 위치를 알 수 있다.

(3) 서쪽에서 다가오는 기압골의 영향으로 우리나라에 구름이 많아지고 강수 현상이 나타난다.

채점 기준		배점(%)
(1)	(가), (나)에서 밝게 보이는 구름의 특징을 모두 옳게 서술한 경우	30
	(가), (나)에서 밝게 보이는 구름의 특징을 일부만 옳게 서술한 경우	10
(2)	레이더 영상에 나타나는 물질과 이로부터 알 수 있는 사실을 옳게 서술한 경우	30
	레이더 영상에 나타나는 물질과 이로부터 알 수 있는 사실 중 일부만 옳게 서술한 경우	10
(3)	우리나라에 구름이 많아지고 강수 현상이 나타난 까닭을 기압골을 언급하여 옳게 서술한 경우	40
	기압골을 언급하지 않고 서술한 경우	20

06 (1) 수온이 높은 열대 해상에서 해수면 위의 공기 덩어리가 상승하여 적란운이 되면 전향력의 영향을 받아 회전하므로 바람이 발생한다.

(2) 적란운 내의 수증기가 응결하면서 숨은열이 방출되는데, 이것이 태풍의 회전력을 증가시켜 강풍과 강우를 일으키는 에너지원이 된다.

모범 답안 (1) 태풍은 수온이 27 ℃ 이상으로 높아서 수증기의 증발이 강하게 일어나는 열대 해역에서 발생한다. 해수면 위의 공기 덩어리가 빠르게 상승하여 적란운이 만들어지고, 이것이 전향력의 영향으로 회전하면서 이동하는 태풍이 된다. 수온이 높은 열대 해상에서도 적도 부근은 전향력이 작용하지 않기 때문에 태풍은 위도 $5° \sim 25°$의 해역에서 형성될 수 있다.

(2) 수증기의 응결에 의한 숨은열

채점 기준		배점(%)
(1)	수증기의 증발, 열대 해역, 전향력을 모두 언급하여 옳게 서술한 경우	70
	수증기의 증발만을 언급하여 서술한 경우	30
	전향력만을 언급하여 서술한 경우	20
	전향력을 포함하지 않고 서술한 경우	10
(2)	수증기의 응결과 숨은열이라는 용어를 포함하여 옳게 설명한 경우	30
	숨은열이라는 용어를 포함하지 않은 경우	10

07 북반구에서 태풍 진행 방향에 대하여 오른쪽은 태풍의 진행 속도에 회전 속도가 더해져 풍속이 강해지고, 왼쪽은 태풍의 진행 속도에서 회전 속도가 감해져 풍속이 약해진다.

모범 답안 풍속이 각각 A는 100 km/h이고, B는 160 km/h이므로, B가 위험 반원에 해당한다.

채점 기준	배점(%)
A와 B의 값과 위험 반원 지역을 모두 옳게 답한 경우	100
A와 B의 값과 위험 반원 지역 중 일부만 옳게 답한 경우	50

08 (1) 우리나라의 겨울철에는 대륙에서 발달한 시베리아 고기압의 영향으로 북서 계절풍이 발달한다.

(2) 차가운 기단이 따뜻한 해수를 통과하면 수증기의 공급이 많아지고, 이 수증기가 눈구름으로 발달한다.

모범 답안 (1) 북서풍, 시베리아 고기압

(2) 차가운 대륙 고기압이 상대적으로 수온이 높은 황해를 통과하면서 열과 수증기를 공급 받으면 눈구름을 형성하고, 이 눈구름이 북서풍을 따라 이동해 오므로 서해안에 폭설이 내린다.

	채점 기준	배점(%)
(1)	바람의 방향과 대륙 고기압의 명칭을 모두 옳게 답한 경우	40
	바람의 방향과 대륙 고기압의 명칭 중 한 가지만 옳게 답한 경우	20
(2)	황해에서 눈구름이 발달하는 과정을 모두 옳게 서술한 경우	60
	황해에서 수증기가 공급되었다는 사실을 언급하지 않은 경우	20

09 황사는 건조한 지역에서 형성되며, 저기압이 생길 때 상승하여 편서풍을 타고 이동하다가 고기압의 하강 기류를 따라 하강한다.

모범 답안 • 발원지의 특성: 모래나 먼지가 많이 생길 수 있는 건조한 지역으로, 주로 중위도 고압대가 황사의 발원지가 된다.

• 황사의 상승 조건: 상승 기류가 발생하는 저기압에서 황사가 상승하게 된다.

• 황사의 이동: 중위도에서 황사는 편서풍을 따라 서에서 동으로 이동한다.

• 황사의 하강 조건: 하강 기류가 발생하는 고기압에서 황사가 하강하게 된다.

채점 기준	배점(%)
4가지 단계를 모두 옳게 서술한 경우	100
4가지 단계 중 일부만 옳게 서술한 경우	각 20

10 (1) 적도에서 상승한 공기는 고위도로 이동하는 과정에서 점차 냉각되어 위도 30° 부근에 이르러 하강하게 되므로 중위도 고압대가 형성된다. 즉, 중위도는 대기 대순환에 의해 고기압이 우세하게 나타난다.

(2) 대륙 연안 해역은 하천수의 유입이 많으므로 염분이 낮게 나타난다.

모범 답안 (1) 중위도 해역은 대기 대순환에 의해 고기압이 우세하게 나타나며, 이에 따라 증발량이 강수량보다 많아져 염분이 높게 나타난다.

(2) 대륙의 연안은 하천수의 유입이 많기 때문에 먼바다에 비해 염분이 상대적으로 낮게 나타난다.

	채점 기준	배점(%)
(1)	중위도 고압대 및 증발량과 강수량의 관계를 모두 옳게 서술한 경우	50
	중위도 고압대 및 증발량과 강수량 중 한 가지만 옳게 서술한 경우	30
(2)	하천수의 유입을 언급하여 염분이 낮은 까닭을 옳게 서술한 경우	50
	하천수의 유입을 포함하여 서술하지 않은 경우	5

11 (1) 혼합층은 바람의 혼합 작용에 따라 표층의 수온이 균일한 층이다.

(2) 수온 약층은 수심에 따라 수온이 급격히 하강하므로 매우 안정한 층이다.

모범 답안 (1) 여름은 수심 10 m까지 수온 변화가 크지 않으므로 혼합층의 두께가 약 10 m이고, 겨울은 수심 150 m까지 수온 변화가 거의 없으므로 혼합층의 두께가 약 150 m 이다. 즉, 여름보다 겨울에 혼합층이 더 두껍게 발달한다. 겨울에는 여름보다 바람이 강하게 불기 때문이다.

(2) 여름에 수온 약층이 더 발달하므로 해수가 겨울보다 여름에 연직 방향으로 더 안정하다.

	채점 기준	배점(%)
(1)	혼합층의 두께와, 혼합층과 바람의 관계를 모두 옳게 서술한 경우	50
	혼합층의 두께와, 혼합층과 바람의 관계 중 한 가지만 옳게 서술한 경우	30
(2)	계절에 따른 수온 약층의 변화를 비교하여 옳게 서술한 경우	50
	수온 약층의 비교가 잘못된 경우	5

2. 대기와 해양의 상호 작용

01 대기와 해양의 상호 작용

탐구 확인 문제 097쪽

01 ⑤ 02 ①

01 엘니뇨는 무역풍이 평상시보다 약해질 때 열대 동태평양의 표층 수온이 높아지는 현상으로, 기권과 수권의 상호 작용으로 대기의 순환에 변화가 일어난다.

바로 알기 ⑤ 엘니뇨가 발생하면 열대 태평양뿐만 아니라 아시아와 아메리카 등 전 세계의 기후에 영향을 미친다.

02 ㄱ. 평상시 열대 동태평양 지역은 연안 용승으로 해수면 온도가 낮아서 하강 기류가 발달하여 날씨가 맑다.

바로 알기 ㄴ. 엘니뇨 발생 시 무역풍이 약해지면 페루 연안의 용승이 약화되고, 열대 서태평양 지역의 따뜻한 해수가 동태평양으로 이동하여 동태평양의 표층 수온은 평상시보다 높아진다.

ㄷ. 엘니뇨 발생 시 동남아시아 지역은 고기압이 분포하여 건조하고 강수량이 감소한다.

개념 모아 정리하기 100쪽

❶ 무역풍 ❷ 편서풍 ❸ 표층 순환 ❹ 시계 ❺ 반시계
❻ 쿠로시오 ❼ 염분 ❽ 남극 ❾ 북대서양 심층수
❿ 산소 ⓫ 연안 ⓬ 무역풍 ⓭ 엘니뇨 ⓮ 라니냐
⓯ 무역풍 ⓰ ENSO

개념 기본 문제 101쪽

01 ㉠: 극순환, ㉡: 극동풍, ㉢: 페렐 순환, ㉣: 편서풍,
㉤ 해들리 순환, ㉥: 무역풍 02 ㉠: 아열대 순환, ㉡: 열대 순환
03 A: 북적도 해류, B: 쿠로시오 해류, C: 북태평양 해류,
D: 캘리포니아 해류 04 (1) 동한 난류 (2) 조경 수역
05 (1) 남극 중층수 (2) ㄱ, ㄴ, ㄷ 06 ㄴ, ㄷ 07 ㄱ, ㄴ, ㄷ
08 ㄱ

01 북반구의 고위도에는 극순환으로 지상에 극동풍이 불고, 중위도 지방에는 페렐 순환으로 지상에 편서풍이 불며, 저위도 지방에는 해들리 순환으로 지상에 무역풍이 분다.

02 중위도 해역에 형성되는 표층 순환은 아열대 순환이고, 저위도 해역에는 남적도 해류와 북적도 해류 및 적도 반류로 구성되는 열대 순환이 형성된다.

04 (1) A 해류는 쿠로시오 해류에서 갈라져 동해안을 따라 북상하는 동한 난류이다.

(2) 한류와 난류가 만나는 곳에 플랑크톤, 용존 산소량, 영양 염류가 풍부하여 좋은 어장이 형성되는 해역을 조경 수역이라고 한다.

05 (1) A 해류는 남극 주변에서 수온 하강으로 밀도가 커져서 침강하는 남극 중층수이다.

(2) ㄱ. 심층 순환은 해수의 밀도 차에 의해 발생한다.

ㄴ. 가장 수심이 깊은 해저까지 도달하는 남극 저층수는 밀도가 가장 크다.

ㄷ. 북대서양 심층수는 수심 2 km ~ 3 km로 침강하여 남반구까지 이동한다.

06 ㄴ. 연안 용승으로 차가운 해수가 상승하여 표층 수온이 낮아진다.

ㄷ. 연안 용승은 해수가 먼 바다로 이동할 때 일어나므로, 이날 해안에는 남풍이 지속적으로 불었음을 알 수 있다.

바로 알기 ㄱ. 용승이 일어나면 심층의 차가운 해수가 상승하므로 해안 부근의 기온이 낮아진다.

07 ㄱ, ㄴ 북반구에서 바람의 방향에 대하여 오른쪽 직각 방향으로 표층 해수가 이동하므로 저기압의 중심에서 바깥쪽으로 해수가 이동하고, 저기압 중심부에서는 용승이 일어난다.

ㄷ. 중심부에서 용승이 일어나서 찬 해수가 상승하므로 표층 수온이 낮아진다.

08 ㄱ. 엘니뇨가 발생하면 페루 연안은 용승이 약해져서 표층 수온이 상승하고, 상승 기류에 의한 구름대가 형성되어 강수량이 증가한다.

(바로 알기) ㄴ. 엘니뇨 발생 시 페루 연안의 용승이 약해져서 표층 수온이 평상시보다 높아진다.

ㄷ. 표층 수온이 상승하면 용존 산소와 플랑크톤 등이 감소하여 어장이 황폐화된다.

개념 적용 문제   103쪽

01 ③ **02** ⑤ **03** ④ **04** ① **05** ④ **06** ④
07 ③ **08** ③ **09** ① **10** ③ **11** ④ **12** ④
13 ③ **14** ④

01 ㄱ. ㉠은 북반구 중위도 해역의 아열대 순환이다.

ㄷ. 아열대 순환은 저위도에서는 무역풍의 영향으로 형성되고, 중위도에서는 편서풍의 영향으로 형성된다.

(바로 알기) ㄴ. 북반구의 아열대 해역에서는 무역풍과 편서풍의 영향으로 시계 방향의 아열대 순환이 나타난다. 따라서 A에서는 저위도에서 고위도로 이동하는 난류가, B에서는 고위도에서 저위도로 이동하는 한류가 흐른다.

02 ㄱ. 북적도 해류와 남적도 해류는 저위도에서 서쪽으로 흐르는 해류로, 무역풍의 영향을 받아 형성된다.

ㄴ. 열대 순환의 일부는 아열대 순환과 합해져서 고위도로 이동할 수 있으며, 반대로 아열대 순환의 일부는 열대 순환으로 이어짐으로써 표층 해류는 지구 전체를 순환할 수 있다.

ㄷ. 북반구와 남반구에서 무역풍과 편서풍이 적도를 중심으로 대칭을 이루므로 아열대 순환도 적도를 중심으로 대칭적으로 나타난다.

03 ㄴ. 중위도 해역에서는 편서풍, 저위도 해역에서는 무역풍의 영향으로 표층 해류가 발생한다.

ㄷ. ㉠ 해역에서는 난류와 한류가 만나기 때문에 위도에 따른 수온의 변화가 ㉡ 해역에서보다 크게 나타난다.

(바로 알기) ㄱ. A는 난류, B는 한류로, 수온은 A가 B보다 높다. 한편 A는 아열대 해역을 통과하여 북상하므로 B에 비해 염분도 높게 나타난다.

04 ㄱ. A는 쿠로시오 해류로, 북상하면서 그 일부가 대한 해협으로 갈라져 들어와 대마(쓰시마) 난류와 동한 난류를 형성한다. 따라서 대마(쓰시마) 난류와 동한 난류는 수온과 염분 등의 물리량이 서로 비슷하게 나타난다.

(바로 알기) ㄴ. 동해에서 겨울에 한류가 강해져서 남하하므로 조경 수역은 여름보다 낮은 위도에서 형성된다.

ㄷ. 난류의 영향을 받으면 대기의 하층부가 가열되어 기층이 불안정해지므로 상승 기류에 의해 강수 현상이 나타난다. 안개는 기층이 안정되었을 때 나타난다.

05 ㄱ. 북대서양 심층수는 남극 중층수보다 수온이 낮고 염분이 높으므로 남극 중층수보다 더 낮은 곳에서 순환한다.

ㄷ. 심층 순환은 고위도에서 저위도로 해수가 이동함으로써 남북 간 에너지를 수송하여 지구의 열평형에 기여한다.

(바로 알기) ㄴ. 남극 저층수는 염분은 낮지만 수온이 낮기 때문에 밀도가 커져 형성된 심층수이다.

06 ㄴ. B에서는 북대서양에서 침강한 심층수가 남극 해역에서 침강한 찬 해수와 합류하면서 해수가 더 냉각되어 인도양과 태평양 해저로 흘러간다.

ㄷ. C에서는 해저를 따라 북상하던 심층수가 점차 표면으로 상승하여 표층 순환과 연결된다.

(바로 알기) ㄱ. A에서 해수의 침강 속도가 느려지면 표층 순환의 흐름이 약해진다.

07 ① 용승이 일어나는 해안은 표층 수온이 낮기 때문에 기층이 안정해지므로 안개가 자주 발생한다.

② 울산 연안에서 용승이 일어나려면 표층 해수가 동쪽으로 이동해야 하므로 남풍이 지속적으로 불어야 한다.

④ 해수의 용승이 일어나면 해저에 있던 영양 염류가 표층으로 상승하기 때문에 표층 해수의 영양 염류가 증가한다.

⑤ 울산 연안의 수온이 낮아진 것은 연안 용승 때문이다.

(바로 알기) ③ 울산 연안의 수온이 다른 해역에 비해 낮은 것은 수온이 낮은 심층수가 용승하였기 때문이다.

08 ㄱ. 무역풍은 저위도에서 부는 바람으로 풍향은 적도를 중심으로 대칭을 이룬다.

ㄴ. 북반구에서는 바람의 방향에 대하여 오른쪽, 남반구에서는 왼쪽 직각 방향으로 표층 해수가 이동한다.

(바로 알기) ㄷ. 무역풍에 의한 표층 해수의 이동이 남반구와 북반구에서 서로 반대 방향이므로 적도 부근에서 표층 해수가 발산하고, 그 결과 용승이 일어난다.

09 ㄱ. 용승 해역은 수온이 낮은 심층의 해수가 상승하기 때문에 주위보다 표층 수온이 낮다.

(바로 알기) ㄴ. A 해역은 적도를 중심으로 양쪽에서 부는 무역풍의 영향으로 적도 용승이 일어나는 곳이다.

ㄷ. B 해역에서 용승이 일어나기 위해서는 표층 해수가 서쪽으로 이동해야 하므로 북풍이 불어야 한다.

10 ㄱ. 북반구의 고기압 중심부에서는 바람이 시계 방향으로 불어 나간다.

ㄴ. 북반구에서는 바람이 부는 방향의 오른쪽 직각 방향으로 표층 해수가 이동한다. 따라서 북반구의 고기압 중심부에서는 시계 방향으로 바람이 불기 때문에 표층 해수가 고기압 중심부 쪽으로 이동한다.

(바로 알기) ㄷ. 고기압 중심에서 지속적으로 부는 바람에 의해 표층 해수가 수렴하므로, 해수의 침강이 발생하여 수온이 약간 상승한다.

11 ㄴ. 엘니뇨 발생 시 페루 연안의 연안 용승이 약화되어 표층 수온이 상승하고, 적도 해역에서 따뜻한 해수가 분포하는 영역이 동쪽으로 확장된다.

ㄷ. 무역풍이 약해지면 C 해역에서 일어나는 용승 현상이 약화되므로 표층 수온이 상승한다.

(바로 알기) ㄱ. 엘니뇨가 발생할 때 무역풍의 세기는 약화된다.

12 ㄱ. 엘니뇨 발생 시 남아메리카 연안의 용승이 약화되어 표층 수온이 상승하고, 적도 해역에서 따뜻한 해수가 분포하는 영역이 동쪽으로 확장된다. 그 결과 저기압이 분포하는 위치가 동쪽으로 이동하여 페루 연안은 평상시보다 강수량이 증가한다.

ㄷ. 엘니뇨 발생 시 적도 부근 동태평양의 수온이 높아져서 상승 기류가 발달하기 때문에 워커 순환의 모습이 달라진다.

(바로 알기) ㄴ. 엘니뇨가 발생하면 적도 부근 동태평양의 표층 수온이 높아지므로 상승 기류가 발달하는 지역 또한 동쪽으로 이동하여 오스트레일리아 일대는 강수량이 감소한다.

13 ㄱ. A 해역의 표층 수온은 엘니뇨가 발생할 때보다 라니냐가 발생할 때 낮다.

ㄴ. 적도 부근 동태평양의 표층 수온은 엘니뇨 발생 시 평상시보다 높아지고, 라니냐 발생 시에는 평상시보다 낮아진다.

(바로 알기) ㄷ. 엘니뇨 발생 시 A 해역에서 용승이 억제되고, 라니냐 발생 시 용승이 활발해진다.

14 ㄱ. 남방 진동은 무역풍의 세기 변화에 따라 적도 해역의 수온 분포가 달라져 기압 배치가 주기적으로 변하는 현상이다.

ㄷ. 엘니뇨 발생 시 타히티 해역에는 높아진 수온에 의해 저기압이 형성된다.

(바로 알기) ㄴ. 엘니뇨가 발생 시 타히티의 기압이 다윈 지역의 기압보다 낮아지므로 남방 진동 지수(타히티의 기압-다윈의 기압)는 (−)의 값을 나타낸다.

02 기후 변화

125쪽

01 해설 참조   **02** 해설 참조

01 현재 추세대로 온실 기체가 배출될 경우 지구 온난화가 계속되어 우리나라의 평균 기온이 상승하고 연강수량도 증가할 것이다.

(모범 답안) 우리나라의 평균 기온이 상승하고 연강수량이 증가할 것이다.

채점 기준	배점(%)
평균 기온 변화와 연강수량의 변화를 모두 옳게 서술한 경우	100
평균 기온 변화와 연강수량 변화 중 한 가지만 옳게 서술한 경우	40

02 우리나라의 기후 변화에 따라 한라봉의 재배지는 제주도에서 전북 김제로, 포도의 재배지는 경북 경산에서 강원도 영월로, 녹차의 재배지는 전남 보성에서 강원도 고성으로 이동하는 등, 주요 작물의 재배지가 북상하고 있다.

(모범 답안) 우리나라가 아열대 기후로 변하면서 주요 작물의 재배지가 고위도로 북상한다.

채점 기준	배점(%)
주요 작물의 재배지가 고위도로 북상하고 있다고 옳게 서술한 경우	100
주요 작물의 재배지가 변화하였다고만 서술한 경우	10

❶ 판   ❷ 대기   ❸ 천문학적   ❹ 경사 방향   ❺ 태양 복사
에너지양   ❻ 태양   ❼ 지구   ❽ 복사 평형   ❾ 온실 효과
❿ 아열대   ⓫ 이산화 탄소

개념 기본 문제   127쪽

01 대기 투과율   **02** ㄷ   **03** ㉠ 가시 광선, ㉡ 적외선
04 (1) ✕ (2) ○ (3) ✕   **05** A: 해빙 또는 빙하의 감소,
B: 화석 연료의 사용   **06** ㄴ, ㄷ, ㄹ

01 태양 복사 에너지가 대기를 통과하여 지표면에 도달하는 양
의 비율을 대기 투과율이라고 하며, 대기 투과율은 대기의 상
태에 따라 달라진다.

02 지구 공전 궤도의 이심률이란 공전 궤도의 납작한 정도로, 이
심률이 클수록 타원 형태를 띤다.
ㄷ. 공전 궤도의 이심률이 커지면 근일점과 원일점의 거리 차
가 커진다. 우리나라의 겨울은 근일점에서 나타나므로 공전
궤도의 이심률이 커지면 겨울의 기온이 높아지고, 반대로 여
름은 태양으로부터 더 멀어지므로 기온이 낮아져 기온의 연
교차가 작아진다.
바로 알기 ㄱ. 계절은 자전축의 방향에만 관련이 있으므로 공전 궤
도의 이심률이 변해도 여름과 겨울의 시기가 바뀌지 않는다.
ㄴ. 낮과 밤의 길이는 지구의 자전 주기에 관련되어 있으므로 공전 궤
도의 이심률이 변해도 밤낮의 길이가 바뀌지 않는다.

03 태양 복사 에너지는 주로 가시광선 영역이고, 지구 복사 에너
지는 적외선 영역이 대부분을 차지한다.

04 (1) F는 지구에서 우주로 방출하는 에너지의 양으로, 지구에
입사하는 태양 복사 에너지(A−B)의 양과 같아야 복사 평형
이 이뤄진다.
(2) B는 대기와 지표에 의해 반사 또는 산란되어 지구에 흡수
되지 못하는 태양 복사 에너지양으로, 반사율이라고 한다.
(3) 지표에서 복사 평형을 이루기 위해서는 지표가 흡수한 에
너지(C+E)의 양과 지표에서 방출한 에너지(D)의 양이 같아
야 한다.

05 A: 지구 온난화가 진행되면 기온이 상승하여 극지방의 빙하
가 녹고, 이에 따라 해수면이 상승한다.
B: 대기 중 이산화 탄소 증가의 주된 요인은 화석 연료의 사
용이다.

06 ㄴ, ㄷ, ㄹ 지구 온난화를 방지하기 위해서는 대기 중 온실 기
체의 양을 줄여야 한다. 즉, 화석 연료의 대체 에너지 개발을
통한 화석 연료 사용의 감소, 삼림 훼손 방지 및 삼림 조성,
매연 감소 장치 및 탈황 장치의 설치를 통한 대기 오염 방지
등의 노력을 해야 한다.
바로 알기 ㄱ. 가축의 분뇨에서 온실 기체인 메테인이 발생하므로
가축 방목은 대기 중 온실 기체의 농도가 증가하는 요인이 된다.

개념 적용 문제   128쪽

01 ④   **02** ②   **03** ②   **04** ⑤   **05** ①   **06** ④
07 ③   **08** ④   **09** ②   **10** ②

01 ㄱ. 화산 분출은 지권을 구성하는 물질이 기권으로 유입되는
현상으로, 지권과 기권의 상호 작용이다.
ㄷ. 화산 분출은 대기에 영향을 줄 뿐만 아니라 지형을 변화
시키고, 화산재가 수권에 유입되는 등과 같은 다양한 경로를
통해 생물권의 변화를 초래한다.
바로 알기 ㄴ. 화산이 분출하면 화산 가스와 함께 화산재 등이 대기
로 유입되어 대기 투과율이 낮아진다. 그 결과 지구의 평균 기온이 일
시적으로 낮아진다.

02 ㄴ. B 시기에는 지구의 자전축의 기울기가 현재보다 크므로
여름철 태양의 남중 고도가 현재보다 커서 기온이 더 높아지
고, 겨울에는 기온이 더 낮아지므로 기온의 연교차가 현재보
다 커진다.
바로 알기 ㄱ. A 시기는 현재보다 지구 자전축의 기울기가 작을 때
이므로 태양의 남중 고도가 낮아진다. 따라서 우리나라에서 여름철의
기온이 현재보다 더 낮았을 것이다.
ㄷ. 지구에 도달하는 태양 복사 에너지양은 태양과의 거리와 관련있
다. 자전축의 경사 변화와는 관계없이 태양과의 거리가 변하지 않으면
지구에 도달하는 태양 복사 에너지의 총량은 같다.

03 ㄴ. 그림에서 지구 공전 궤도가 원일 때 북반구의 여름은 원일점에서 나타나는데, 공전 궤도가 타원이 되면 원일점의 거리가 더 멀어지므로 여름의 평균 기온이 낮아진다.

바로 알기 ㄱ. 원일점에서 지구의 공전 속도가 근일점에서보다 느리므로 지구 공전 궤도가 원에서 타원으로 변할 때 북반구의 여름은 겨울보다 길어진다.

ㄷ. 밤과 낮의 길이의 변화는 지구의 자전 주기와 관련이 있다. 지구 공전 궤도가 변해도 자전 주기가 변하지 않으면 밤낮의 길이 변화는 나타나지 않는다.

04 ㄱ. (나)는 지구 자전축의 방향이 반대로 바뀐 것으로, 세차 운동의 결과이다.

ㄴ. 현재 북반구의 여름은 원일점에서 나타나는데, (나)일때 북반구의 여름은 근일점에서 나타나므로 (가)일 때보다 더워진다.

ㄷ. (다)일 때는 현재보다 지구 자전축의 기울기가 작아지므로 우리나라의 겨울은 기온이 높아지고, 여름은 기온이 낮아져서 기온의 연교차는 (가)일 때보다 작아진다.

05 ㄱ. A는 지구에 입사하는 태양 복사 에너지 중에서 대기와 지표에서 반사 또는 산란에 의해 지구에 흡수되지 못하는 태양 복사 에너지양으로, 반사율을 나타낸다.

ㄴ. B와 C를 합한 값은 지구가 방출하는 지구 복사 에너지양이므로, 지구가 복사 평형을 유지하기 위해서는 지구가 흡수한 태양 복사 에너지양과 같아야 한다.

바로 알기 ㄷ. 지구 온난화가 진행되면 대기가 흡수하는 지구 복사 에너지양이 증가한다. 그러나 지구 전체적으로는 복사 평형을 이루어야 하기 때문에 우주로 방출하는 에너지양(B+C)은 이전과 같아야 한다.

ㄹ. 지구 온난화에 따라 대기가 흡수한 에너지양은 많아지지만 지구가 복사 평형을 이루기 위해서는 우주로 방출하는 C의 양은 일정해야 한다. 따라서 대기가 이전보다 많이 흡수한 에너지는 다시 지표 쪽으로 방출(D)함으로써 지표의 온도가 더 높아진다.

06 ㄱ. 지구 온난화의 주된 원인은 화석 연료의 사용 증가에 의한 대기 중 온실 기체 농도 증가이다.

ㄷ. C는 반사율이 감소하는 원인을 나타내므로, 지구 온난화에 따라 기온이 상승하면 극지방이나 고산 지대의 빙하가 녹아 지표의 반사율이 감소하므로 지구에 흡수되는 태양 복사 에너지양이 증가하여 지구의 기온이 더 상승한다.

바로 알기 ㄴ. 해수의 수온이 높아지면 기체의 용해도가 감소(B)하기 때문에 해수에 녹아 있던 이산화 탄소가 대기 중으로 방출된다.

07 ㄱ. 산업 혁명 이후 에너지 소비량이 증가함에 따라 석탄과 석유 등의 화석 연료의 사용이 증가하였다.

ㄴ. 최근 이산화 탄소 농도 증가율이 더 커지고 있기 때문에 지구 온난화의 진행 속도 역시 가속화되고 있다.

바로 알기 ㄷ. 대기 중 이산화 탄소 농도가 높아지면 지구 온난화가 진행되어 해수의 수온이 상승하며, 수온 상승으로 기체의 용해도가 감소하므로 해수에서 방출되는 이산화 탄소의 양이 증가한다.

08 ㄴ. 여름이 길어지고 겨울이 짧아짐으로써 우리나라의 연평균 기온이 계속 상승하였다.

ㄷ. 지구 온난화가 진행되면 우리나라의 겨울이 점점 짧아질 것이다.

바로 알기 ㄱ. 여름이 길어지고 겨울이 짧아지는 변화는 지구 온난화의 결과로 나타난 것이다. 지구 자전축의 경사 변화는 약 41000년의 긴 주기로 나타나기 때문에 지난 100여 년 동안의 단기간의 기온 상승의 원인으로 보기 어렵다.

09 ㄴ. A → B 시기를 지나면서 지구 온난화에 따라 기온이 상승하였으므로 극지방의 빙하 분포 면적이 감소하였다.

바로 알기 ㄱ. A 시기보다 B 시기에 해수면이 높아진 것은 지구 온난화로 인한 빙하의 용융 및 해수의 열팽창에 의한 결과이다.

ㄷ. 지구 온난화의 주요 원인은 산업화 이후 화석 연료의 사용 증가에 따른 대기 중 온실 기체 농도 증가이므로, 화석 연료의 사용량을 감축해야만 해수면 상승을 억제할 수 있다.

10 ㄷ. 온실 기체는 대부분 에너지의 생산과 화학 제품을 생산하는 산업 공정에서 배출된다. 따라서 온실 기체를 감소시키기 위해서는 대체 에너지 개발과 화학 비료 및 냉매의 대체 물질을 개발하는 것이 시급하다.

바로 알기 ㄱ. 같은 양일 경우 지구 온난화에 미치는 정도를 나타낸 값을 지구 온난화 지수라고 한다. 지구 온난화 지수가 가장 큰 물질은 육플루오린화 황으로, 에어컨의 냉매를 제조할 때 발생한다. 화석 연료의 연소 시 배출되는 이산화 탄소나 메테인 등은 지구 온난화 지수는 낮지만 배출량이 많아서 지구 온난화에 큰 영향을 미친다.

ㄴ. 이산화 탄소나 메테인, 이산화 질소의 지구 온난화 지수는 다른 온실 기체에 비해 작지만 대기 중 농도가 높아서 지구 온난화에 미치는 영향이 크므로 이에 대한 감축이 우선적으로 시행되어야 한다.

01 ㄱ. A의 지상에는 무역풍이 나타나고, B의 지상에는 편서풍이 나타난다.

ㄴ. A와 B 순환은 북태평양 해수의 아열대 순환을 일으키는 원동력이다.

ㄷ. 대기 대순환은 위도별 태양 복사 에너지의 입사량 차이와 지구의 자전에 의해 형성된다.

02 ㄱ. 난류는 저위도에서 고위도로, 한류는 고위도에서 저위도로 흐르는 해류이다. 따라서 A는 난류, B는 한류이다.

ㄴ. 아열대 순환은 무역풍과 편서풍에 의해 북반구에서는 시계 방향, 남반구에서는 반시계 방향으로 순환한다. 따라서 해류 A ~ C는 모두 아열대 순환에 포함된다.

바로 알기 ㄷ. C는 남극 대륙 주위를 순환하는 남극 순환 해류로, 편서풍의 영향으로 형성된다.

03 ㄱ. 해류 A는 아열대 해역에서 형성되어 염분과 수온이 높은 쿠로시오 해류이다.

ㄴ. 해류 B와 C는 각각 황해 난류와 동한 난류로, 쿠로시오 해류(A)에서 갈라져 나왔기 때문에 쿠로시오 해류의 영향을 받는다.

ㄷ. 해류 C는 난류이고, 해류 D는 한류로, 두 해류가 만나 조경 수역이 형성되는 위치는 난류가 강해지는 여름에 겨울보다 고위도에서 나타난다.

04 ① A에서는 수온이 낮고 염분이 높아 밀도가 커진 해수가 침강하여 북대서양 심층수가 형성되는 곳이다.

② B는 남극 주변에서 차가워진 해수가 침강하는 곳이다.

③ 표층 순환과 심층 순환은 서로 연결되어 있으므로, A와 B에서 해수의 침강 속도가 느려지면 표층 순환도 느려진다.

⑤ A와 B에서 침강한 해수는 해저를 통해 이동하여 인도양과 북태평양에서 상승하여 표층 순환과 연결된다.

바로 알기 ④ B에서 해수가 침강하는 주된 원인은 표층 해수의 수온 하강으로 인한 밀도 증가 때문이다.

05 ㄱ. 지중해는 대륙으로 가로막혀 북대서양에 비해 해수의 밀도가 높게 나타난다.

ㄴ. 밀도가 큰 지중해의 해수가 북대서양 밑으로 빠져나가고, 북대서양의 해수는 반대로 표층을 따라 지중해로 유입되어 평형을 이룬다.

바로 알기 ㄷ. 지중해의 해수는 북대서양의 해수보다 염분이 높아 밀도가 크기 때문에 북대서양의 밑으로 빠져나가는데, 남극 저층수보다 밀도가 작아서 저층수를 형성하지는 못한다.

06 ㄱ. 북반구에서 표층 해수는 바람이 부는 방향의 오른쪽 직각 방향으로 흐른다. 따라서 북반구 동해안에서 남풍이 지속적으로 불면 표층 해수는 외해로 이동한다.

ㄴ. 연안 용승이 일어나면 표층 수온이 낮아져서 기층이 안정되어 안개가 자주 끼고 날씨가 서늘해진다.

바로 알기 ㄷ. 연안 용승으로 수온이 하강므로, 수온 상승으로 인한 적조 현상은 발생하지 않는다.

07 ㄱ. 북반구에서 표층 해수는 바람이 부는 방향의 오른쪽 직각 방향으로 흐르므로, A는 북반구 저위도에서 부는 무역풍에 의한 표층 해수의 이동 방향을 나타낸다.

ㄴ. 북반구와 남반구에서 전향력이 반대 방향으로 작용하므로 무역풍에 의한 표층 해수의 이동 방향이 서로 반대이다.

ㄷ. C 해역에서는 해수가 발산하기 때문에 C에서는 용승 현상이 일어나 수온이 낮아지며, 이를 적도 용승이라고 한다.

08 (가) 시기는 평상시, (나) 시기는 온수대가 동쪽으로 이동한 것으로 보아 엘니뇨가 나타난 시기이다.

ㄴ. 엘니뇨 발생 시에는 따뜻한 해수가 동태평양까지 이동하므로 수온 약층의 경사가 완만해진다.

바로 알기 ㄱ. 엘니뇨 발생 시에는 평상시보다 무역풍이 약해진다.

ㄷ. 엘니뇨 발생 시 인도네시아 부근에 고기압이 발달하므로, (나)의 A 해역에는 고기압이 발달하고, 온수대가 형성된 B 해역에는 저기압이 발달한다.

09 ㄱ. 엘니뇨 발생 시 무역풍의 약화로 적도 부근 동태평양의 용승이 약해져서 표층 수온이 상승하므로, 동태평양의 해수면 온도의 편차(관측 수온 − 평년 수온)는 (+)값이 된다. 반대로 라니냐가 발생하면 (−)값이 된다. 따라서 A는 엘니뇨가, B는 라니냐가 발생한 시기이다.

바로 알기 ㄴ. 엘니뇨 발생시(A) 적도 부근 동태평양은 연안 용승이 약화되어 표층 수온이 상승한다.

ㄷ. 라니냐 발생시(B) 적도 부근 동태평양에는 용승이 활발하게 일어나 수온이 낮아져서 하강 기류가 발달하여 고기압이 분포한다.

10 ㄴ. 여름이 근일점에서 나타나므로 태양과의 거리가 더 가까워져서 여름의 평균 기온이 상승한다.

ㄷ. 지구 자전축의 경사 방향이 달라지면 공전 궤도의 같은 위치에서 나타나는 계절이 달라진다.

바로 알기 ㄱ. 근일점에서 여름, 원일점에서 겨울이 나타나므로 연교차가 현재보다 더 크게 나타나서 계절 구분이 강해진다.

11 ㄱ. 인간 활동에 의해 방출되는 온실 기체의 대부분은 이산화 탄소로, 화석 연료의 사용과 관련있다.

ㄴ. 엘니뇨 현상은 해수의 수온이 상승할수록 세력이 강화된다.

ㄷ. 해수면 상승의 주된 원인은 해빙과 해수의 열팽창이다.

12 ㄱ. 이산화 탄소는 온실 효과율은 작지만 절대적인 양이 많아 온실 효과 기여도가 가장 크다.

ㄴ. 메테인과 이산화 질소는 주로 농업 분야와 쓰레기에서 방출되기 때문에 이를 줄이기 위해서는 농업 분야 선진화 및 쓰레기 분리 수거가 필요하다.

ㄷ. 수소 플루오린화 탄소, 과플루오린화 탄소, 육플루오린화 황 등은, 대기 중 농도가 적지만 온실 효과율이 매우 높으므로 대체 물질의 개발이 시급하다.

사고력 확장 문제 140쪽

01 (1) A는 극순환, B는 페렐 순환, C는 해들리 순환이다.

(2) 대륙이 없을 때 표층 해류는 지상에 부는 바람의 방향과 같은 방향으로 평행하게 흐르지만, 대륙이 있는 경우에는 표층 해류가 대륙에 가로막혀 순환하는 환류의 형태로 나타난다.

모범 답안 (1) A는 극순환, B는 페렐 순환, C는 해들리 순환이다.

(2) 대륙이 없을 때는 지상에 부는 바람의 방향과 평행하게 흐르는 적도 해류와 서풍 피류만 나타나지만, 대륙이 있을 때는 해류가 대륙에 막혀 북반구에는 북적도 해류와 북태평양 해류, 쿠로시오 해류, 캘리포니아 해류로 구성된 시계 방향으로의 아열대 순환이 나타나고, 남반구에서는 남적도 해류와 동오스트레일리아 해류, 남극 순환 해류, 페루 해류로 구성된 반시계 방향으로의 아열대 순환이 나타난다.

	채점 기준	배점(%)
(1)	3가지 순환의 명칭을 모두 옳게 답한 경우	30
	3가지 순환의 명칭 중 일부만 옳게 답한 경우	10
(2)	대륙의 유무에 따른 해류의 차이와 아열대 순환의 구성을 모두 옳게 서술한 경우	70
	대륙의 유무에 따른 해류의 차이와 아열대 순환의 구성 중 한 가지만 옳게 서술한 경우	30

02 (1) 쿠로시오 해류는 아열대 해역을 통과하므로 수온과 염분이 높다.

(2) 조경 수역은 난류가 강해지면 고위도에서 형성되고, 난류가 약해지면 저위도에서 형성된다.

모범 답안 (1) 쿠로시오 해류는 수온과 염분이 높은 아열대 해상을 통과하기 때문에 수온과 염분이 높다.

(2) 여름에는 난류가 강해지므로 조경 수역이 고위도에 형성되고, 겨울에는 한류가 강해지므로 조경 수역이 저위도에 형성된다.

	채점 기준	배점(%)
(1)	쿠로시오 해류가 아열대 해역을 통과하면서 수온과 염분이 높아진다고 서술한 경우	50
	쿠로시오 해류의 수온과 염분의 특성은 옳게 서술하였으나, 아열대 해역에 대한 언급이 없는 경우	10
(2)	난류와 한류의 계절별 세력 변화에 따른 조경 수역의 변화를 옳게 서술한 경우	50
	조경 수역이 형성되는 위도에 대한 언급이 없는 경우	30

03 (1) 표층 해수의 염분은 강수량보다 증발량이 많은 중위도 고압대 해역에서 가장 높게 나타난다.

(2) 표층 해수가 침강하는 해역은 고위도 해역이며, 남극 저층수는 북대서양 심층수에 비해 염분이 낮지만 수온이 매우 낮아서 밀도가 크므로 북대서양 심층수의 아래쪽에서 흐른다.

(모범 답안) (1) 표층 해수의 염분은 중위도 고압대 해역에서 가장 높게 나타나는데, 중위도 고압대에서는 증발량이 강수량보다 많기 때문이다.

(2) 북반구에서는 60 °N 부근, 남반구에서는 70 °S 부근에서 표층 해수가 침강하며, 남극 저층수는 북대서양 심층수에 비해 염분은 낮지만 수온이 매우 낮아 밀도가 크므로 북대서양 심층수보다 더 아래쪽에서 흐른다.

	채점 기준	배점(%)
(1)	염분이 가장 높은 위도대와 염분이 높은 까닭을 모두 옳게 서술한 경우	50
	염분이 가장 높은 위도대와 염분이 높은 까닭 중 한 가지만 옳게 서술한 경우	20
(2)	표층 해수가 침강하는 위도대와 남극 저층수가 더 아래쪽에 위치하는 까닭을 모두 옳게 서술한 경우	50
	표층 해수가 침강하는 위도대와 남극 저층수가 더 아래쪽에 위치하는 까닭 중 일부만 옳게 답한 경우	30

04 표층 순환과 심층 순환은 서로 연결되어 있으므로 저위도에서 고위도로 열에너지를 수송하고, 심층 생물에 산소를 공급하고 표층 해수에 영양 염류를 공급한다.

(모범 답안) 심층 순환은 표층 순환과 서로 연결되어 있어서 저위도에서 고위도로 열에너지를 수송하여 지구의 열적 평형에 기여하며, 표층에서 침강하는 해수에 포함된 용존 산소를 심층 생물에 공급하고, 심층 해수에 풍부한 영양 염류를 표층 해수에 공급하는 역할을 한다.

채점 기준	배점(%)
심층 순환의 역할을 에너지와 물질 수송 측면에서 모두 옳게 서술한 경우	100
심층 순환의 역할을 에너지와 물질 수송 측면 중 한 가지에서만 옳게 서술한 경우	20

05 엘니뇨 발생 시 무역풍이 약화되어 페루 연안의 용승이 약화되고, 적도 부근 동태평양의 표층 수온이 상승하여 적도 태평양의 기압 배치(워커 순환)가 변한다.

(모범 답안) [1단계] 무역풍 약화 → [2단계] 페루 연안의 용승 약화 → [3단계] 적도 동태평양의 표층 수온 상승 → [4단계] 적도 동태평양에 상승 기류가 형성되어 저기압이 분포하여 워커 순환의 형태 변화

채점 기준	배점(%)
엘니뇨 발생부터 워커 순환의 변화까지의 과정을 4단계로 나누어 옳게 서술한 경우	100
엘니뇨 발생부터 워커 순환의 변화까지의 과정의 일부만 옳게 서술한 경우	40

06 지구 자전축의 기울기가 현재보다 커지면 기온의 연교차가 커지고, 현재보다 작아지면 연교차가 작아진다.

(모범 답안) (1) 3만 년 전에는 지구 자전축의 기울기가 현재보다 작았으므로 여름의 기온은 현재보다 낮고, 겨울의 기온은 현재보다 높아 연교차가 작았을 것이다.

(2) 3만 년 후에는 지구 자전축의 기울기가 현재보다 크므로 여름의 기온은 현재보다 높아지고, 겨울의 기온은 현재보다 낮아지므로 연교차가 커질 것이다.

	채점 기준	배점(%)
(1)	지구 자전축의 기울기 변화와 현재 및 과거의 우리나라 여름과 겨울의 기온 변화를 모두 옳게 서술한 경우	50
	지구 자전축의 기울기 변화와 현재 및 과거의 우리나라 여름과 겨울의 기온 변화 중 일부만 옳게 서술한 경우	30
(2)	지구 자전축의 기울기 변화와 현재 및 미래의 우리나라 여름과 겨울의 기온 변화를 모두 옳게 서술한 경우	50
	지구 자전축의 기울기 변화와 현재 및 미래의 우리나라 여름과 겨울의 기온 변화 중 일부만 옳게 서술한 경우	30

07 (1) 지구가 복사 평형을 이루기 위해서는 지구가 흡수한 에너지와 방출하는 에너지의 양이 같아야 한다.

(2) 지구 온난화는 대기 중 온실 기체의 양이 증가하여 온실 효과가 강화된 결과 지구의 평균 기온이 상승하는 현상이다.

(모범 답안) (1) A−B=F (또는 A=B+F)

(2) D와 E가 증가한다. 대기 중 온실 기체 증가로 지표면에서 방출하여 대기가 흡수하는 에너지(D)의 양이 증가하면 온실 효과가 증대되고, 지표로 재방출되는 대기 복사 에너지(E)가 증가하여 지구 온난화가 진행된다.

	채점 기준	배점(%)
(1)	관계식을 옳게 나타낸 경우	50
	관계식을 옳게 나타내지 못한 경우	0
(2)	D와 E의 관계로 지구 온난화를 옳게 서술한 경우	50
	D와 E의 증가만 옳게 서술한 경우	30

08 지구 온난화가 진행이 되면 지구의 기온이 상승하고 이에 따라 온실 기체의 방출이 더욱 증가하여 지구 온난화가 가속화된다. 이를 지구 온난화의 양의 되먹임이라고 한다.

모범 답안 지구 온난화가 진행되면 기온이 상승하고, 이에 따라 A와 같이 해수의 수온이 상승하면 기체의 용해도가 감소하여 해수에 녹아 있던 이산화 탄소가 대기로 방출되어 지구 온난화가 가속된다. 또 B에서 빙하가 녹으면 지구의 반사율이 감소하여 지구에 흡수되는 태양 복사 에너지양이 증가하므로 지구 온난화가 가속된다. 따라서 A와 B 모두 양의 되먹임에 해당한다.

채점 기준	배점(%)
해수의 온도 상승과 빙하의 융해가 지구 온난화를 가속시키는 까닭을 모두 옳게 서술한 경우	100
해수의 온도 상승과 빙하의 융해가 지구 온난화를 가속시키는 까닭 중 한 가지만 서술한 경우	40

논구술 대비 문제 ▶ **Ⅱ. 유체 지구의 변화** 146쪽

실전 문제

1 (1) 황사는 건조한 지역에서 모래나 먼지 입자가 상승하여 이동하여 오는 현상이다.
(2) 황사가 이동하면서 대기 오염이 심한 지역을 통과하면 황사 내에 중금속 물질이 증가한다.
(3) 미세먼지는 황사를 구성하는 입자에 비해 크기가 작기 때문에 몸안에 축적이 될 경우 체외로 배출되기 어렵다.

예시 답안 (1) 황사는 모래와 같은 입자로 구성되어 있고 가벼워서 상승하기 쉽다. 따라서 황사의 발원지는 건조한 중위도 고압대에 주로 분포하며 황사 발원지에 저기압이 나타날 때 상승 기류와 함께 공기 중으로 황사입자가 상승하여 이동한다. 또 황사 발원지는 우리나라를 기준으로 서쪽에 위치해서 편서풍의 영향으로 동쪽으로 이동하면서 우리나라에 영향을 미친다. 특히 황사가 다가올 때 고기압이 형성되면 하강 기류에 의해 황사가 침강하여 황사 피해가 크게 나타난다.
(2) 최근 중국의 산동 반도에는 산업의 발달로 공장이 많이 들어서 대기 오염이 심해지고 있다. 황사의 발원지는 산동반도의 서쪽에 많이 분포하고 있기 때문에 황사가 편서풍에 의해 동쪽으로 이동하면서 이러한 대기 오염 지역을 통과하면 대기 오염 물질인 중금속 물질이 황사와 섞여 더 큰 피해를 주게 된다.
(3) 미세먼지는 황사와는 다르게 자동차나 공장의 매연 등에 많이 포함되어 있어서 인구 밀집 지역에서 지속적인 영향을 미친다. 미세먼지를 구성하는 물질은 황사를 구성하는 물질보다 입자의 크기가 작고 중금속의 비율이 높은 특징을 가지고 있어서 체내에 들어오면 체외로 빠져나가기 어려워 체내에 계속 축적되기 때문에 황사보다 위험성이 더 크다.

2 (1) 북반구에서 바람에 의한 표층 해수의 이동은 바람의 방향에 대하여 오른쪽 직각, 남반구에서는 왼쪽 직각 방향으로 나타난다.
(2) 엘니뇨는 무역풍이 약해질 때 발생한다. 무역풍이 약해지면 적도를 따라서 서에서 동으로 이동하는 난류인 적도 반류의 세력이 강해져서 동태평양의 수온이 상승하게 된다.

예시 답안 (1) 바람에 의한 표층 해수의 이동은 북반구에서는 바람의 방향에 대하여 오른쪽 직각, 남반구에서는 왼쪽 직각 방향으로 나타난다. 따라서 적도를 중심으로 표층 해수가 반대 방향으로 이동하므로 해수가 발산되어 용승이 일어나게 된다.
(2) 엘니뇨는 3년∼7년을 주기로 무역풍이 약해지면서 나타난다. 무역풍이 약해지면 페루 연안의 용승이 약해져서 적도 부근 동태평양의 수온이 상승한다. 이러한 과정으로 적도 부근 서태평양에 위치하던 온난 수역이 동쪽으로 이동하는데, 이를 엘니뇨라고 한다.

3 (1) 지구의 대기는 지구 복사 에너지를 흡수했다가 방출함으로써 지구의 평균 온도가 높게 유지될 수 있도록 하는 역할을 한다.
(2) 온실 효과를 일으키는 에너지는 대기가 흡수한 에너지 중에서 우주로 방출하고 남은 에너지이다.

예시 답안 (1) 지구에 대기가 없을 경우에는 대기에 의한 온실 효과가 나타나지 않기 때문에 태양 복사 에너지를 받는 낮에는 온도가 높아지지만 태양 빛이 없는 밤에는 온도가 내려가서 지구의 평균 온도가 낮게 나타나므로 생명체가 존재할 수 없다.

(2) 지표면은 태양 복사 에너지 50을 받은 후 123의 지구 복사 에너지를 방출하는데 실제 지구가 전체적으로 에너지 평형을 이루기 위해서 우주로 다시 내보내야 하는 복사 에너지는 단지 70뿐이다. 따라서 나머지 53은 그대로 대기 중에 머물러서 지구의 온도를 높게 유지시키는 온실 효과를 일으킨다.

4 (1) 기후 변화의 자연적 요인 중 지구 외적 요인에는 지구 자전축의 변화, 지구 공전 궤도의 변화, 태양 활동의 변화 등이 있다.
(2) 온실 기체 배출량을 감축하기 위해서 가장 필요한 것이 온실 기체의 대부분을 차지하고 있는 이산화 탄소량을 감소시키는 것이다.
(3) 온실 기체는 지구 전체의 대기에 퍼져 분포하기 때문에 어느 한 나라에서의 노력만으로 온실 기체의 양을 감축할 수 없다.

예시 답안 (1) 세차 운동에 의해 지구 자전축의 방향이 변하거나 지구 자전축의 기울기가 변하면 기후 변화가 나타난다.

(2) 온실 기체가 증가하게 된 것은 인류의 산업 발달과 관련이 깊다. 즉 인류의 산업이 발달하면서 에너지가 필요함에 따라 화석 연료의 사용이 증가하여 대기 중 이산화 탄소량이 증가하였다. 따라서 온실 기체 배출량을 감축하기 위해서는 화석 연료의 사용을 줄이고 대체 에너지를 개발해야 하며, 이산화 탄소를 흡수할 수 있는 삼림의 면적을 넓히고, 화학 비료보다 천연 비료를 개발하여 사용해야 한다.

(3) 온실 기체가 대기 중으로 배출되면 대기의 순환에 의해 전 세계로 퍼지게 된다. 따라서 어느 한 나라에서 온실 기체를 감축하고 다른 나라에서는 온실 기체를 계속 방출하면 전체적으로 온실 기체의 감축 효과는 나타나지 않는다. 따라서 온실 기체의 감축을 위해서는 국가 간 협력이 필요한 것이다.